CARTE DE FRANCE

# Petite Histoire des Lettres Françaises

PAR

## GILBERT CHINARD

PROFESSEUR DE LITTÉRATURE FRANÇAISE

A L'UNIVERSITÉ JOHNS HOPKINS

## *NEW EDITION*

# GINN AND COMPANY

BOSTON · NEW YORK · CHICAGO · LONDON · ATLANTA · DALLAS · COLUMBUS · SAN FRANCISCO

The Athenæum Press

GINN AND COMPANY · PRO-
PRIETORS · BOSTON · U.S.A.

# PRÉFACE

LA TRÈS grande majorité des élèves des *high schools* et même de nos collèges abandonnent l'étude du français au bout de deux, trois ou au maximum de quatre années. La plupart d'entre eux, même s'ils ont beaucoup lu, ne peuvent avoir aucune idée exacte de la continuité et du développement historique des lettres françaises. C'est à leur intention que ce petit livre a été écrit. Ceux d'entre eux qui, plus tard, suivront un cours plus avancé et plus détaillé sur l'histoire d'une période pourront au moins y commencer leur initiation littéraire. On ne doit donc pas s'attendre à trouver ici des listes complètes d'auteurs, de faits et de dates, mais plutôt des vues d'ensemble et des idées générales. Une expérience de bientôt vingt années m'a d'ailleurs démontré que si nos étudiants se rebutent parfois devant des questions purement techniques, ils sont singulièrement alertes et éveillés quand on discute avec eux les idées d'un auteur. Dans ces leçons très courtes qui sont faites pour être lues et non apprises par cœur, ils rencontreront des indications qui les aideront à mieux comprendre la valeur des textes qu'ils étudient dans leurs classes de français. Des questionnaires leur permettront de revoir et de préciser les idées principales de chaque chapitre et le lexique placé à la fin du volume leur facilitera la lecture de ce petit livre.

GILBERT CHINARD

BALTIMORE

v

# TABLE DES MATIÈRES

vii

# PETITE HISTOIRE
# DES LETTRES FRANÇAISES

L'ARCHITECTURE ROMAINE : LES ARÈNES D'ARLES

# INTRODUCTION

## LE PEUPLE ET LA LANGUE

LE PEUPLE français actuel provient de mélanges opérés au cours des siècles entre les habitants primitifs du sol et les envahisseurs ou conquérants qui se sont succédé. Ces derniers ont été nombreux, car la situation géographique de la France en a fait le point d'arrivée de toutes les grandes migrations qui sont venues de l'Est vers l'Ouest à travers l'Europe. Le plus ancien peuple que l'histoire mentionne comme ayant occupé une portion de la Gaule est celui des Ibères ; les Ligures sont venus ensuite, et après avoir couvert tout le territoire furent refoulés vers la Méditerranée. Les Celtes enfin firent plusieurs vastes migrations et se mêlèrent aux populations antérieures. Au moment même de la conquête romaine (premier siècle avant Jésus-Christ), la population de la Gaule était loin d'être homogène. On peut dire cependant que la culture latine vint modifier une population qui, sauf pour l'Aquitaine, située au sud-ouest du pays, était largement celtique au moins par la langue.

A la suite de la conquête romaine on vit se développer sur le territoire de la Gaule une civilisation nouvelle. Les Gaulois, tout en adoptant la langue, les lois et l'organisation de leurs conquérants, retinrent cependant une certaine individualité ; de là le nom de Gallo-Romains qui leur fut donné. La décadence et la chute de Rome allaient cependant causer de nouveaux changements. Du quatrième au dixième siècle après Jésus-Christ, les invasions et les infiltrations ger-

3

maniques modifièrent la population, de façon restreinte au
sud de la Loire, et de façon bien plus considérable dans le
Nord et le Nord-Est, où s'établirent les Francs qui devaient
donner leur nom au pays tout entier. Les invasions ultérieures
eurent une influence moins marquée. Il importe cependant
de remarquer que les Arabes ont séjourné quelque temps
dans le Sud ; les Normands se sont établis sur les rivages de
la Manche ; les Anglais ont occupé l'Aquitaine et les Espagnols la Franche-Comté. Tous ont nécessairement contribué
à modifier dans une certaine mesure la population antérieure.

Il s'en faut encore de beaucoup que la fusion de toutes ces
races diverses soit complète aujourd'hui. Il n'existe pas de
type général de Français. L'aspect des individus, le teint,
la taille, le caractère et les dispositions varient de façon considérable de province à province. Un Breton ne ressemble
guère à un Normand, à un Tourangeau ou à un Poitevin, et
ces derniers ressemblent eux-mêmes fort peu à un Provençal.
Comme l'a dit un jour un écrivain américain, « le peuple
français est un peuple d'individus » chez qui l'on peut retrouver les caractéristiques des races les plus diverses.

Ce peuple si varié apparaît cependant aujourd'hui comme
profondément unifié. Bien que cette unification complète
soit de date assez récente, il est vraiment difficile de ne pas
reconnaître à travers l'histoire, comme à travers la littérature
de la France, l'existence d'une certaine continuité et d'une
certaine tradition nationale. La richesse et la variété de productions littéraires, réparties sur près de huit siècles, rendent
toutefois vaine et dangereuse toute définition trop étroite
et trop précise. Si des écrivains comme Montaigne, Boileau,
Voltaire et Anatole France ont des qualités de mesure et de
sens commun que l'on aime à cataloguer comme des qualités
bien françaises, ni Rabelais, ni Balzac, ni Victor Hugo ne
peuvent rentrer dans la même catégorie. Qui pourrait nier

cependant qu'ils ne soient bien français ? Il serait également vain de chercher à définir l'esprit français en constatant chez lui l'absence de qualités imaginatives qui seraient plus développées chez d'autres peuples. On aurait tort en particulier de refuser aux Français le don de la poésie. Oublier ainsi Ronsard, Victor Hugo et Lamartine, pour ne parler que des plus grands, serait en tout cas fort injuste. La vérité est que la France n'a donné au monde ni un Dante, ni un Shakespeare, ni un Gœthe. Elle a par contre excellé dans un domaine moins élevé peut-être, mais plus proche de l'humanité moyenne, et c'est pour cette raison que, par l'intermédiaire de ses écrivains, elle a pu exercer à certaines époques une influence presque universelle.

Cette influence et cette diffusion générale de la littérature française sont dues en grande partie aux qualités particulières de la langue qu'ont employée les écrivains. Moins riche que l'allemand ou l'anglais, moins sonore que l'espagnol et surtout que l'italien, le français est renommé pour sa clarté et sa précision. Ces qualités qui lui sont généralement reconnues ont peut-être trop fait oublier qu'il avait aussi des qualités musicales que ses grands poètes ont su mettre à profit.

Aux habitants primitifs du sol, le français tel qu'il est parlé actuellement n'a presque rien emprunté que des noms de lieux, dont on peut reconnaître la forme celtique lointaine sous la forme latinisée. De ses envahisseurs germains, la France n'a reçu que quelques centaines de mots. A différentes époques, et encore aujourd'hui, un certain nombre de mots ont pu être empruntés à d'autres langues étrangères, notamment à l'italien et à l'anglais. Mais, dans son ensemble, le français doit son existence au latin et appartient à la grande famille des langues romanes.

Il fallut cependant plusieurs siècles après la conquête romaine pour que le latin remplaçât complètement la langue des indigènes. Alors que les plus riches des Gallo-Romains apprenaient le latin classique dans lequel certains arrivèrent à exceller, le peuple adoptait une sorte de dialecte, latin populaire ou latin vulgaire que parlaient les marchands, les soldats et les colons romains. Ce latin populaire était avant tout une langue parlée et le peuple eut ainsi une tendance naturelle à retenir les sons qui étaient les plus fortement accentués. De là, et aussi grâce à l'action de certains phénomènes linguistiques extrêmement variés, l'évolution que subit la langue qu'avaient apportée les conquérants romains dans le pays qui devait devenir la France.

Cette nouvelle langue était loin d'offrir une unité réelle. Comme toutes les langues parlées, elle a dû être extrêmement mobile et sans doute elle variait de ville à ville et de région à région. On peut cependant constater assez tôt la présence de deux groupes de dialectes : la langue d'*oc* (au midi), et la langue d'*oïl* (au nord). C'est à ce second groupe qu'appartenait le dialecte qui, pour des raisons historiques et politiques, devait avoir la fortune la plus brillante. Le dialecte de l'Ile de France devint en effet graduellement la langue qui est aujourd'hui appelée le français. Il fut très tôt la langue de la cour et de la capitale et ses progrès suivirent l'extension du domaine des ducs de France, puis des rois de France. Dès le douzième siècle, cette langue appelée ancien français est constituée et règne du douzième à la fin du treizième siècle. La période qui suit, celle du moyen français, est une période de transition qui dure presque jusqu'au milieu du seizième siècle. C'est seulement au dix-septième siècle que le français moderne peut être considéré comme définitivement constitué.

Le français est parlé aujourd'hui non seulement en France, mais dans une partie de la Belgique, de la Suisse, du Canada, à Haïti, encore un peu en Louisiane. Il est encore la langue auxiliaire du Levant. En France même, il n'a pas fait dis-

paraître entièrement les parlers locaux comme le breton, le
basque et le provençal ; mais depuis plusieurs siècles il est la
seule langue officielle et l'on pourrait presque dire, malgré
des exceptions brillantes et intéressantes, la seule langue littéraire du pays.

L'étude détaillée des transformations subies au cours des
siècles par la langue française, depuis son origine jusqu'à
nos jours, appartient à la philologie. Il importe cependant
de fixer quelques points essentiels qui peuvent aider à mieux
comprendre ses caractères.

En plus des mots qui provenaient du latin vulgaire, on vit
bientôt les clercs ou savants introduire dans la langue des
mots empruntés directement au latin classique, sans parfois
se rendre compte qu'un mot semblable existait déjà sous une
forme française. De là l'existence en français de *doublets*,
un des mots étant de formation populaire, l'autre de formation savante. C'est ainsi que l'on a *livrer* et *libérer* qui
viennent tous deux de *liberare*, *frêle* et *fragile* qui viennent
de *fragilem, hôtel* et *hôpital* de *hospitalem, cheville* et *clavicule*
de *claviculam*. L'introduction de ces mots savants dans la
langue a été constante et se continue tous les jours par des
emprunts soit au grec, soit au latin, soit à des langues
étrangères modernes.

On voit donc que les éléments qui entrent dans la composition du français sont loin d'avoir tous la même ancienneté
et la même origine. Chaque génération a remanié, augmenté
ou diminué le vocabulaire reçu des générations précédentes ;
la langue n'a cessé de se modifier ; mais le fait le plus remarquable est peut-être l'intérêt pris par les Français eux-
mêmes à son développement.

Il est à noter en effet que le français doit beaucoup de ses
qualités de clarté et de précision à un effort conscient et
prolongé qui dure depuis au moins quatre siècles, c'est-à-dire

depuis la Renaissance. C'est au dix-septième siècle que cet effort se manifeste avec le plus d'intensité, avec Malherbe et grâce à la fondation de l'Académie française ; mais il est peu d'écrivains en France qui n'aient pas eu le souci constant de l'expression, et il n'est point de pays où l'introduction d'un nouveau mot ou de nouvelles formes d'expression suscite autant d'intérêt de la part du grand public.

## QUESTIONNAIRE

1. Quels peuples occupèrent le sol de la France avant et après la conquête romaine ?

2. Quelles sont les qualités particulières de la langue française ?

3. De quelle façon le français moderne s'est-il formé ? Vient-il du latin classique ?

4. Pour quelles raisons le dialecte de l'Ile de France est-il devenu la langue la plus répandue ?

5. Citez différents parlers locaux encore en usage en France.

6. Qu'appelle-t-on *doublets* ?  Donnez des exemples.

7. A quoi le français doit-il ses qualités de clarté ?

# LE MOYEN AGE

# CHAPITRE I

## LES PREMIERS MONUMENTS LITTÉRAIRES

Au DÉBUT du neuvième siècle, bien que le latin classique continue à être la langue officielle et la langue des lettrés, on peut considérer qu'une langue romane qui n'est pas encore le français mais qui n'est déjà plus le latin est définitivement constituée. C'est à cette date que remontent les premiers monuments que nous possédions et qui sont d'abord des glossaires, en particulier ceux de Reichenau et de Cassel, et surtout les fameux *Serments de Strasbourg* qui sont souvent cités, et qui furent échangés en 842 entre Louis le Germanique et Charles le Chauve, tous deux fils de Louis le Pieux.

Les premiers monuments littéraires apparaissent vers la fin du même siècle. Ce sont des œuvres encore de peu d'étendue, naïves et de composition simple, qui présentent de l'intérêt surtout au point de vue de l'histoire de la langue. On trouve à cette époque des vies des saints comme la *Séquence* ou *Cantilène de sainte Eulalie* (29 vers), la *Vie de saint Léger* (240 vers), vers la fin du dixième siècle ; la *Vie de saint Alexis* (625 vers), début du onzième siècle.

De la première tout le monde connaît le début :

> Buona pulcella fut Eulalia,
> Bel avret corps, bellezour anima ;

« Eulalie fut une vierge vertueuse ; elle avait un beau corps, une âme plus belle encore. »

La *Vie de saint Alexis* est la seule de ces œuvres où une émotion se fasse jour, en particulier dans le passage où la

mère d'Alexis se jette sur le corps de son fils, s'arrache les
cheveux, se frappe la poitrine, « spectacle si douloureux qu'il
n'eut homme si dur qui pût s'empêcher de pleurer. »

Mais bien que le genre se soit continué à travers le moyen
âge, c'est par des productions différentes que la période qui
va nous occuper doit retenir l'attention.

Au douzième et au treizième siècle, en effet, on allait assister à une magnifique floraison littéraire qui présente une
grande variété : tout d'abord une production épique considérable, comprenant de véritables épopées et des romans che-
valeresques ; des poésies plus simples et plus familières,
fables et fabliaux et contes d'animaux ; quelques essais de
poésie lyrique ou personnelle ; enfin les premiers essais de
poésie dramatique que nous possédions en français.

Ces différents genres ne devaient pas avoir la même fortune
pendant les deux siècles suivants (quatorzième et quinzième).
Les épopées font place aux chroniques en prose et à des
ébauches historiques ; les contes en prose apparaissent et
la poésie lyrique et personnelle prend plus de développement en même temps que le théâtre religieux devient plus
important.

Il est donc difficile de traiter d'un seul bloc la littérature
du moyen âge. Du douzième à la fin du quinzième siècle les
productions littéraires ont varié comme la société elle-même
et, au moins dans une certaine mesure, expriment et reflètent
ces différentes transformations. Pour comprendre et étudier
la littérature du moyen âge, il faudrait avant tout connaître
l'histoire du moyen âge. Nous ne pouvons ici entrer dans les
détails ; il convient cependant d'indiquer quelques-uns des
faits principaux.

Le premier de ces grands faits est l'établissement de la
féodalité qui se constitue sous les premiers successeurs
d'Hugues Capet. Au onzième siècle, on trouve déjà trois

LA VIE FÉODALE : LE CHATEAU DE LANGEAIS

sociétés en France : les seigneurs, les clercs ou gens d'Église et les roturiers. Les seigneurs, comtes et ducs, qui à l'origine tenaient leurs seigneuries du roi, à leur tour avaient des vassaux, qui étaient les seigneurs habitant sur leurs fiefs. En fait, aux époques où le pouvoir royal était encore faible, les comtes et ducs étaient souverains maîtres de leurs fiefs et n'hésitaient pas à se faire la guerre entre eux et même à se lancer dans des expéditions à l'étranger. C'est ainsi qu'en 1066 le duc de Normandie, Guillaume, fit la conquête de l'Angleterre, et qu'Henri de Bourgogne alla, en 1094, combattre les Arabes en Espagne. Le seigneur frappe monnaie, établit et perçoit des impôts, lève des troupes, doit obéissance à son suzerain, mais souvent se révolte contre lui. Les seigneurs sont avant tout des guerriers bien plus que des administrateurs et la force rude n'est guère arrêtée que par l'autorité et le prestige de l'Église.

C'est en effet l'Église qui est la grande puissance civilisatrice dans cette société à demi barbare. C'est l'Église qui travaille à épurer et à perfectionner la chevalerie et qui fait peu à peu du chevalier le type du héros chrétien, défenseur de la veuve et de l'orphelin. C'est encore l'Église qui essaie de faire observer la trêve de Dieu par laquelle il était défendu aux seigneurs de combattre pendant une moitié de la semaine. Ce sont les prêtres et les moines qui dans leurs monastères recopient, d'ailleurs sans toujours les bien comprendre, les manuscrits grecs et latins qui nous ont été conservés. C'est sous l'influence de l'Église que se développe l'art roman et c'est une idée religieuse qui pousse et lance vers la Terre sainte les croisés, qui abandonnent leur pays pour aller à Jérusalem délivrer le tombeau du Christ des mains des infidèles.

Par contre, la condition des roturiers est assez dure. Les habitants des villes ont quelque indépendance et s'emploieront par tous les moyens au cours du moyen âge à la conserver et à l'augmenter ; mais les paysans sont réduits à un état de demi-servage ou de servage complet.

A quelques égards le moyen âge peut donc mériter le qualificatif de *dark ages* qui lui est encore assez souvent appliqué en anglais. Il ne faut pas oublier cependant que le moyen âge a été aussi, à d'autres égards et au moins à certains moments, un âge de foi et d'enthousiasme, que son architecture militaire et religieuse a produit des chefs-d'œuvres comme les monastères, les cathédrales et les châteaux qui sont comme semés sur le sol de France. Il faut se souvenir enfin que le moyen âge nous a laissé toute une littérature longtemps dédaignée, mais dont le dix-neuvième siècle a découvert la grande valeur artistique et humaine.

## QUESTIONNAIRE

1. Quels sont les plus anciens monuments de la langue française ?

2. Énumérez les différents genres littéraires qui paraissent au XII$^e$ et au XIII$^e$ siècle.

3. Faites un tableau de la féodalité : roi, seigneurs, prêtres, bourgeois, paysans.

4. Quel est le véritable pouvoir civilisateur au moyen âge et comment s'est-il exercé ?

5. Quels souvenirs le moyen âge nous a-t-il laissés ?

# CHAPITRE II

## LA POÉSIE ÉPIQUE

DE TOUTES les productions littéraires du moyen âge, les plus remarquables peut-être sont les poèmes épiques. Il est certain que l'on vit apparaître en France, du onzième au quatorzième siècle, un nombre considérable d'œuvres en vers destinées à être chantées, lues ou récitées et qui avaient pour objet de célébrer les exploits de quelque héros fameux. De là, le nom de *chansons de geste* (*res gestae*, exploits) qui leur a été donné.

On les divise habituellement en plusieurs groupes d'après le sujet qui s'y trouve traité : les épopées dites nationales, dont l'action se déroule au temps de Charlemagne ou de son fils Louis ; les poèmes qui célèbrent des héros de l'antiquité ; enfin ceux qui se passent dans une Bretagne fabuleuse. Les premiers poèmes seuls méritent vraiment le nom de chansons de geste. Les poèmes antiques ou bretons sont en fait des romans de chevalerie en vers plutôt que de véritables épopées. C'est à propos du premier groupe que les savants modernes ont le plus discuté et que se posent les problèmes les plus intéressants.

Les historiens modernes se sont préoccupés de l'origine de ces productions littéraires qui semblent apparaître spontanément au onzième siècle pour disparaître ensuite presque totalement au quatorzième. Pendant longtemps, on a cru que les chansons de geste tiraient leur origine de chansons populaires qui auraient été composées à la suite de quelque grand événement qui aurait frappé l'imagination d'un grand nombre de gens. D'autres, au contraire, croient qu'elles ont été écrites par des savants ou des clercs dont quelques-uns étaient de véritables artistes, pour célébrer un passé déjà lointain. C'est à cette dernière hypothèse qu'aboutissent les travaux les plus récents de M. Bédier, par exemple, qui voit dans les chansons de geste des poèmes destinés à être chantés à l'occasion de grandes réunions et dans les pèlerinages à des sanctuaires fameux.

Les épopées nationales elles-mêmes forment plusieurs groupes : l'épopée royale dans laquelle on réunit les poèmes qui ont pour figure centrale Charlemagne, et l'épopée féodale ou épopée régionale qui célèbre des héros locaux.

Le chef-d'œuvre de l'épopée royale est la fameuse *Chanson de Roland*, la plus ancienne des chansons de geste que nous possédions. Le fait historique qui lui a donné naissance est assez mince. On sait par un vieux chroniqueur que le roi Charles, après une expédition contre les Sarrasins qui l'avait entraîné jusqu'à Saragosse, rentrait en France quand l'arrière-garde de son armée fut surprise dans un défilé des Pyrénées par des montagnards gascons. « Dans ce combat périrent Eginhard, maître d'hôtel du roi, Anselme, comte du palais, Roland, préfet des Marches de Bretagne et quelques autres. » Cette défaite des troupes de Charlemagne se serait produite en 778 ; le poème qui nous en a conservé le souvenir est du dernier tiers du onzième siècle.

La composition du poème est des plus simples. Il se divise en trois parties : 1° Ganelon, par haine de son beau-fils Roland, forme une alliance avec le roi des Sarrasins, Marsile. 2° Roland, placé à l'arrière-garde de l'armée, est attaqué dans le défilé de Roncevaux par cent cinquante mille hommes et, malgré les conseils de son ami Olivier, refuse de sonner du cor pour avertir Charlemagne qui a heureusement franchi le défilé, et pour demander du secours. Il voit tomber autour de lui tous ses compagnons, dont Turpin et Olivier, et meurt enfin le dernier. 3° L'empereur revient à temps pour venger son neveu; il rentre en Espagne, tue l'émir Baligant de Babylone en combat singulier. Marsile meurt de douleur; le traître Ganelon dont on fait le procès est écartelé et la reine d'Espagne se fait chrétienne.

On aurait tort de chercher dans la *Chanson de Roland* des allusions à des événements historiques connus, de la couleur locale et une reconstitution de la vie au temps de Charlemagne. L'énumération des pays conquis par Charlemagne est des plus fantaisistes, les Sarrasins et les chevaliers français parlent la même langue et diffèrent à peine les uns des autres par le costume, l'armement ou les mœurs. Le roi Charles lui-même qui, à cette date, avait trente-cinq ans et ne devait être couronné empereur que vingt-deux ans plus tard, est devenu l'Empereur à la barbe blanche « comme fleur en avril ». On ne doit même pas compter y trouver un tableau exact des mœurs au onzième siècle. Seul l'aspect guerrier, militaire et chevaleresque de la vie nous est offert dans le poème où abondent les récits de combat, les grands coups d'épée et les actions héroïques, mais d'où les femmes sont presque totalement absentes.

De même, le poète ne s'est guère attardé aux analyses psychologiques, à l'étude approfondie des caractères. Quelques mots lui suffisent pour peindre ses héros, simples et tout d'une pièce, mais qui vivent, agissent et qu'on ne peut oublier. C'est Ganelon, le traître, qui agit par orgueil plutôt que par bassesse; c'est l'archevêque Turpin, rude guerrier qui se bat comme il prie, assomme les infidèles et redevient prêtre pour bénir les morts. C'est encore Charlemagne, la figure centrale du poème, devenu avec l'âge plus sage et plus humain que le commun des mortels, mais ayant conservé toute sa

L'ARCHITECTURE GOTHIQUE : LA CATHÉDRALE DE REIMS

vigueur et restant le champion de la chrétienté contre les
infidèles. Ce sont, avant tout, les deux chevaliers aimés du
poète, Roland et Olivier, unis par une affection de frères
d'armes, tout proches l'un de l'autre et pourtant différents :
Roland, l'incarnation de la bravoure absolue qui, dans un
entêtement héroïque, meurt plutôt que d'appeler au secours
alors qu'il en est encore temps ; Olivier, non moins brave,
mais plus sage et, semble-t-il, plus humain et en tout cas plus
proche de l'humanité moyenne.

Si une analyse détaillée est impossible ici, on peut au
moins indiquer quelques-uns des aspects essentiels du poème
et expliquer pourquoi les Français lui attribuent une telle
valeur. On ne saurait trop insister tout d'abord sur la valeur
dramatique et morale de la *Chanson de Roland*. Le poème
exalte une défaite, c'est un hommage rendu à un héros malheureux qui meurt victime du destin et qui a le souci,
pourrait-on déjà dire, d'avoir une belle mort. Le fait est
d'autant plus notable que les sympathies populaires en France
sont toujours allées aux héros qui ont eu une fin malheureuse
bien plus qu'aux héros triomphants. Les exemples en sont
nombreux. Il suffit de rappeler celui de Jeanne d'Arc, plus
célèbre par sa mort sur le bûcher que pour avoir délivré
la France et pour avoir fait sacrer Charles VII à Reims.
Plus près de nous, on peut encore citer Napoléon dont les
poètes ont célébré la dernière défaite tragique de Waterloo
plus que la victoire ensoleillée d'Austerlitz. Il y a là, chez
le peuple français, un très curieux mélange de sens dramatique, de générosité, de désir de réparer l'injustice de la
fortune et d'admiration pour les grandes destinées qui se
trouve à toutes les époques et que nous rencontrerons encore
plusieurs fois.

On peut y distinguer aussi un amour très simple et très
sincère de la France, à un moment où la France commence

à peine à exister. Sans doute le sentiment qui inspire les héros de la *Chanson de Roland* est très différent du patriotisme moderne ; ce n'en est pas moins l'amour confus du sol natal qui saisit les Francs à leur retour d'Espagne et qui fait trouver au poète des expressions comme « la douce France », « France la terre bénie ».

Si la *Chanson de Roland* est le chef-d'œuvre de l'épopée française, elle est loin d'être une production isolée. La figure de Charlemagne reparaît avec des variantes dans plusieurs autres poèmes comme *Le Pèlerinage de Charlemagne* qui contient des notations déjà comiques ; *Mainet* qui raconte l'enfance légendaire du grand empereur, ou le *Couronnement de Louis* qui met en scène le fils de Charlemagne, Louis le Débonnaire.

Les épopées que nous avons appelées régionales se groupent autour de deux héros principaux pour constituer la *Geste de Garin de Monglane* et la *Geste de Doon de Mayence*. Aucune d'elles n'a la beauté littéraire de la *Chanson de Roland* ; mais il s'en faut de beaucoup cependant qu'elles soient sans intérêt. En dehors des très beaux passages qu'elles contiennent, elles offrent des indications précises pour reconstituer toute la psychologie d'une époque lointaine. On y voit revivre la brutalité parfois féroce, la bravoure souvent folle, la foi naïve et forte d'un âge où les mœurs étaient encore rudes, simples et violentes.

A côté de ces productions vraiment épiques, on trouve au douzième siècle des ouvrages en vers qui diffèrent des chansons de geste et sont à proprement parler des romans courtois. Certains racontent les exploits de héros antiques comme Alexandre le Grand ; le *Roman de Thèbes* ou le *Roman de Troie* démontrent que dès cette date il s'était produit en France un mouvement des plus curieux de retour vers l'antiquité. Les autres sont généralement catalogués sous le nom de *romans de Bretagne*, et renferment des œuvres qui n'ont guère d'unité et dont l'origine reste encore mal déterminée. C'est à ce groupe qu'appartiennent les romans arturiens de Chrétien de Troyes, qui mettent en scène Artur et les chevaliers de la Table ronde, et l'on y rattache des légendes comme celle de Tristan et Yseut et les *lais* élégants et un peu secs de Marie de France.

Ces dernières œuvres révèlent un état d'esprit bien différent de celui que nous constatons dans les chansons de geste. L'amour y joue souvent un rôle de premier plan et les chevaliers se soumettent à mille épreuves pour se rendre dignes de leur dame ; l'imagination y occupe aussi plus de place. L'auteur se soucie moins de la vraisemblance et souvent nous transporte dans un vrai pays de féerie. Il ne se soucie plus que d'amuser le lecteur ou l'auditeur par le beau récit d'aventures extraordinaires. On voit donc que, dès le douzième siècle, la société et la vie étaient plus complexes qu'on ne le croirait, si l'on s'en tenait à la simple mention des chansons de gestes proprement dites. Sans doute on se plaisait à entendre le récit de beaux exploits et l'on aimait les grands coups d'épée ; mais l'élément religieux tenait dans ces premières productions une place qu'il ne faut pas oublier. Il existait déjà un public qui connaissait suffisamment les traditions et les légendes de l'antiquité pour suivre les péripéties des romans de Troie ou de Thèbes. Enfin, d'autres œuvres, comme les romans bretons, montrent bien que, même alors, l'imagination était assez éveillée et la vie sentimentale assez développée pour que l'on prît un vif intérêt à la lecture des merveilleuses aventures des chevaliers de la Table ronde, ou à une belle et tragique histoire d'amour comme celle de Tristan et de la reine Yseut.

## QUESTIONNAIRE

1. Qu'appelle-t-on chansons de geste ?

2. Quelle en est l'origine et en combien de groupes se divisent-elles ?

3. Racontez la *Chanson de Roland*.

4. Faites la part de la vérité historique et de l'élément dramatique et moral dans la *Chanson de Roland*.

5. Quel sentiment y apparaît pour la première fois ?

6. Montrez la différence essentielle entre les romans bretons et les poèmes épiques.

7. Dans quels romans trouve-t-on pour la première fois un retour à l'antiquité ?

# CHAPITRE III

## LA POÉSIE AU DOUZIÈME ET AU
## TREIZIÈME SIÈCLE

L' ŒUVRE poétique du moyen âge ne se borne pas aux genres que nous avons étudiés dans le chapitre précédent. Il y eut au douzième siècle et surtout au treizième toute une éclosion de poèmes assez difficiles à classer et qu'il nous faut maintenant définir brièvement. On peut cependant distinguer la poésie lyrique, la poésie satirique, la poésie allégorique et la poésie dramatique.

Les poèmes lyriques du douzième et du treizième siècle sont en général de courtes pièces dont le sujet essentiel est l'amour et dans lesquelles par conséquent les femmes jouent un rôle prépondérant.

Dans le midi de la France, la vie de société s'était organisée plus tôt que dans le Nord. Les *jongleurs* et ménestrels, chanteurs et musiciens ambulants, allaient de château en château, de ville en ville faisant connaître les œuvres des poètes ou *troubadours* dont plusieurs furent de nobles seigneurs, comme Guillaume VII, comte de Poitiers et d'Aquitaine, ou Jaufré Rudel, prince de Blaye. Ils écrivaient en provençal et chantaient, d'une façon souvent conventionnelle, mais aussi avec bien de l'esprit et même un sentiment réel, leur respectueux amour pour quelque noble dame.

Dans le Nord, la poésie lyrique semble s'être développée plus tard et probablement sous l'influence de la poésie provençale. Les *troubadours* du Midi inspirèrent les *trouvères*

du Nord dont la production fut au moins aussi riche et peut-
être plus variée et plus naturelle.  Les sujets qui inspirent les
poètes sont en général simples.  Le plus souvent ils exaltent

LA VIE AU MOYEN AGE.  UN CHEVALIER PARTANT POUR LA GUERRE

la dévotion du chevalier à sa dame et exaltent l'amour comme
le principe de toute vertu et de toute vérité.  On y voit
cependant l'amour céder au devoir dans ces chansons qui

montrent le chevalier partant pour la croisade et laissant
celle qu'il aime derrière lui, mais résolu à faire son devoir.
D'autres fois, ce sont des pastourelles, des chansons à danser,
des chansons de « mal mariée », enfin des *chansons de toile*
à la fois savantes et naïves qui mettent en scène des femmes
occupées à broder ou à tisser. On y rencontre très souvent
un sentiment délicat, un sens fin de l'observation, le goût
de la nature et de la campagne ; mais ce ne sont pas des
productions populaires spontanées, même si elles traitent des
thèmes qui ont pu être fournis par des chansons populaires
antérieures. Les trouvères du Nord, comme les troubadours
du Midi, sont des artistes parfois très subtils et assez compliqués. Ils n'écrivent pas pour le grand public et, en tout
cas, pas pour le peuple, mais pour un public de choix. Même
à cette date, la poésie française est destinée à une élite ;
elle est le résultat et l'expression d'une vie de société déjà
avancée.

Il faudrait probablement faire une exception pour un trou-
vère qui occupe une place à part : Rutebeuf, qui vécut au
temps de saint Louis. On trouve chez lui de la verve bouf-
fonne, des traits de satire sociale, des notations réalistes
quand il dépeint les gueux et les bohèmes du treizième siècle,
comme dans son fameux *Dit des ribauds de Grève.*

Si l'on se bornait à l'étude des chansons de geste, des romans courtois et des poésies lyriques on n'aurait cependant
qu'une idée imparfaite et incomplète du moyen âge. Dès
l'origine de la littérature française on voit en effet apparaître
des œuvres qui appartiennent à un tout autre genre. Elles
sont si différentes que l'on a pu croire pendant assez longtemps qu'elles s'adressaient à un public particulier et que l'on
avait eu en France pendant le moyen âge deux littératures :
l'une qui aurait fait les délices des seigneurs, des nobles
dames et des délicats, tandis que l'autre aurait été destinée

aux bourgeois et aux gens du peuple et aurait exprimé leur état d'esprit et même leurs revendications. La vérité est que les nobles seigneurs et les nobles dames aimaient les contes plaisants, d'un comique parfois très gros, et se délassaient certainement à entendre des histoires contées avec un art moins raffiné que celui qui paraît dans les chansons courtoises et les romans bretons. Ce qu'il faut dire aussi et ce que l'on ne saurait trop répéter, c'est qu'à peu près à toutes les époques de la littérature française, on a vu se manifester l'une à côté de l'autre deux tendances qui semblent nettement opposées et qui pourtant peuvent coexister. La première est une tendance que l'on pourrait appeler idéaliste, la seconde est une tendance réaliste. Mais l'une et l'autre ne font que correspondre à deux tendances fondamentales de la nature humaine. Nous désirons souvent nous échapper de la réalité, et la littérature qui dépeint des êtres humains plus beaux, plus nobles, plus généreux, plus braves, ou même plus complètement pervers que ceux que nous rencontrons habituellement dans notre vie, a une grande attraction pour notre imagination. Mais à d'autres moments aussi nous pouvons avoir une disposition non moins prononcée à observer la réalité dans laquelle nous vivons, à juger sans indulgence et de façon moqueuse ceux qui nous entourent ou, simplement encore, nous pouvons prendre grand plaisir à raconter ou à entendre raconter une histoire plaisante.

C'est cette dernière tendance (qui se manifeste aujourd'hui dans un pays comme l'Amérique par une profusion de *jokes* ou de dessins comiques) qui a donné naissance au moyen âge à de petits récits que l'on appelle des *fabliaux*. Bien que les fabliaux ne soient pas toujours satiriques, dans l'ensemble, ils ne respectent aucune classe de la société. Ils se moquent des moines, du curé, de l'évêque et même du seigneur. Ils attaquent les femmes qu'ils représentent comme des êtres querelleurs, bavards, trompeurs, toujours prêts à jouer tous les mauvais tours possibles à leur mari. Les moines sont fainéants et ne pensent qu'à dormir, bien manger et surtout bien boire; mais les paysans ne sont pas traités avec plus d'indulgence et les bourgeois ou les marchands ne sont guère plus estimables.

Le moyen âge avait aussi le goût des contes, des petites histoires et des fables dans lesquels sous les animaux qui étaient mis en scène chacun pouvait aisément reconnaître des hommes. Le genre n'était pas nouveau, car il existait des fabulistes grecs et romains dont les courtes narrations remaniées, adaptées, souvent condensées s'étaient transmises dans de nombreux recueils. C'est là une des origines certaines d'une œuvre qui, au cours du moyen âge, fut souvent reprise et transformée et que l'on appelle du nom du héros principal le *Roman de Renard*. On en trouve des versions dès le dernier tiers du douzième siècle et il fut souvent modifié jusqu'au quatorzième siècle. Les principaux épisodes en ont été repris maintes fois et le sont encore dans les contes d'animaux qui font les délices des enfants dans tous les pays. En Amérique on les retrouve dans les *Histoires d'Oncle Remus* qui ont amusé plusieurs générations.

Les animaux qui sont les principaux personnages de ces histoires conservent assez de leurs traits naturels et traditionnels pour que chacun puisse les reconnaître ; mais, sans aucune peine non plus, chacun peut retrouver en eux bien des traits de caractères qui sont empruntés à des hommes. Chantecler le coq, Ysengrin le loup, dame Pinte la poule, Tibert le chat, Noble le lion, Musard le chameau, Tiercelin le corbeau, Brun l'ours, figurent dans des petits drames où ils font preuve de toutes les passions, de tous les sentiments des hommes. Ils apparaissent dans des scènes héroï-comiques que l'on pourrait considérer comme une parodie des poèmes épiques, s'il ne valait pas mieux peut-être voir plus simplement dans les différentes versions du *Roman de Renard* une sorte d'épopée, naïve et malicieuse à la fois, du monde animal. Quant au caractère principal, il est devenu si populaire que le nom de *renard* a été appliqué depuis lors à l'animal qui auparavant était connu sous le nom de *goupil*.

En face du *Roman de Renard*, mais dans un genre bien différent, on doit placer le *Roman de la Rose*. C'est un poème d'environ 22000 vers, dont la première partie, la plus courte, est due à un certain Guillaume de Lorris dont nous ne connaissons guère que le nom, et la seconde au Tourangeau Jean de Meung. Guillaume de Lorris nous raconte que vers sa vingtième année il eut un songe et que cinq ans plus tard il entreprit de le raconter, pensant que son récit lui vaudrait peut-être les faveurs de celle qu'il aimait. Du premier coup, il nous transporte dans le monde de l'allégorie et, s'il n'a pas créé le genre, il a du moins contribué à sa vogue et il aura par la suite de nombreux imitateurs. Dans son rêve il entreprend de partir à la recherche d'une rose en fleur qui représente celle qu'il aime ; il est accueilli par *Oiseuse*, il rencontre *Amour, Beauté, Simplesse, Courtoisie* ; il est repoussé par *Honte* et *Malebouche* et quand, après bien des complications et des péripéties, il est chassé du jardin, il exhale de longues lamentations. Guillaume de Lorris qui, bien que savant et clerc, avait le sens de la vérité psychologique, semble bien avoir raconté sous le voile de l'allégorie une aventure véritable ; en tout cas, il a fait déjà une analyse fine du sentiment qui donne à son poème sa plus grande valeur.

Un demi-siècle plus tard, le *Roman de la Rose* fut complété et repris par Jean de Meung dans un style bien différent. Jean de Meung se sert de l'allégorie pour nous exposer ses idées sur la vie, les mœurs du temps et la science. A ce qui était un court poème d'amour il a ajouté une véritable ency-

clopédie dans laquelle il discute de l'alchimie, de la géogra
phie, de l'astronomie et de la physique. Il oublie la recherche
de la Rose pour attaquer vivement les moines mendiants,
les nobles, le clergé, les hypocrites de toutes sortes qu'il
symbolise dans *Faux-Semblant*. Il s'occupe même de gouvernement et retrace à sa façon les origines de la royauté.
Surtout, et cela seul suffirait à le distinguer de Guillaume de
Lorris, il est sans indulgence pour les défauts des femmes à
qui il reproche d'être arrogantes, bavardes et de manquer bien
souvent de sens commun. On a voulu voir en lui un précurseur de l'esprit rationaliste de Voltaire ; sans se prononcer
sur ce point, on peut au moins dire qu'il dépasse de beaucoup
son temps par la hardiesse de ses idées, son dédain pour les
superstitions et son manque de respect pour les traditions
sociales les mieux établies.

Le théâtre religieux ne devait vraiment se développer qu'aux
quatorzième et quinzième siècles. On en trouve cependant
les premières manifestations bien auparavant. Les cérémonies du culte catholique et les fêtes qui sont célébrées dans
l'Église ont déjà par elles-mêmes un caractère vraiment dramatique. De très bonne heure on organisa dans les églises
des cortèges, des défilés de personnages dont quelques-uns
prononçaient au moins quelques paroles, d'abord en latin,
puis en langue vulgaire, c'est-à-dire en français. Bientôt
le cortège sortit de l'église et de véritables pièces ou *jeux*
furent alors représentés sur le parvis, pour les grandes fêtes
comme Noël ou Pâques. C'est ainsi que se développa peu à
peu un nouveau genre littéraire dont le plus ancien échantillon est le *Jeu d'Adam* qui remonte à la seconde moitié du
douzième siècle. Le *Jeu de saint Nicolas*, dû à Jean Bodel,
lui est postérieur et contient, à côté de scènes fort dramatiques, des épisodes réalistes et même des scènes qui veulent
être franchement comiques.

LA VIE DE CHATEAU AU MOYEN AGE

Miniature du « Jouvencel ». Bibliothèque de l'Université de Munich

On vit également très tôt se manifester l'existence d'un théâtre comique dont l'origine est assez obscure. On eut probablement d'abord des scènes mimées, puis des chansons accompagnées de gestes, de courts dialogues, peut-être même de petites scènes à trois ou quatre personnages. Deux productions du treizième siècle, le *Jeu de la Feuillée* et le *Jeu de Robin et de Marion,* dues toutes les deux à Adam le Bossu, méritent d'être mentionnées. La première est essentiellement satirique et met en scène des habitants d'Arras que les spectateurs pouvaient reconnaître et que l'auteur n'épargne guère. La seconde est une délicieuse bergerie où l'on voit un chevalier essayer d'enlever une bergère qui reste fidèle à son amoureux. Après une forte émotion Marion revient à Robin qui l'épouse et tout finit par des chansons.

### QUESTIONNAIRE

1. Parlez de la vie de société dans les châteaux au douzième et au treizième siècle.

2. De quels sujets traite la poésie lyrique du moyen âge?

3. Quelles tendances voit-on se manifester dans la littérature de cette époque? A quoi sont-elles dues?

4. Qu'appelle-t-on *fabliaux*? Dans quel genre placez-vous le *Roman de Renard*?

5. Quelle différence y a-t-il entre les deux parties du *Roman de la Rose*? Quels en sont les auteurs?

6. Comment se développe le théâtre religieux au moyen âge?

7. Énumérez quelques-unes des nombreuses productions qui caractérisent la fin de cette période et montrez leur importance.

# CHAPITRE IV

## CONCLUSION SUR L'HISTOIRE DE LA LITTÉRATURE JUSQU'A LA GUERRE DE CENT ANS

### LA NAISSANCE DE LA PROSE

DANS les chapitres précédents nous n'avons jusqu'ici rencontré que des ouvrages en vers. La prose n'occupe en effet qu'une place secondaire au début de la littérature française. Ce fait s'explique par la place qu'avait gardé le latin comme langue de l'Église et de la théologie, comme langue de l'histoire et même comme langue de la science.

La prose apparaît mêlée aux vers dans la chantefable d'*Aucassin et Nicolette*, délicieux roman pastoral et courtois de deux beaux enfants. Deux auteurs cependant employèrent la langue vulgaire pour raconter les événements dont ils avaient été témoins, ce sont les deux chroniqueurs des croisades, Geoffroy de Villehardouin (1152?–1212?) et Jean de Joinville (1255–1317). Le premier qui fut un soldat et un diplomate a insisté sur le récit des événements ; il juge les hommes et les choses, cherche à expliquer et à justifier la conduite et la politique de ses compagnons d'armes. Bien différent et, par son esprit, appartenant davantage à l'idée traditionnelle que nous avons du moyen âge, fut le seigneur de Joinville qui naquit pourtant un siècle après Villehardouin. C'est sur ses derniers jours, après une longue vie pleine d'aventures, que le vieux seigneur entreprit, pour plaire à la reine Jeanne de Navarre, femme de Philippe le Bel, de relater « les saintes paroles et les bons faits de notre saint roi Louis ». Saint

Louis est en effet la figure centrale de cette chronique dans laquelle Joinville raconte sa jeunesse, ses enthousiasmes, ses souffrances, ses moments de découragement, ses conversations avec le bon roi dont il admire la sagesse, la simplicité et qu'il fait revivre dans des pages qu'il faut lire et dont nulle analyse ne pourrait donner l'idée.

Par la date de sa mort au moins, Joinville appartient vraiment à une nouvelle époque, le quatorzième siècle que nous étudierons dans le chapitre suivant. Avec lui on peut dire que se termine une première période de la littérature du moyen âge. C'est peut-être la plus riche et la plus variée. Il s'en faut de beaucoup que la courte énumération que nous avons faite donne une idée même approximative de l'énorme production littéraire des treizième et quatorzième siècles. Il faudrait encore parler des contes moraux, des premiers essais de chroniques, des sermons en vers, des lapidaires où l'on traitait des vertus des pierres précieuses, des bestiaires où l'on décrivait les animaux et des véritables traités encyclopédiques comme l'*Image du monde* ou le *livre du Trésor*, écrit en français, dans le deuxième tiers du treizième siècle, par un Florentin, Brunetto Latini, qui fut le maître du Dante. Si l'on néglige ces œuvres secondaires on voit que le moyen âge a produit de nombreuses épopées dont l'une au moins est un chef-d'œuvre, la *Chanson de Roland*, et dont plusieurs autres renferment des passages et des épisodes qui mériteraient d'être plus connus et qui au dix-neuvième siècle fourniront une précieuse inspiration à un grand poète comme Victor Hugo, dans sa *Légende des siècles* ; de petits poèmes lyriques ; des chansons nombreuses où l'on trouve déjà de l'esprit, du sentiment, des qualités d'observation, de malice et d'émotion sobrement indiquée ; d'autres œuvres, comme les fabliaux, le *Roman de Renard* où paraissent des caractéristiques bien différentes, souvent de l'esprit, un véritable sens du comique

LA VIE DE CHATEAU A LA FIN DU MOYEN AGE

Courtesy of the Museum of Fine Arts, Boston

et à côté de la gaîté parfois grossière ; d'autres ouvrages
comme le *Roman de la Rose* où un premier auteur semble
avoir mis toute la fine fleur de l'esprit courtois, et un second,
cette verve satirique un peu amère et déjà cette critique de la
société et de la vie qui reparaîtront bien souvent dans la littérature française ; des essais encore maladroits de théâtre
religieux et même de théâtre comique ; des romans véritables,
bien qu'en vers, où l'imagination se donne libre carrière et se
plaît aux belles histoires d'amour et aux aventures les plus
extraordinaires. Tout cela forme un résumé bien incomplet
de cette première période du moyen âge. Nous en avons dit
assez en tout cas pour faire comprendre qu'il existait à cette
époque une vie intellectuelle fort développée, que les seigneurs ne songeaient point qu'aux grands coups d'épée et à
la chasse et qu'il existait certainement une élite qui s'intéres-
sait aux choses de l'esprit. Que l'on ajoute que c'est aussi
une époque de foi active et ardente ; que c'est le moment où le
sol de la France se couvre de cathédrales, de monastères, de
châteaux ornés par les vieux imagiers de statues et d'orne-
ments en pierre où se retrouvent les qualités les plus rares de
force, de vérité, de sens de la composition et d'observation de
la nature. Que l'on se souvienne encore des émailleurs comme
ceux de Limoges, des artisans qui cisèlent l'or, l'argent et le
bronze et enchâssent des émaux et des pierres précieuses dans
les coffres, les reliquaires, les bijoux et les armes, et l'on se
rendra peut-être un peu mieux compte de l'intérêt que présenterait l'étude détaillée des premiers monuments de la
littérature française. Ce qu'il en faut retenir avant tout c'est
qu'elle est déjà extraordinairement variée. Elle n'est point
symbolisée et représentée dans une œuvre unique : la *Chanson de Roland* n'exprime point l'esprit de toute la littérature
du moyen âge ; cet esprit n'est point non plus caractérisé par
les fabliaux. On ne peut même pas dire que les productions

épiques correspondent aux tendances et aux aspirations d'une certaine classe de la société, tandis que les fabliaux représenteraient les revendications des bourgeois et du peuple. La vérité, comme toujours, est moins simple. Il semble bien cependant que dès cette date, et si l'on en juge par leur littérature, les habitants de la France réunissaient en eux ces caractéristiques si opposées qui les rendent parfois déconcertants. Ils construisaient des cathédrales, mouraient pour leur foi et cependant n'hésitaient pas à railler les faiblesses humaines des prêtres et des moines. Ils vouaient aux dames un véritable culte, mais n'en reprochaient pas moins aux femmes d'être acariâtres, bavardes et trompeuses. Ils n'hésitaient pas dans leurs drames religieux à mettre des scènes de taverne à côté des plus beaux épisodes de l'histoire sacrée ; ils aimaient à la fois les allégories et les contes qui les faisaient rire largement. Ils s'intéressaient à toutes les manifestations de la vie ; ils étaient au total profondément humains. Aussi leur littérature et leur art constituent-ils un des plus précieux éléments du patrimoine intellectuel de la France.

### QUESTIONNAIRE

1. Quelle forme emploie de préférence la littérature du moyen âge ? Expliquez pourquoi et donnez le titre d'une œuvre où les deux formes sont employées.

2. Qu'est-ce qu'un chroniqueur ? Quel chroniqueur a conté la vie de saint Louis ? Quel portrait a-t-il fait du roi ?

3. Quel poète français moderne s'est inspiré du moyen âge ? Dans quel ouvrage ?

4. Indiquez quelques-unes des manifestations littéraires et artistiques du moyen âge.

5. Quelles sont les tendances contradictoires qui se manifestent dans cette littérature ?

# CHAPITRE V

## LE QUATORZIÈME ET LE QUINZIÈME SIÈCLE

LE QUATORZIÈME siècle est une des époques les plus sombres et les plus troublées de l'histoire de France. Une guerre qui devait mettre la France aux prises avec l'Angleterre pendant plus d'un siècle commence en 1328. C'est la fameuse guerre de Cent ans, au cours de laquelle les Français éprouvèrent plusieurs défaites terribles et virent la plus grande partie de leur territoire envahi. Ce fut seulement en 1453 que les Anglais quittèrent la France; encore conservèrent-ils pendant plus d'un siècle le port de Calais qui ne fut repris qu'en 1558.

La peste noire de 1348 vint s'ajouter aux horreurs de la guerre et de la famine et fit périr une grande partie de la population. Les historiens nous tracent le tableau le plus sombre de cette époque qui présente un contraste si frappant avec l'éclat du treizième siècle. Au point de vue intellectuel la différence est également marquée. Alors que les lettres italiennes brillent du plus vif éclat avec Dante, Pétrarque et Boccace, qu'en Angleterre Chaucer écrit les *Canterbury Tales* et que l'Espagne s'exalte à la lecture des romans de chevalerie, la France n'a que peu d'écrivains à mettre en face de ces grands noms. Aucun d'eux n'est vraiment très grand.

Parmi les poètes, Eustache Deschamps (1346?–1406) est probablement celui qui mérite le plus de retenir l'attention. Sa production est considérable et il s'est essayé dans tous les genres. Souvent dans la poésie familière il a réussi à trouver des notes simples, pleines de sincérité. Il a su choisir autour de lui, dans sa propre existence, dans les malheurs des paysans, dans les horreurs de la guerre qu'il déteste et dont il souffre, des thèmes qu'il a traités avec bonhomie, souvent avec habileté, quelquefois avec un mauvais goût assez marqué; mais il reste décidément un poète de second rang.

LA DANSE MACABRE: L'ÉVÊQUE ET LE BOURGEOIS

La prose est mieux représentée avec Froissart qui n'est pas encore un historien au sens moderne du mot, mais plutôt un chroniqueur qui relate au jour le jour les événements auxquels il a été mêlé, les batailles, les pillages, les émeutes dont il a été témoin, les négociations auxquelles il a participé. Il est à cet égard une des principales autorités sur la guerre de Cent ans; mais on aurait tort de voir en lui un esprit sombre ou chagrin. Il a écrit des vers d'amour, et il prend autant de plaisir à décrire en détail un grand festin ou les fêtes qui eurent lieu à l'occasion du mariage d'une princesse qu'à retracer tous les épisodes d'un combat. Comme tant de raconteurs français, il a le sens de la vie, l'amour du détail pittoresque et souvent compose ses tableaux et ses narrations en véritable artiste.

Dans un seul genre littéraire on peut constater un progrès marqué. Le théâtre en effet continue à se développer et occupe une place importante au quatorzième siècle. Nous n'examinerons cependant les miracles qu'avec les mystères du siècle suivant pour mieux montrer la continuité des productions dramatiques. De façon générale, on peut dire que les formes littéraires créées aux deux siècles précédents semblent avoir donné tout ce qu'elles pouvaient donner. On n'en est point encore à chercher une formule nouvelle, et si le quatorzième siècle n'est pas exactement une période de décadence, c'est au moins une période de stagnation.

Une plus grande activité intellectuelle se manifeste au début du quinzième siècle et sous le règne de Charles VII (1422–1461). La poésie est alors représentée par deux hommes dont l'un au moins est un grand poète.

Le premier, Charles d'Orléans, est un très grand seigneur, proche parent du roi, qui passa les derniers jours de sa vie dans sa petite cour de Blois à rimer joliment sur des thèmes assez minces des vers d'un sentiment délicat et d'une expression parfois un peu maniérée. Tous les écoliers de France ont appris par cœur son rondeau sur le printemps :

> Le Temps a laissé son manteau
> De vent, de froidure et de pluie,
> Et s'est vétu de broderie,
> De soleil raiant [*rayonnant*], clair et beau.

Fait prisonnier par les Anglais, Charles d'Orléans resta vingt-cinq ans en exil sur la terre étrangère et, au moins une fois, a chanté de façon touchante ses regrets de la patrie absente dont il pouvait apercevoir le rivage du haut de la falaise anglaise. Sauf pour son sentiment patriotique, qu'il ne faut pourtant pas exagérer, il n'a pas apporté d'accent nouveau dans la littérature française. Il est le dernier des poètes courtois du moyen âge, mais il est aussi un des plus achevés et des plus exquis.

François Villon (1431–1463?) alla chercher son inspiration à une source bien différente. Né à Paris et élevé en plein quartier latin par un bon prêtre, il fréquenta les tavernes et les mauvaises compagnies plus que la Sorbonne, bien qu'il ait fini par conquérir le diplôme de maître-ès-arts. En 1455, le jour de la Fête-Dieu, il tua pour se défendre un prêtre qui l'avait frappé à la suite d'une discussion qui dégénéra bientôt en rixe; à partir de cette date Villon, dont la conduite avait déjà été fort irrégulière, allait définitivement se mettre hors la société. Il s'associe à une bande de voleurs, chemine sur les routes en compagnie de « coquillards » qui attaquaient les voyageurs et vivaient de larcins. Il est arrêté et mis en prison, condamné à être pendu, puis, alors qu'il s'était déjà apprêté à la mort, simplement banni de Paris. Après 1463, il disparaît définitivement, sans que l'on puisse dire comment il a fini.

L'homme qui a mené cette vie irrégulière et sans doute criminelle est cependant un des plus grands poètes de la langue française et, à coup sûr, le plus grand poète de la fin du moyen âge. Son œuvre est pourtant peu volumineuse. Il commença par des pièces sur des sujets assez minces. Ses premières compositions témoignent surtout de son esprit, de sa verve; mais quelques poèmes sont déjà empreints d'une profonde mélancolie. Ce joyeux buveur qui célébra dans l'argot des voleurs les ripailles de ses compagnons a toujours été comme hanté par la pensée de la mort. C'est le sentiment qui domine dans le *Grand Testament* et qui en fait la très grande beauté. A sa sortie de la prison de Meung, abandonné par ses amis, n'osant reparaître devant le bon prêtre

qui l'avait élevé, certain qu'il ne pourrait vivre longtemps,
bien qu'il ne fût que dans sa trentième année, Villon fit un
retour amer sur lui-même et sur sa vie gâchée et perdue :

> Hé, Dieu, si j'eusse étudié
> Au temps de ma jeunesse folle,
> Et à bonne mœurs dédié,
> J'eusse maison et couche molle.
> Mais quoi! je fuyais l'école,
> Comme fait le mauvais enfant.
> En écrivant cette parole,
> A peu que le cœur ne me fend!

Ce n'est point là simplement le regret stérile et égoïste
d'un homme qui voit tout lui échapper et à qui l'avenir ne
peut offrir que la misère et la mort. Il pense aussi à ses
fautes, à ses crimes, aux souffrances qu'il a infligées à sa
mère, « la pauvre femme », et il fait amende honorable à
Notre-Dame, la Vierge miséricordieuse. Il médite tristement
sur la destinée humaine et dans la fameuse *Ballade des dames
du temps jadis*, il exprime toute la révolte de la jeunesse et de
la beauté contre l'implacable mort.

> Mais où sont les neiges d'antan?

est le refrain qui revient à la fin de chaque couplet, et il a
su donner à ce thème qui avait été traité tant de fois avant
lui sa forme définitive. Malgré ses fautes et ses crimes, la
sincérité de son repentir est telle qu'on ne peut lui refuser de
la pitié. Avant tout en effet, il est sincère et naturel, ce qui
ne veut pas dire qu'il soit sans art. Avec le vocabulaire restreint dont il disposait, il a su exprimer des sentiments qui
appartiennent à tous les temps et à tous les hommes et leur
donner une forme universelle.

Le quatorzième siècle et encore plus le quinzième virent se
développer le théâtre dont nous avons indiqué plus haut les
humbles commencements.

Au quatorzième siècle, le drame est surtout représenté par toute une série de *miracles* qui étaient joués par des associations mi-religieuses, mi-laïques que l'on appelle des *puys*. Ces associations étaient fort répandues et se chargeaient de donner, à l'occasion d'une fête solennelle de la Vierge, des représentations de pièces où l'on voyait comment, grâce à son intercession, les hommes pouvaient se tirer des situations les plus difficiles et les plus compliquées. Bien souvent les situations sont des plus bizarres; elles sont empruntées parfois à la vie des saints, plus souvent à la vie commune. Les miracles mettent en scène des bourgeois, des marchands, des prêtres, des moines, des paysans, des voleurs, des juges, des avocats, toute la société du temps et ne serait-ce que pour cette raison méritent de retenir l'attention. On y trouve les indications les plus précieuses sur la vie des gens du quatorzième siècle et de nombreux traits d'observation comique et réaliste.

Au siècle suivant, on vit apparaître les *mystères* (du mot latin *ministerium* qui veut simplement dire représentation). Ils peuvent être rattachés aux drames religieux et conservent le plus souvent un caractère sacré, mais ils peuvent être donnés à l'occasion du mariage d'un grand personnage, de l'entrée du roi dans une ville, pour honorer un saint local. Ce sont, avant tout, des spectacles en plein air auxquels assistent et participent un nombre considérable d'acteurs et de spectateurs. La scène était dressée sur une grande place ou dans une plaine; les personnes de marque occupaient une enceinte réservée et, tout autour, du haut des maisons environnantes, sur des estrades improvisées, des bancs, des échelles, des chaises ou des bottes de paille, le peuple assistait au spectacle. Plus de deux cents acteurs y prenaient part quelquefois et jouaient sur une longue scène divisée en compartiments où se transportaient successivement les acteurs.

On pouvait y voir représentés côte à côte la Terre sainte, le Paradis, l'Enfer, un désert, une taverne, un palais, une grotte, une boutique de marchand.

Il existait déjà une machinerie assez compliquée, des monstres apparaissaient sur la scène, le Saint-Esprit descendait du ciel, les anges, les saints, les démons se mêlaient à l'action; tout cela formait un spectacle coloré, mouvant qui, le plus souvent, durait plusieurs jours et quelquefois même des semaines entières. Les acteurs étaient choisis parmi les gens de la ville: prêtres, artisans, avocats, bourgeois y participaient, mais les femmes n'y parurent qu'assez tard. Plus tard les acteurs s'organisèrent en confréries, comme les Confrères de la Passion qui à Paris obtinrent un véritable privilège et eurent, semble-t-il, les premiers l'idée de transporter le spectacle dans une salle fermée. Le sujet des mystères est emprunté presque toujours à l'histoire sacrée, les plus fameux sont les *Mystères du Vieux Testament* et surtout les *Mystères de la Passion.* Ce qu'il y a de plus remarquable dans les mystères, qui sont trop démesurés pour être des productions artistiques, est probablement la façon dont les épisodes empruntés aux Écritures et aux livres saints sont mélangés à des épisodes tirés de la vie de tous les jours. Les anges, la Vierge et les saints s'y adressent familièrement aux hommes et parlent leur langage, interviennent dans leurs affaires, les protègent contre Satan, qui lui aussi joue un rôle important dans les mystères. Nous sommes encore à une époque où la foi est naïve et simple et où le ciel semble tout près de la terre. Jointe à l'émotion des scènes où la Vierge exprime sa douleur de mère et son amour pour son divin fils, c'est cette naïveté qui donne encore un charme véritable à ces vieilles pièces où l'on retrouve la vie de toute une époque.

A côté des confréries qui s'étaient constituées pour jouer des drames religieux, on en vit apparaître d'autres dont l'objet était infiniment moins sérieux. Une de ces corporations était formée par les clercs de procureurs au Parlement de Paris, c'était la fameuse *Basoche*. Les membres de certaines autres corporations affectaient des costumes extravagants et s'appelaient eux-mêmes les *Enfants sans souci*, les *Sots* ou les *Fous*. Les clercs de la Basoche jouaient des moralités, c'est-à-dire des pièces allégoriques ; les spectacles donnés par les autres étaient surtout des farces ou comme ils disaient des *sotties*, et c'est là que l'on peut trouver le commencement du théâtre comique français. Les farces, souvent fort grossières, se rapprochent nettement des fabliaux et sont en tout cas de même inspiration. L'une d'elles, celle de *Maistre Pathelin*, peut être considérée déjà comme un véritable chef-d'œuvre et renferme des scènes qui sont de la bonne comédie.

## QUESTIONNAIRE

1. Quel est le fait historique qui domine tout le quatorzième siècle ? Quel fut son influence sur le peuple français et sur la littérature ?

2. Montrez la richesse de la production littéraire européenne à cette époque.

3. Citez un poète et un prosateur qui ont parlé de la guerre de Cent ans.

4. Comparez la production littéraire du quatorzième siècle avec celle du siècle précédent. Quel genre continue à se développer ?

5. Donnez le nom d'un des derniers poètes courtois du moyen âge. Où a-t-il passé sa vie ?

6. Racontez ce que vous savez de la vie de François Villon. Pourquoi ses vers nous touchent-ils encore ?

# CHAPITRE VI

## LA FIN DU QUINZIÈME SIÈCLE ; UNE PÉRIODE DE TRANSITION

LA FIN du quinzième siècle n'a donné à la France aucun écrivain marquant, sauf un peut-être qui est l'historien Philippe de Commines. Le moyen âge se termine au point de vue politique par la prise de Constantinople par les Turcs en 1453. Les Chrétiens sont repoussés en Europe, mais la guerre de Cent ans est terminée, le sentiment patriotique a été renforcé, les nations commencent à s'organiser et à se différencier plus qu'elles n'avaient fait au moyen âge : une époque nouvelle va commencer. Il ne faudrait pas croire cependant que la Renaissance ait succédé au moyen âge sans aucune espèce de transition et sans préparation.

Dès le milieu du quinzième siècle, sous le règne de Louis XI, on voit se manifester un intérêt très vif pour les choses de l'esprit et cet intérêt apparaît surtout dans les provinces qui avaient le moins souffert des malheurs de la guerre, comme la Bourgogne et le Berri. L'architecture gothique, qui va bientôt disparaître, jette un très vif éclat. On ne construit plus de lourds donjons comme au treizième siècle, les châteaux ont des lignes plus légères et plus fines, et l'on couvre d'une véritable dentelle de pierre les cathédrales, les hôtels des riches seigneurs et des marchands aisés. De très bonne heure on s'intéresse à la découverte de l'imprimerie dont les effets ne se manifesteront vraiment qu'au siècle suivant ; mais dès 1470 un atelier d'impression s'ouvre à Paris et il sera

LE GOTHIQUE FLAMBOYANT : LE PALAIS DE JUSTICE DE ROUEN

bientôt suivi de beaucoup d'autres. L'influence de l'Italie commence à se faire sentir : un Provençal, Antoine de la Salle, qui avait voyagé en Italie, s'inspire du *Décaméron* de Boccace, et dans un ouvrage intitulé *Le Petit Jehan de Saintré* il compose un véritable roman en prose. L'enfance, l'éducation et la jeunesse de son héros sont décrites en une série de tableaux pittoresques et malicieux, quelques-uns encore assez grossiers, mais qui donnent une idée exacte des mœurs du temps et de la psychologie nouvelle et mondaine qui commençait à dominer.

Philippe de Commines qui écrivit ses *Mémoires* vers la fin du quinzième siècle est déjà en bien des points un moderne. Il n'a plus la naïveté de Joinville, il a moins de pittoresque que Froissart ; il a vécu à une époque où la politique, la diplomatie, les négociations ont occupé plus de place que les grands combats. Il a participé aux événements qu'il raconte, mais il ne se borne pas à les raconter : il cherche aussi à en déterminer les causes, à en montrer les conséquences ; il s'applique à pénétrer les desseins des hommes, à définir leur caractère, pour être, comme il le dit, « le plus près de la vérité ». Son style est simple et nerveux et Commines est déjà un grand prosateur.

Par contre, il semble que l'inspiration poétique soit épuisée ; la poésie du moyen âge a donné ses dernières fleurs avec Charles d'Orléans et Villon. Les poètes de la fin du siècle sont recherchés, compliqués et s'appliquent à trouver des combinaisons de rimes et de vers, des expressions rares plutôt qu'à chercher la vérité et la vie. Ces grands *rhétoriqueurs* comme on les a appelés, et dont le plus connu est un Flamand, Jean Lemaire de Belges, ont cependant assoupli la langue et ont contribué à démontrer toutes les ressources du vers français. Leurs successeurs tireront profit de leurs découvertes au siècle suivant.

Ainsi le moyen âge se termine par une période dans laquelle on semble attendre l'apparition de nouveaux thèmes et d'une nouvelle inspiration. Il semble bien à cette date que l'inspiration épique se soit affaiblie, en même temps que l'institution de la chevalerie elle-même s'affaiblissait. Le théâtre religieux avait donné tout ce qu'il était capable de donner et l'on ne constate aucun progrès, aucun développement dans les mystères de la fin du quinzième siècle. L'épopée animale avait donné son chef-d'œuvre et l'on ne pouvait que refaire le *Roman de Renard*. Les fabliaux étaient après tout des sujets limités où les mêmes personnages et les mêmes situations revenaient bien souvent. Le moyen âge avait trouvé les formes d'expression qui lui convenaient mais qui ne correspondaient plus à la civilisation différente qui déjà commençait à apparaître. Sa production littéraire était cependant loin d'être négligeable ; mais à un âge nouveau il fallait une littérature nouvelle et la Renaissance allait apporter une transformation profonde dans la vie comme dans les lettres.

## QUESTIONNAIRE

1. Indiquez deux faits politiques qui eurent une grande influence en Europe à la fin du quinzième siècle et donnez-en la cause.

2. Dans quelle partie de la France et à quel moment l'architecture gothique se transforme-t-elle ?

3. Quelle est la découverte qui va exercer le plus d'influence sur les lettres ?

4. Dans quelle œuvre trouve-t-on une peinture des mœurs du temps ?

5. Qui était Philippe de Commines ? En quoi ses *Mémoires* diffèrent-ils des chroniques du siècle précédent ?

6. Quels sont les genres dont le développement se ralentit alors ?

# LA RENAISSANCE

# CHAPITRE VII

## LE MOUVEMENT DES IDÉES

La RENAISSANCE se distingue nettement des périodes précédentes : pour la première fois dans l'histoire moderne, nous nous trouvons en présence d'un grand mouvement qui, au lieu d'être limité à un seul pays et aux gens d'une seule langue, s'étend à toutes les nations de l'Europe. La Renaissance, en effet, marque le commencement d'une nouvelle période non seulement en Italie et en France, mais en Angleterre, en Allemagne et en Espagne. C'est véritablement un phénomène européen.

Nous avons dit plus haut que ce phénomène ne s'était pas produit sans quelque préparation ; mais il ne s'en opéra pas moins dans l'esprit humain une véritable révolution. Jamais peut-être, dans l'histoire de l'humanité, les hommes n'avaient été appelés à reviser dans un espace de temps aussi court leurs idées sur le monde, la politique, la morale et la science. Si complexe que soit la question, il faut cependant en indiquer ici les principaux aspects.

Sans doute le moyen âge n'avait pas totalement ignoré l'antiquité ; mais les manuscrits restaient enfouis dans les couvents ou les bibliothèques des riches seigneurs et n'étaient accessibles qu'à bien peu de clercs. L'imprimerie allait au contraire mettre en circulation, à un prix relativement modéré, des textes qui jusqu'alors étaient restés entre les mains de quelques initiés. On rechercha et l'on publia les manuscrits grecs et latins, on en trouva de nouveaux et, en l'espace de moins d'un demi-siècle, les gens de la Renaissance furent mis en contact avec les deux grandes civilisations occidentales qui s'étaient développées avant l'avènement du christianisme. Ce fut une véritable révélation.

En même temps les grandes découvertes géographiques allaient forcer à modifier bien des idées sur l'univers. Les hommes du moyen âge vivaient dans un monde très limité, comme on peut le voir en consultant les vieilles cosmographies. Ils croyaient cependant avoir atteint les limites du monde connaissable. Des pays mystérieux et inexplorés pouvaient encore s'étendre vers l'Inde ; mais au nord, croyaient-ils, des montagnes infranchissables défendaient l'accès des régions glacées ; au sud, les feux du soleil constituaient une zone torride que nul ne pouvait espérer pénétrer. La découverte de l'Amérique par Colomb et ses successeurs, les voyages aux Indes des Portugais apprirent bientôt au contraire que notre monde était considérablement plus étendu qu'on ne pensait jusqu'alors, et que l'espèce humaine était bien plus variée qu'on ne le soupçonnait.

Ainsi, en quelques années, on fut forcé de reconnaître que l'antiquité avait connu des civilisations très raffinées, qu'elle avait eu des penseurs, des philosophes, des hommes d'état, des généraux, de grands poètes et de grands artistes et que sur bien des points les anciens avaient atteint une perfection dont la société du moyen âge était encore fort éloignée. D'autre part, on apprit par les récits de voyages que « de l'autre côté de la mer océane » s'étendaient des pays fabuleusement riches, aux populations immenses dont beaucoup semblaient vivre, heureuses et vertueuses, dans un état d'innocence et de bonheur qui ressemblait à celui du Paradis terrestre, et qui pourtant ne connaissaient pas même par ouï-dire les bienfaits du christianisme. De ces faits nouveaux on allait tirer des conclusions inattendues.

FRANCISCVS·I·D·G·FRANCOR·REX·

PORTRAIT DE FRANÇOIS I<sup>er</sup>

Courtesy of Museum of Fine Arts, Boston

La première constatation qui allait s'imposer, et c'était peut-être la plus grave, celle qui devait avoir les répercussions les plus durables, fut que la science, la politique, la philosophie et l'art n'étaient pas indissolublement liés à la théologie. A partir de cette date, la science commence à se développer à côté de la religion. Une des manifestations les plus remarquables de ce nouvel état d'esprit est la fondation par François Ier d'un collège où il établit des chaires de grec et d'hébreu, auxquelles vinrent bientôt s'ajouter des chaires de mathématiques, de géographie, de médecine et de philosophie. C'est l'origine du *Collège de France*, qui dès le début se sépara nettement de la Sorbonne, restée pendant longtemps simple faculté de théologie. Pendant tout le seizième siècle, le Collège des lecteurs royaux, comme on l'appelait alors, fut un centre où régna un esprit différent de celui qui continuait à exister dans la vieille institution « sorbonnique ».

A ces différentes influences vint s'ajouter celle de la Réforme qui, elle aussi, est un mouvement européen et qui fera beaucoup pour substituer l'esprit de libre examen à l'esprit de tradition et d'autorité.

Enfin les guerres d'Italie vont pendant plus d'un demi-siècle mettre la France en contact avec un pays où, dès le quatorzième siècle, un esprit nouveau, entièrement différent de celui du moyen âge, s'était manifesté, où la vie sociale était déjà organisée et raffinée, où une architecture nouvelle, s'inspirant des grands modèles antiques, offrait une formule inconnue, et où le goût et l'amour des lettres, de la philosophie grecque et du platonisme étaient devenus un véritable culte.

Sous ces influences diverses la pensée française fut renouvelée. Une véritable ivresse de science et de savoir régna en France, une littérature plus riche et d'inspiration toute différente ne tarda pas à apparaître. C'est de la Renaissance

LE CHATEAU DE CHENONCEAUX

que date véritablement la littérature française moderne et l'on peut dire que nous vivons encore dans l'âge qui a commencé au début du seizième siècle.


## QUESTIONNAIRE

1. Quels changements se produisirent en Europe à l'époque de la Renaissance ?

2. Quelles conséquences résultèrent de l'invention de l'imprimerie ?

3. Quelles découvertes élargirent les connaissances humaines au quinzième siècle et dans quel sens ?

4. Qu'était-ce que la Sorbonne ? Par qui le Collège de France fut-il fondé et dans quel but ?

5. Quelle fut l'influence de la Réforme ?

6. Quelle fut l'influence des guerres d'Italie ?

# CHAPITRE VIII

## LA PREMIÈRE MOITIÉ DU SEIZIÈME SIÈCLE:
## CALVIN, RABELAIS

La PREMIÈRE moitié du seizième siècle constitue une
période assez confuse où les ouvrages abondent et où des
essais sont tentés dans toutes les directions. On ne constate
cependant pas tout d'abord de rupture violente avec la
période précédente, ni d'apparition de genres nouveaux bien
tranchés. Des conteurs, comme la reine de Navarre, s'inspirent de Boccace; mais d'autres, comme Noël du Fail, continuent la tradition française des fabliaux. Un poète comme
Marot appartient à la Renaissance par bien des côtés, par ses
dates (1496–1544), par ses amitiés, par son goût de la vie de
cour; mais il publia les poèmes de Villon et il s'est toujours
souvenu qu'il avait appris à lire dans le *Roman de la Rose*.
Poète spirituel et d'inspiration un peu menue, il a surtout
réussi dans des genres familiers comme l'épître, l'épigramme
et la ballade. Il a conservé la gentillesse et l'esprit d'un poète
courtois du moyen âge; comme les grands rhétoriqueurs, il
aime les jeux compliqués de rimes, les allitérations, les calembours même. Il faut cependant remarquer qu'il a été touché
par l'influence italienne, et que cet amuseur a donné une
traduction des psaumes qui pendant longtemps fut employée
dans les églises protestantes françaises.

C'est presque par accident, on le sait, que Calvin (1509–
1564) occupe une place dans l'histoire de la littérature française. Il écrivit en effet son grand ouvrage de l'*Institution*

*chrétienne* d'abord en latin et ne le traduisit ensuite en langue vulgaire, c'est-à-dire en français, que pour mettre à la portée de tous les vérités de la religion. Le style de Calvin, calqué sur la phrase latine est encore lourd et oratoire; mais les périodes sont solidement construites, et c'est à juste titre que son ouvrage est considéré comme un des premiers monuments de la prose française.

Mais la figure qui domine toute cette partie du siècle est celle de François Rabelais. L'histoire de sa vie est encore assez mal connue et, en bien des points, encore obscurcie par la légende. Grâce à des travaux récents on peut cependant en reconstituer les grandes lignes. Il naquit d'une famille bourgeoise, vers 1495, à la Devinière, domaine que son père possédait près de Chinon. On ne sait rien de sa première éducation, mais on le retrouve successivement novice chez les Cordeliers, puis moine à Fontenay-le-Comte en Bas-Poitou, bénédictin à Maillezais en 1524, puis à Ligugé. En 1530, il devient étudiant en médecine à Montpellier, puis est nommé médecin de l'Hôtel-Dieu à Lyon en 1532. C'est la même année qu'il publie le *Pantagruel* sous le pseudonyme d'Alcofribas Nasier. Il accompagne à Rome l'évêque de Paris, Jean du Bellay, et, à son retour, publie la *Vie de Gargantua* (1534). Il retourne une fois de plus à Rome et, quand il en revient, apprend qu'il avait perdu sa place à l'Hôtel-Dieu. On le retrouve chanoine de Saint-Maur-les-Fossés, puis médecin à Narbonne, à Lyon et à Montpellier. Après un troisième voyage en Italie, il publie le *Tiers livre* de son ouvrage (1546), et passe à Metz où il exerce la médecine. En 1548, il donne les premiers chapitres du *Quart livre*. Un an avant sa mort, il est nommé curé de Meudon, près de Paris, mais il semble qu'il n'ait jamais pris possession de sa cure, et il meurt à Paris en 1553. Après sa mort, fut publié un *Cinquième livre* dont l'authenticité a été souvent mise en doute, mais qui d'après les

CLÉMENT MAROT

opinions les plus autorisées aurait été composé sur des brouillons et des papiers laissés par Rabelais.

Sa personnalité de même que la signification de son œuvre ont été l'objet de bien des controverses. Certains ont été rebutés par la grossièreté évidente de ses propos, tandis que d'autres ont maintenu que Rabelais avait voulu dissimuler sous un masque joyeux de grand buveur et d'épicurien cynique une philosophie amère et une âpre critique de la société de son temps. Pour voir un peu clair dans cette œuvre où il y a de tout, il faut d'abord se souvenir que Rabelais appartient à un âge de transition et que dans son œuvre se rencontrent deux courants bien distincts.

Par bien des côtés il appartient au moyen âge. Le *Gargantua* et le *Pantagruel* peuvent en effet être considérés comme l'histoire fantaisiste d'une famille de géants ; ils contiennent toutes les extravagantes fantaisies que ce genre de récits comporte : batailles avec des incidents grotesques, vol des cloches de Notre-Dame, maisons et forêts rasées par la queue de la jument de Pantagruel qui est agacée par les mouches, allégories prolongées, calembours d'un goût douteux. Rabelais connaît et aime les fabliaux et les reprend sans autre but que de faire rire et d'amuser, tout en s'amusant lui-même. Comme tant d'auteurs du moyen âge il n'a ni sens de la composition ni ordre. Pas plus qu'eux il ne sait faire de choix ; il entasse dans son œuvre les renseignements les plus incongrus, puisés dans une érudition fantaisiste. Il a tout lu, semble-t-il, ou du moins tout ce qu'il était possible de lire à cette époque ; son savoir est aussi encyclopédique que désordonné.

Par contre, un esprit nouveau se manifeste également chez Rabelais. Sur bien des points il est même en avance de son temps. Il a le culte et l'amour des lettres et de l'antiquité comme tout homme de la Renaissance ; mais il a aussi la

RABELAIS

haine et le mépris de la fausse science, de la scolastique. Il s'est moqué des pédants qui cachent sous de grands mots et de beaux syllogismes une ignorance profonde des choses. Il a protesté contre ce qui était artificiel et faux; l'un des premiers il a proclamé la joie de vivre et prêché le retour à tout ce qui était naturel et sain. Ce sont là les grands principes qu'il semble possible de dégager de son œuvre; mais comme il a vécu à une époque où les doctrines les plus diverses et les plus contradictoires s'entre-mêlaient et s'entre-croisaient, on ne peut s'attendre à trouver chez lui d'exposé systématique et suivi de sa philosophie.

Avant tout, peut-être, il est un prodigieux artiste. Son vocabulaire est plus considérable que celui d'aucun autre auteur français. Il emprunte des mots au grec, au latin, à l'italien, à l'allemand, à l'anglais, à l'espagnol, aux langues sémitiques et orientales, aux parlers populaires et régionaux. Il emploie des termes scientifiques, des termes techniques empruntés aux métiers, au droit, à la philosophie, à l'argot des écoliers, des gens de la rue, des paysans, des soldats et des marins. Mais sa plus grande qualité est la vie et la puissance dont son œuvre déborde. Il a animé et doué d'une vie démesurée les géants que l'on rencontre dans le *Gargantua* et le *Pantagruel*; il a dessiné des types inoubliables tels que Panurge, le philosophe Trouillogan, Frère Jean des Entommeures ou le juge Bridoye. Il les a dressés devant nous, faisant leurs portraits en quelques lignes, saisissant les côtés saillants de leur physionomie. Il les fait parler, il note leurs gestes, leurs attitudes, il les fait agir, en un mot, il les fait vivre.

Ainsi cette œuvre qui paraît d'abord pleine de fantaisie, de verve et d'imagination est tout entière empreinte de réalisme et d'observation, et bien qu'il ait eu de nombreux imitateurs dans tous les pays, Rabelais n'a jamais été égalé.

## QUESTIONNAIRE

1. Montrez comment Marot, tout en se rattachant au quinzième siècle, appartient cependant à la Renaissance.

2. Quelle partie de la Bible a-t-il traduite ?

3. Quelle est l'importance de Calvin dans l'histoire de la littérature française ?

4. Vers quelle année naquit Rabelais ? Racontez ce que vous savez de sa vie.

• 5. Par quels côtés appartient-il au moyen âge ? Quelles tendances nouvelles trouve-t-on chez lui ?

6. Donnez les titres de ses ouvrages et expliquez comment il a enrichi le vocabulaire français. Dites pourquoi ses héros conventionnels paraissent cependant vivants.

7. Quels principes ressortent de son œuvre ? Quelles fautes peut-on lui reprocher ?

# CHAPITRE IX

## RONSARD ET LA PLÉIADE

Chez Marot il était déjà possible de reconnaître une influence qui allait bientôt augmenter en France et contribuer à modifier profondément la poésie : c'est l'influence de l'Italie. Elle se montre encore plus nettement chez des poètes lyonnais comme Charles de Sainte-Marthe, Antoine Héroët et la fameuse Louise Labé, « la belle cordière ». A l'Italie en effet on commence par emprunter de nouvelles formes poétiques, comme le sonnet, une nouvelle conception de la vie et surtout une conception idéalisée de l'amour : le platonisme et le pétrarquisme. En même temps l'étude de l'antiquité pousse tout d'abord à une imitation assez servile des auteurs grecs et latins. Ce n'est que vers le milieu du siècle que l'on voit se dégager, en même temps qu'une conception nouvelle de la poésie, un désir ardent de créer une poésie nationale.

Tel est le principal intérêt qu'offre aujourd'hui la *Défense et illustration de la langue française* de Joachim du Bellay (1549). Avec un enthousiasme tout juvénile, du Bellay, d'accord avec son parent et ami Ronsard, entreprit de justifier la langue vulgaire contre les dédains et les mépris dont elle était l'objet de la part des savants, et de démontrer qu'elle était aussi capable de poésie que la grecque ou la latine. Il reconnaissait que le vocabulaire dont disposait le poète était insuffisant, et proposait tout un système pour l'enrichir des mots nécessaires. C'est là certainement la partie la moins heureuse de cette proclamation, car on ne peut guère d'un

66

RONSARD

seul coup et arbitrairement introduire dans une langue un grand nombre de mots nouveaux. Par contre, du Bellay se plaçait sur un terrain plus solide quand il demandait aux Français de rejeter les formes d'art vieillies que l'on trouvait encore chez les grands rhétoriqueurs et chez Marot, et quand il proposait de les remplacer par des genres encore inconnus en France tels que l'ode, le sonnet, la tragédie, la comédie et même l'épopée. C'est de là que date vraiment le mouvement qui allait déterminer en France l'éclosion de la littérature dite classique, qui devait se développer de façon si complète au siècle suivant.

Bien que du Bellay ait signé le manifeste de la nouvelle école connue sous le nom de la Pléiade, le véritable chef en était son cousin Pierre de Ronsard. Fils d'un gentilhomme vendômois, Ronsard (1524-1585), élevé par son père dans l'amour des lettres, fut cependant destiné dès son enfance au métier des armes. Il fut attaché à l'âge de douze ans à la cour de France, puis à celle d'Écosse. Il voyagea en Allemagne et reçut l'éducation d'un jeune gentilhomme destiné à faire honneur à son nom à la cour aussi bien qu'à la guerre. Devenu sourd de bonne heure, il dut renoncer à son ambition première et se tourna alors presque entièrement du côté des lettres. Déjà adolescent, il entra au collège et étudia le grec et le latin, en compagnie de Baïf et de Joachim du Bellay, qui devaient faire partie de son groupe littéraire. En 1550, il publia son premier volume, les *Odes*, et deux ans plus tard donna *Les Amours*. Ses différents poèmes furent réunis en une édition collective en 1560. Au début des guerres de religion il publia ses *Discours*, animés d'un bel esprit patriotique et dans lesquels il déplore les maux que faisaient subir à la France les guerres fratricides entre protestants et catholiques. En 1572, il fait paraître les quatre premiers chants d'un poème épique qui est resté inachevé et dans lequel il se proposait de célébrer les débuts de la monarchie française : c'est *La Franciade*. Il passa les dernières années de sa vie dans ses terres, loin de la cour et des agitations politiques, partageant son temps entre le soin de ses domaines et la poésie.

Considérable par le volume, son œuvre est celle d'un grand poète. Sans doute on a pu lui reprocher d'avoir été un poète savant et d'avoir suivi de trop près ses modèles grecs et latins, d'avoir abusé de la mythologie, de n'avoir pas compris qu'il était impossible de composer une épopée nationale qui ne reposait sur aucune tradition populaire et qui ne pouvait être appréciée que par les savants. Si fondés que soient ces reproches, il n'en reste pas moins que Ronsard a eu la noble ambition de doter son pays d'une poésie nouvelle, et que son effort n'a pas été vain.

Il a perfectionné la technique du vers français et l'a rendu plus ferme. Il a beaucoup contribué à faire connaître des genres qui en France étaient encore nouveaux, comme l'ode et le sonnet. Il a surtout donné à ses contemporains et à ses successeurs un idéal artistique élevé, en démontrant par son exemple même la nécessité du travail, de la recherche de l'expression juste et forte.

On aurait tort de croire, d'ailleurs, que Ronsard fut seulement un technicien et un savant. Tout en se souvenant d'Anacréon, d'Horace, de Virgile ou d'Ovide il a fait entendre des accents profondément humains. Il a chanté l'amour, quelquefois de façon légère et un peu épicurienne, mais d'autres fois aussi sur un mode plus grave comme dans le fameux *Sonnet à Hélène* :

> Quand vous serez bien vieille, au soir, à la chandelle,
> Assise auprès du feu, dévidant et filant,
> Direz, chantant mes vers, et vous émerveillant :
> « Ronsard me célébrait, du temps que j'étais belle »...

Il a aussi chanté la nature : parfois la nature pastorale qu'il avait appris à aimer chez les poètes grecs et latins, mais plus souvent encore peut-être les coteaux et les bois de sa province natale, comme dans son élégie à la forêt de Gastine dont il déplorait la destruction :

> Forêt, haute maison des oiseaux bocagers,
> Plus le cerf solitaire et les chevreuils légers
> Ne paîtront sous ton ombre, et ta verte crinière
> Plus du soleil d'été ne rompra la lumière.

Enfin, il a aimé son pays profondément et sincèrement, et cet amour se montre dans de nombreux vers de ses *Discours*. Il atteint au pathétique dans sa peinture de la France déchirée par les guerres civiles. Cet imitateur de l'antiquité est ainsi devenu le premier grand poète national qu'ait eu la France.

Autour de Ronsard se groupent d'assez nombreux poètes, réunis par le même idéal littéraire et dont les plus importants sont Joachim du Bellay, Jean Antoine de Baïf, Remi Belleau, Salluste du Bartas, Agrippa d'Aubigné et Étienne Jodelle. Ils méritent, à des titres divers, de retenir l'attention. Tous ont eu en commun l'admiration de l'antiquité, et le désir de créer ou d'introduire dans la littérature de leur pays des formes d'art nouvelles.

Comme pur poète, Joachim du Bellay (1522–1560) est probablement le plus connu. Il commença, comme Ronsard, par « pétrarquiser » et écrire des poèmes d'amour à la mode du temps ; mais bientôt, il trouva une veine d'inspiration plus sincère et plus profonde, dans ses *Antiquitez de Rome*, et dans le recueil de sonnets intitulé les *Regrets*. Dans les *Antiquitez* il traite un thème qui devait être repris bien souvent après lui, en Angleterre aussi bien qu'en France, surtout au dix-huitième et au début du dix-neuvième siècle : la mélancolie qu'inspirent les ruines. Parti pour Rome plein d'enthousiasme à l'idée de voir la grande capitale antique, il ne trouva que des débris de sa gloire passée, de *the grandeur that was Rome*, comme devait dire plus tard un poète américain. Ne pouvant célébrer la Rome dégénérée qu'il avait sous les yeux, il voulut au moins chanter la grandeur et la décadence de la ville déchue de son antique prospérité. Il le fit dans des vers pleins de tristesse et d'éloquence; mais son chef-d'œuvre reste les *Regrets*. Au milieu des intrigues et de la corruption qui l'entourent, sa pensée se reporte vers la patrie absente, vers le coin de terre où il est né et la maison qu'ont bâtie ses aïeux. Sur les deux cents sonnets qui composent les *Regrets* il en est un qui, par sa forme parfaite et sa discrète émotion, mérite de rester dans toutes les mémoires:

> Quand reverrai-je, hélas! de mon petit village
> Fumer la cheminée? Et en quelle saison
> Reverrai-je le clos de ma pauvre maison,
> Qui m'est une province et beaucoup davantage?

Avec Ronsard, du Bellay reste le plus grand poète de la Pléiade, non pas seulement parce qu'il est un véritable artiste, mais surtout parce que, comme Ronsard, tout en imitant les anciens, il a, à maintes reprises, exprimé des sentiments personnels qui, encore aujourd'hui, trouvent un écho dans nos cœurs.

A côté de lui, il faut placer un autre poète qui appartient en réalité à une génération postérieure et qui par ses qualités comme par ses défauts est un des représentants les plus curieux de son époque. Né à Pons en Saintonge, d'une famille de Calvinistes ardents, Agrippa d'Aubigné (1552– 1630) apprit à la fois le grec, le latin, l'hébreu et le métier des armes. Il prit part aux guerres de religion, suivit comme écuyer Henri de Navarre, qui devait régner sous le nom de Henri IV, et, quand ce dernier abjura le calvinisme, se retira de la cour. Plus tard il s'exila à Genève où il mourut

en 1630. Il a vécu une vie variée et tumultueuse : il a fait
des vers d'amour, écrit une histoire de son temps, composé
des pamphlets politiques dont le plus connu est les *Aventures
du baron de Fœneste* ; mais son chef-d'œuvre est son étrange
poème des *Tragiques*. Comme Ronsard, et plus que Ronsard
peut-être, il avait été profondément troublé par le spectacle
des « misères » de la France ; mais, en sa qualité de calviniste,
c'est aux catholiques qu'il attribue les malheurs du royaume.
Nourri de la Bible, il lance contre les courtisans et contre
Catherine de Médicis les imprécations des vieux prophètes.
Il trouve dans son indignation une puissance d'invective qui
a rarement été atteinte. Il faudra attendre jusqu'aux *Châtiments* de Victor Hugo pour retrouver en France une poésie
satirique d'une violence égale à celle des *Tragiques*. Il con-
damne ses ennemis aux supplices éternels, il se plaît aux descriptions atroces de leurs tourments. Par contre, il trouve
des accents pleins de douceur et même de tendresse pour
célébrer les martyrs calvinistes qui sont morts pour la foi.
Inégal et mélangeant le sublime, la pédanterie, la violence,
la grossièreté et l'émotion, Agrippa d'Aubigné manque du
fini, de la mesure de Ronsard. Il n'est pas un très grand
artiste, mais il atteint par endroits au sublime et, surtout, en
exprimant sans retenue ses passions politiques, ses haines et
ses tendresses, il nous a laissé un précieux document sur l'esprit de son temps.

L'effort de la Pléiade pour créer une nouvelle poésie dramatique fut moins heureux, ou du moins ne réussit pas immédiatement. Les genres que nous avons vu apparaître au moyen
âge, mystères, moralités, soties et farces, continuent pendant
tout le seizième siècle. On fait, il est vrai, des tragédies ; mais,
tout d'abord, ces pièces écrites en latin ne sont à proprement parler que des imitations des modèles anciens. C'est en
1552 qu'apparaît la première tragédie en français, la *Cléopâtre*

de Jodelle (qui donna en même temps sa comédie d'*Eugène*). Après Jodelle, les tragédies se multiplient; on ne manque ni d'auteurs ni de recettes et l'on s'applique à perfectionner la technique de cette nouvelle forme. Mais il est à remarquer que dans presque tous les cas, il ne s'agit que de pièces d'occasions qui sont jouées soit dans les collèges, soit devant de petits cercles d'amateurs par des acteurs de bonne volonté. Les troupes d'acteurs professionnels sont encore fort rares. Il faudra attendre le dix-septième siècle pour que les genres dramatiques introduits par la Renaissance arrivent à leur entier développement.

## QUESTIONNAIRE

1. L'influence de l'Italie sur les poètes du seizième siècle fut-elle importante ?

2. Quel but se proposait du Bellay dans sa *Défense et illustration de la langue française* ?

3. Qu'est-ce que la Pléiade ? Quel en était le chef ? Quels poètes en faisaient partie ?

4. Quel est le sujet des *Discours* de Ronsard ?

5. Montrez ce que Ronsard a apporté à la poésie française, comme forme et comme sentiment. Quel reproche peut-on lui adresser ?

6. Qu'est-ce qui inspira les *Regrets* de Joachim du Bellay ? Quelle impression lui laissa la capitale italienne ?

7. Sous quel roi vivait Agrippa d'Aubigné ? Indiquez le sujet des *Tragiques* et dites pourquoi l'auteur n'est pas un artiste de premier ordre.

8. Quelle est la première tragédie française et quels sont les sujets dont traite en général la tragédie française du seizième siècle ?

# CHAPITRE X

## LA PROSE DANS LA SECONDE MOITIÉ DU SEIZIÈME SIÈCLE; MONTAIGNE

Aux progrès de la poésie correspondent, dans la seconde moitié du seizième siècle, des progrès parallèles de la prose française. Pendant longtemps la langue vulgaire, c'est-à-dire le français, avait été dédaignée et le latin était resté pendant tout le moyen âge la langue de la science, de la philosophie, de la morale et même de la politique. A ses débuts même l'humanisme avait montré une préférence marquée pour le latin. Ce ne fut que lentement que la prose arriva à obtenir droit de cité. Ses progrès déjà notables dans la première moitié du siècle deviennent marqués dans la seconde où les œuvres en prose se multiplient.

Elles présentent un caractère très varié, car la littérature du seizième siècle est bien plus riche qu'on ne serait tenté de le croire tout d'abord. La curiosité des hommes de la Renaissance s'est exercée dans toutes les directions, et bien des idées qui ne devaient se développer en France qu'au dix-huitième siècle se retrouvent en germe chez quelque obscur écrivain du seizième.

On publie en français des récits de voyages comme la *France antarctique* d'André Thévet; des ouvrages d'érudition comme les *Recherches de la France* d'Étienne Pasquier, dans lequel l'auteur cherche à retracer l'histoire et le progrès des institutions gouvernementales françaises. Claude Fauchet, remontant encore plus haut, publie ses *Antiquitez gauloises et françaises* et son recueil de l'*Origine de la langue et de la poésie française avant l'an 1300*. A côté de Joachim du Bellay et de sa *Défense et illustration de la langue française*, on doit placer l'*Essai sur la précellence du langage français* d'Henri Estienne (1579) et le *Traité de l'éloquence française et des raisons pourquoi elle est demeurée si basse* du grand magistrat Guillaume du Vair (1595). On n'aurait qu'une vue bien incomplète et bien imparfaite du seizième siècle, si l'on oubliait le désir intense de créer une littérature nationale qui se manifeste alors chez tant d'écrivains.

C'est en français également que Bernard Palissy publie ses *Discours admirables de la nature des eaux et des fontaines, des métaux, des sels, des pierres, des terres, du feu et des émaux* (1580) et le grand chirurgien Ambroise Paré fait paraître d'abord sa *Méthode de traiter les plaies* (1545), puis ses *Dix livres de chirurgie avec le magasin des instruments nécessaires à icelle* (1564). Dans son *Théâtre d'agriculture et ménage des champs* (1600), Olivier de Serres donne le premier traité d'agriculture pratique qui ait paru en France.

Les querelles entre les protestants et les catholiques, les luttes intestines de la Ligue provoquent l'apparition de nombreux traités et pamphlets où les questions théologiques et politiques sont discutées en langue vulgaire. Dès sa jeunesse, Étienne de la Boétie écrivit son traité intitulé *Discours sur la servitude volontaire* ou *Contr'un* qui est tout empreint d'un républicanisme d'école, tandis que Jean Bodin dans sa *République* défend la monarchie héréditaire contre les attaques de François Hotman. De tous les pamphlets qui furent publiés alors, la *Satire Ménippée* est demeurée le plus fameux. C'est une œuvre composite due à la collaboration de plusieurs humanistes, mêlée de prose et de vers, extrêmement violente et souvent grossière, mais elle contient quelques morceaux restés fameux et qui reflètent bien l'esprit du temps.

Dans ce tourbillon d'idées et de doctrines contradictoires qui s'entrechoquaient, il est assez difficile de retrouver et de déterminer les idées directrices de cette période agitée. Lassé des querelles et des guerres fanatiques, un Français d'alors entreprit cependant de rechercher, à sa manière et loin du monde, la vérité et la sagesse. Ce fut là l'œuvre de Montaigne, le fameux auteur des *Essais*, qui domine toute cette période comme Rabelais dominait la première partie du siècle. Sa vie, relativement tranquille pour un homme du seizième siècle, peut se raconter en quelques lignes. Il était né en 1533 au château de Montaigne qui avait été acquis assez récemment par sa famille. Il fut élevé d'abord sous la direction de son père par un précepteur qui lui apprit le latin avant le français. Il alla ensuite à Bordeaux au collège de Guyenne. Il devint magistrat à Périgueux, puis à Bordeaux. Il entreprit plusieurs voyages aux Pyrénées, en Suisse, en Italie, dans le Tyrol et en Allemagne. Il fut nommé maire de Bordeaux en 1581 et se retira à la fin de sa seconde magistrature pour vivre dans son château, dans lequel il avait déjà passé la plus grande partie de son temps depuis 1568. Il devait y mourir en 1592. Par cette brève esquisse on voit que cet homme qui aimait tant les livres et qui a passé toute une partie de sa vie dans sa « librairie », a été aussi un homme d'action, un voyageur et un magistrat. On aurait donc tort de le considérer comme un misanthrope fuyant la société des hommes et le monde.

La première édition des *Essais* est de 1580 et ne contient que les deux premiers livres ; elle fut suivie de trois autres éditions et, en 1588, d'une cinquième contenant de nombreuses additions et un troisième livre. Montaigne préparait une nouvelle édition quand il mourut. Les *Essais* furent composés à petites fois, souvent au hasard des lectures que faisait l'auteur ; l'on ne saurait donc y chercher ni unité

MONTAIGNE

de composition ni unité de sujet. Ce sont, en réalité, des réflexions morales sur l'homme et sur la vie dans lesquelles Montaigne, loin de dissimuler sa personnalité, se donne souvent en exemple et se peint « au naturel ». Il en résulte que les *Essais* nous présentent tout d'abord un portrait de l'auteur, et c'est un portrait singulièrement vivant. On le voit avec ses faiblesses, ses préférences, ses amitiés, ses aversions ; il nous fait part de ses goûts littéraires et nous cite des passages de ses auteurs favoris. Il s'interrompt pour raconter une anecdote plaisante qui lui fait oublier le fil de son discours. La lecture d'un chapitre de Montaigne est à la fois une conversation avec un des esprits les plus souples et les plus agiles de la Renaissance et une promenade dans une bibliothèque, où l'on prendrait presque au hasard un livre sur les rayons pour le remettre en place et en prendre un autre après l'avoir entr'ouvert.

De cette œuvre si variée on peut cependant dégager sinon un système philosophique, au moins une philosophie de la vie. Cette philosophie est avant tout le résultat de l'observation. Montaigne a étudié l'homme au cours de ses voyages ; il l'a étudié aussi en lisant les historiens et les moralistes de l'antiquité ; il l'a étudié enfin chez ses contemporains et ses compatriotes, et, plus que tout, en lui-même. Il a pu constater que les façons de voir, de juger, de sentir varient de pays à pays, d'époque à époque et d'homme à homme ; bien plus, les jugements, les opinions et le caractère d'un même homme changent suivant l'âge, l'état de la santé et de la digestion. La première conclusion qui s'impose est donc que l'homme est merveilleusement varié et divers, et qu'il faut avant tout nous garder d'attribuer une valeur absolue à nos opinions et à nos jugements. Au point de vue pratique, on en peut dégager cette règle qu'il serait fort imprudent de nous enthousiasmer pour une idée nouvelle ou de nous irriter fortement contre

elle, et que souvent les hommes se massacrent et se per-
sécutent pour des opinions qui seront abandonnées et ou-
bliées par les générations suivantes. C'est pour cette raison,
et en vertu de ce principe, que Montaigne arrive à donner à
ses contemporains une leçon de scepticisme tolérant et que,
sur ce point comme sur beaucoup d'autres, il devance son
temps et annonce déjà le dix-huitième siècle. Ce scepticisme
de Montaigne a cependant des limites dans son application.
Tout d'abord, il le conduit à une philosophie pratique qui est
nettement conservatrice. Puisque nous ne sommes sûrs de
rien allons-nous donc nous laisser aller à nos instincts et à
nos préférences? Point du tout. Sans doute Montaigne se
prononce, comme Rabelais l'avait fait, et plus nettement
encore que Rabelais, contre tout ce qui est anti-naturel;
mais il estime que, dans la vie ordinaire, il est sage de nous
conformer aux coutumes de nos ancêtres qui ont au moins
pour elles d'avoir été mises à l'épreuve du temps. C'est ainsi
que ce « sceptique » refuse de persécuter les protestants, mais
refuse également de sortir de la foi catholique qui est celle
de son enfance et celle de ses parents. Il voudrait voir introduire dans l'application des lois une sage modération, il
recommande la suppression de la torture; mais il ne propose
pas de remanier dans leur ensemble la législation du royaume.
Il reconnaît que notre société est sur bien des points défec-
tueuse et que peut-être les Cannibales des Antilles sont plus
heureux et plus vertueux que nous. Mais il ne s'ensuit pas
que du jour au lendemain nous devions nous habiller à leur
manière et nous mettre à vivre à leur mode. Au total, Montaigne n'a rien d'un révolutionnaire. Il peut critiquer ses
contemporains, la société dans laquelle il vit et ses propres
défauts, mais il arrive à prendre son parti de toutes ces im-
perfections et à trouver que malgré les infirmités, l'âge qui
avance, la mort qui approche et les malheurs du temps, la

vie est au total assez douce et vaut la peine d'être vécue. Son scepticisme est un scepticisme de bonne société et c'est pour cette raison qu'il plaira tant aux « mondains » du siècle suivant.

## QUESTIONNAIRE

1. Si la poésie s'est développée au seizième siècle, en a-t-il été de même de la prose? Citez quelques-uns des principaux ouvrages de la prose française écrits au seizième siècle.

2. Qui étaient Bernard Palissy et Ambroise Paré?

3. Quel est l'auteur des *Essais*? Comment les *Essais* reflètent-ils la personnalité de leur auteur?

4. Montaigne a-t-il un système philosophique défini? Qu'étudie-t-il et comment étudie-t-il? Faut-il accepter ses conclusions sans discussion?

5. Montrez comment son scepticisme l'a conduit à la tolérance et au respect de la tradition. Croit-il au progrès?

# CHAPITRE XI

## CONCLUSION SUR LE SEIZIÈME SIÈCLE

Sɪ MAINTENANT nous jetons un coup d'œil d'ensemble sur le seizième siècle, ce qui nous frappe avant tout est la variété et la complexité de cette époque. On aurait tort de n'y voir que le siècle de l'humanisme et de n'y étudier que le culte de l'antiquité. Il faut se souvenir tout d'abord que c'est une des époques les plus troublées et les plus agitées qu'ait connues la France. Le siècle tout entier est occupé par des guerres étrangères et par des guerres civiles et, si l'on en excepte quelques humanistes qui sont restés dans leur cabinet, on trouve bien peu d'hommes au seizième siècle qui, à un moment ou à un autre de leur existence, n'aient été des hommes d'action et n'aient participé à la vie de leur temps. C'est aussi un siècle où, contrairement à une opinion trop répandue, les Français ont voyagé. Ils ont même voyagé beaucoup : Rabelais, Ronsard, du Bellay et Montaigne dont nous avons noté les séjours hors de France sont loin d'être des exceptions.

Le seizième siècle a été en plus un siècle de controverses et d'expériences. Il est tout entier traversé par le grand courant de la Réforme ; et pendant tout le siècle on peut se demander si la France deviendra calviniste ou conservera sa religion traditionnelle, le catholicisme. L'on s'est querellé avec acharnement pour des principes religieux, pour des principes politiques ; on a vu l'esprit d'autorité et de tradition s'opposer à l'esprit de libre examen. Certains ont mis en doute l'origine divine de la royauté, ont protesté hardiment contre le gouvernement d'un seul homme ; d'autres ont songé à établir une monarchie parlementaire. C'est vraiment au seizième siècle qu'ont commencé à se manifester en France les divisions d'opinions qui deviendront plus tranchées au dix-huitième et qui conduiront à la Révolution de 1789.

Dans ce siècle où les livres étaient encore relativement peu abondants, bien des hommes ont éprouvé une sorte d'ivresse de la connaissance. L'imprimerie a permis de mettre les textes à la disposition d'un plus grand nombre de gens, et des traductions, soit en latin, soit en français, des auteurs grecs ont révélé un monde nouveau aux humanistes. En face de la morale chrétienne, on a vu se dresser les systèmes de morale de l'antiquité ; on a admiré les vertus républicaines des héros de Plutarque que la traduction d'Amyot avait contribué à faire connaître. Avec Rabelais et Montaigne on a vu s'élever des protestations contre ce qui était artificiel et faux dans la société et l'on a déjà prêché le retour à la nature.

Beaucoup de ces efforts et de ces tentatives ne donnèrent point de résultats immédiats. Beaucoup d'idées qui furent lancées au seizième siècle disparurent ou devinrent moins apparentes au siècle suivant ; mais elles reparaîtront presque toutes au dix-huitième siècle, et au dix-septième même on peut les retrouver chez des écrivains secondaires.

On expérimente également dans les formes d'art, avec plus de succès peut-être. Dans quelques provinces, on voit encore l'art gothique se prolonger assez longtemps, de même que les mystères et les farces du vieux théâtre continuent à être joués. De façon générale on peut dire cependant que le seizième siècle se détourne du moyen âge et rompt avec sa tradition. Un esprit nouveau inspiré de l'antiquité et de l'Italie apparaît dans l'architecture : on ne construit plus des forteresses, mais des châteaux et des habitations de plaisance. On voit s'élever le Louvre avec François Ier, et les demeures sompteuses entourées de beaux jardins se multiplient dans la vallée de la Loire. On innove également en poésie. Mais tout d'abord on innove en imitant. Aux Grecs et aux Latins on emprunte le modèle des premières ébauches de tragédies et de comédies, l'ode, l'épître et même l'épopée. A l'Italie on emprunte le sonnet et peut-être déjà le goût de la pastorale. Beaucoup de ces imitations se tiennent encore trop près des modèles et ne sont pas sans gaucherie et sans maladresse. Mais le siècle tout entier est inspiré par une grande ambition : celle de créer en France une civilisation et un art qui n'auraient rien à envier aux plus belles époques de l'antiquité. Les poètes cessent d'être des amuseurs, ils sont fiers du rôle qu'ils jouent dans la société.

De tous ces efforts, qui se manifestent dans tant de directions différentes, de tant de ferveurs et d'enthousiasmes résulta naturellement une assez grande confusion. L'œuvre de l'âge suivant sera de canaliser tout ce qu'il y avait de désordonné dans la Renaissance ; d'introduire plus d'ordre, de raisonnement et de réflexion dans la société comme dans la vie intellectuelle.

## QUESTIONNAIRE

1. Quelles guerres étrangères et quelles guerres civiles occupèrent la plus grande partie du seizième siècle ?

2. Quelle a été l'attitude de la France à l'égard de la Réforme ?

3. Quels systèmes vinrent s'opposer à la morale chrétienne ?

4. Au point de vue artistique le seizième siècle continue-t-il le quinzième ? Quelle sorte de châteaux fit bâtir François Ier ?

5. Au point de vue social quels auteurs prêchèrent le retour à la nature ?

6. Quel but se proposèrent les écrivains de la Renaissance ? Indiquez quelques-uns des genres qui se développèrent alors.

# LE DIX-SEPTIÈME SIÈCLE

# CHAPITRE XII

## LES TENDANCES GÉNÉRALES : LE DÉBUT DU DIX-SEPTIÈME SIÈCLE

LE COMMENCEMENT ou la fin d'un siècle ne coïncident pas nécessairement avec l'apparition de nouveaux courants d'idées et ne marquent pas non plus forcément de nouvelles étapes dans la marche de la civilisation ou dans l'histoire d'un peuple. Si nous continuons à parler de siècles, il importe de bien se rendre compte que cette division commode est arbitraire et correspond souvent mal avec la réalité. Considéré au point de vue de l'histoire littéraire, le dix-septième siècle ne commence pas en l'an 1600 pour finir en 1699. C'est cependant au dix-septième que l'on voit l'idéal classique se préciser, arriver à se formuler et à donner ses chefs-d'œuvre. En ce sens il y a donc une certaine unité dans la période que nous allons étudier. Mais il importe de se rendre compte que sous cette unité apparente et due en grande partie à l'éloignement du temps, la vie française continua à être extrêmement variée et que bien des tendances diverses et souvent contradictoires se rencontrent au dix-septième comme au seizième siècle.

Le fait le plus remarquable et qui s'impose le plus à l'attention pendant cette période est l'effort qui fut fait pour ordonner, régler et discipliner la littérature, pour trouver, formuler et appliquer des règles. Cette même tendance se remarque dans le gouvernement qui devient de plus en plus centralisé, surtout dans la dernière partie du siècle. On ne doit pas oublier d'ailleurs que jusqu'au moment où Louis XIV, après une longue minorité, régna personnellement (1660) les querelles intestines de la France continuèrent avec de rares interruptions. Après la mort d'Henri IV (1610) la France fut en proie pendant près de quinze ans à une véritable anarchie intérieure, le ministère de Richelieu même (1624–1642) fut troublé par les luttes contre les protestants, et les troubles intérieurs recommencèrent à la mort de Louis XIII (1643), sous la régence d'Anne d'Autriche et le ministère de Mazarin. Le règne de Louis XIV est, par contraste, d'une tranquillité relative. Il est marqué par des guerres continues, des persécutions dirigées contre les jansénistes et les protestants ; mais bourgeois et nobles sont soumis au pouvoir royal. Louis XIV et ses ministres achèvent l'œuvre d'unification qui s'était déjà dessinée dans la première moitié du siècle, sous le ministère de Richelieu.

Jusqu'à un certain point l'histoire de la littérature reflète les mêmes tendances. On peut voir les écrivains chercher leur voie dans des directions différentes dans la première moitié du siècle où les irréguliers abondent. Dans la seconde moitié au contraire, au moins pendant une période assez longue, on peut constater plus d'unité de doctrine, plus d'ordre et de discipline. Il y eut, à travers tout le dix-septième, un effort continu pour clarifier et épurer la langue, pour la rendre plus capable d'exprimer clairement les idées des écrivains ; il y eut de même une volonté continue pour atteindre un certain idéal artistique. C'est au dix-septième siècle que la langue française est devenue cet outil d'une précision merveilleuse qui en fit la langue diplomatique et, pendant un certain temps, la langue commune de l'Europe. Il ne faut pas oublier qu'elle n'était point telle par nature. Si l'on a pu justement dire : « ce qui n'est pas clair n'est pas français », c'est que, pendant plusieurs générations, des Français ont travaillé

LOUIS XIV

à réaliser cet idéal de clarté qui est, avant tout, l'idéal de l'école classique de 1660.

Trois grands noms dominent cette première partie du dix-septième siècle : ceux de Corneille, de Descartes et de Pascal. Nous les retrouverons à leur place ; mais s'en tenir à eux risquerait de donner une idée incomplète et même fausse de leur période.

Il importe tout d'abord de constater la présence d'un assez grand nombre d'écrivains qu'il n'est pas facile de ranger sous une bannière déterminée et qui sont soit des indépendants, soit les survivants d'un âge antérieur, soit encore les représentants d'une vieille tradition réaliste, qui ira s'affaiblissant pendant le cours du dix-septième siècle pour reparaître plus tard dans la littérature française.

On a pu dire que, de façon générale, le sentiment de la nature était absent de la poésie et même de la littérature française au dix-septième. Il convient cependant de remarquer que le sentiment de la nature apparaît et se manifeste de manière très évidente dans la vogue pour les bergeries et les pastorales comme celles de Racan ou dans les odes de Théophile de Viau qui a chanté la *Solitude* :

> Dans ce val solitaire et sombre,
> Le cerf qui brame au bruit de l'eau,
> Penchant ses yeux dans un ruisseau,
> S'amuse à regarder son ombre.

D'autre part, on voit certains irréguliers comme Saint-Amant, qui lui aussi était un amoureux de la solitude, faire preuve d'un réalisme parfois grossier mais presque toujours pittoresque et décrire les bohêmes de la société contemporaine comme dans le *Poète crotté* et les *Goinfres*.

La tradition réaliste est de même représentée par un véritable poète, Mathurin Régnier (1573-1613) qui est un merveilleux peintre de portraits et qui proteste contre les règles que l'on veut imposer à l'art au nom de l'inspiration et du naturel. Il accable d'injures les poètes « regratteurs de mots », les « arrangeurs de syllabes », célèbre la fantaisie, et prétend faire fi de la science et de l'érudition, bien qu'il soit beaucoup plus savant qu'il ne veuille l'admettre.

Dans un genre qui prend au commencement du siècle un grand développement, le roman, on peut remarquer la même variété. Dans toute une série d'ouvrages de ce genre on constate la survivance de la tradition narquoise des fabliaux. Les traits malicieux contre les femmes y abondent. A côté de scènes bien observées et vivantes on rencontre une déformation voulue de la réalité, un grotesque systématique qui souvent finit par lasser. Tel est le cas de Sorel qui dans son *Francion* (1622) a fait une peinture souvent amusante de la vie de collège, des milieux mondains de son temps, et qui dans le *Berger extravagant* (1627) s'est moqué des bergeries à la mode. Tel est aussi le cas de Scarron dont le *Roman comique* raconte l'odyssée d'une troupe de comédiens ambulants, mais qui dans son *Virgile travesti* a donné une parodie longue, et au total bien ennuyeuse, de l'*Énéide*. Tel sera enfin le cas de Furetière, plus fin et plus malicieux, qui, en 1666, donne son *Roman bourgeois* où l'on trouve, observés de façon spirituelle et mordante, des types de la vie courante : juges, avocats, plaideurs, hommes de lettres ou servantes.

Mais en face de ces ouvrages à tendances réalistes ou satiriques on trouve toute une littérature romanesque d'un ton entièrement différent. On pourrait en faire remonter la tradition jusqu'aux romans de la Table ronde et aux poèmes d'aventures du moyen âge. La transition s'est opérée par l'intermédiaire des romans de chevalerie, que l'on appelle les *Amadis*, ceux-là même dont Cervantes s'est moqué dans son *Don Quichotte*, et aussi sous l'influence de romans pastoraux italiens ou espagnols.

La combinaison des deux genres, le genre pastoral et le genre chevaleresque, se rencontre chez un écrivain comme Honoré d'Urfé, dont l'*Astrée* paraît de 1607 à 1627. Il y mélange la mythologie, l'histoire ou la pseudo-histoire des premiers temps de la France, puisqu'on y voit figurer des Druides et des bergers et des bergères, qui parlent le langage le plus raffiné et le plus quintessencié. En dépit de ses défauts évidents, de sa longueur, de son manque de composition, de son affectation, l'*Astrée* contient cependant des parties excellentes. On y trouve, avant tout, un sentiment de la nature très vif et très exact, et aussi une analyse raffinée et délicate de l'amour qui font de cette bergerie un ancêtre du roman psychologique. L'influence de d'Urfé se prolonge d'ailleurs au delà de son temps : Racine l'avait lu, et la tradition se continue avec Marivaux, l'abbé Prévost, Jean-Jacques Rousseau et même au dix-neuvième siècle avec George Sand.

Le *Polexandre* de Gomberville, publié de 1629 à 1637, est un vrai roman d'aventures. On y voit le roi des Canaries parcourir le monde sur un magnifique vaisseau, à la recherche de la belle Alcidiane, qu'il ne connaît que par un portrait, mais dont il est tombé éperdument amoureux. On y assiste à des combats sur mer, on y rencontre des corsaires et l'on y visite les contrées les plus reculées, y compris le Mexique.

Chez La Calprenède (1610–1663), qui a aussi écrit des tragédies qui ne manquent pas de mérite, on trouve déjà des romans historiques. Dans sa *Cassandre* il prend pour sujet la destruction de l'empire des Perses, et dans son *Faramond*, il veut retracer l'histoire des temps mérovingiens. Il admire la beauté des sentiments et la grandeur des événements, et peut être considéré comme un prédécesseur lointain d'Alexandre Dumas. A côté de lui on peut placer Madeleine de Scudéry, dont le roman le plus connu, l'*Artamène ou le Grand Cyrus*, est en réalité une peinture de la société du temps, un roman à clef dans lequel, sous des déguisements historiques, on peut reconnaître des contemporains.

Des tendances d'un ordre tout différent se manifestent cependant au cours de la même période. La première, et l'une des plus importantes, est celle qui au début du siècle est représentée par Malherbe (1555–1628). Par sa doctrine plus que par son œuvre, il appartient déjà à l'école classique. Il n'a cependant pas laissé de traité en forme, mais il est facile de dégager ses idées essentielles soit de ses lettres, soit des *Mémoires* de Racan qui fut son disciple, soit enfin des notes marginales qu'il avait mises sur un exemplaire des poésies de Desportes. Il se donna pour tâche jusqu'à sa mort « de maintenir la pureté de la langue française », et releva avec une rudesse qui va jusqu'à la brutalité les fautes qu'il croyait remarquer chez ses contemporains. Il voulut épurer la langue de tout ce qui était provincialisme, hellénisme, latinisme et italianisme et par là il s'oppose nettement aux poètes de la Pléiade. A tous ces enrichissements savants et artificiels il préfère le pur français de Paris, c'est-à-dire celui que parlent non pas les gens de la cour, gâtés par l'imitation de l'Italie, mais le français des bourgeois, des gens bien élevés et de bonne compagnie. Il formula de façon plus précise les règles du vers de douze pieds, l'alexandrin, qui devait devenir le vers le plus courant dans la poésie française. Il s'efforça de simplifier la syntaxe, de la débarrasser des constructions trop compliquées et se rapprochant trop du latin. Il avait un véritable culte pour la forme qu'il voulait parfaite, et ne cessa de protester contre ceux de ses contemporains qui, comme Régnier, se fiaient à l'inspiration et dédaignaient le métier. On rapporte de lui qu'il disait que quand on avait fait cent vers, il fallait se reposer dix ans. Ce paradoxe le peint d'ailleurs assez bien. Il a laissé des vers qui ne sont pas tous parfaits, malgré le soin qu'il mit à les faire, mais parmi lesquels on trouve quelques pièces d'une rare beauté. Surtout, il a prêché et pratiqué l'évangile du travail littéraire. C'est une leçon dont se souviendront les classiques qui viendront ensuite.

Un peu après Malherbe, Balzac (1594-1654) tente d'opérer une réforme analogue dans la prose. Il a dit lui-même un jour : « Je tâche, autant qu'il m'est possible, de rendre tous mes secrets populaires et d'être intelligible aux femmes et aux enfants, quand même je parle des choses qui ne sont pas de leur connaissance. » C'est précisément ce que feront les grands auteurs classiques français, non pas que ce soient des vulgarisateurs, non pas que les pensées qu'ils expriment puissent être forcément saisies par des lecteurs sans éduca- tion ; mais comme Balzac ils se refusent à écrire des œuvres qui ne pourraient être comprises et appréciées que par une petite coterie ou par un groupe restreint, ils veulent atteindre tout le public éclairé.

Malherbe et Balzac étaient des réformateurs ; leur œuvre fut continuée par des grammairiens comme Vaugelas et sur- tout par l'Académie française, qui dès sa fondation allait exercer une influence régulatrice considérable sur les pro- ductions littéraires.

L'origine de l'Académie remonte aux réunions dans les- quelles, vers 1629, quelques hommes de lettres se rassem- blaient entre eux pour discuter familièrement de problèmes littéraires et des ouvrages qui venaient de paraître. En 1634, Richelieu les ayant engagés à s'organiser en corps constitué, la fondation de l'Académie fut décidée. Elle reçut ses lettres de patente en 1635 et se fixa pour objet « de travailler avec tout le soin et la diligence possibles à donner des règles certaines à notre langue, et à la rendre pure, élo- quente et capable de traiter les arts et les sciences ». C'était, on le voit, à peu près le programme même de Balzac. L'Académie se proposa en plus de composer un *dictionnaire*, une *grammaire*, une *rhétorique* et une *poétique*, mais elle limita bientôt le champ de son activité au dictionnaire. C'est ainsi que fut constituée une sorte d'association dont les membres se recrutent eux-mêmes, non seulement parmi les écrivains et les grammairiens, mais aussi parmi toutes les illustrations de la France pour veiller à la pureté de la langue. On a pu critiquer le goût de l'Académie, la trouver parfois trop timide et trop étroite, il n'en est pas moins vrai que, dans l'ensemble, elle a exercé une influence salutaire sur le développement de la langue française.

Toute différente, tout aussi considérable à une certaine période, mais moins durable fut l'influence de l'hôtel de Rambouillet et de la société précieuse. En réunissant autour d'elle, à partir de 1608, des gens du monde, des gens d'église et des hommes de lettres, la marquise de Rambouillet (1588–1665) semble avoir eu d'abord pour but de réagir contre la grossièreté des manières et du langage qui prévalait à la cour d'Henri IV. Pendant près d'un demi-siècle, elle vit défiler dans son hôtel, et surtout dans la fameuse « chambre bleue » où se tenaient les réunions, toutes les célébrités du temps. La présence des femmes y introduisit nécessairement un certain air de galanterie, et, du moins à l'origine, on s'efforça d'en bannir la pédanterie. Mais l'hôtel de Rambouillet ne tarda pas à subir le sort de toutes les associations qui veulent être trop « exclusives », raffinées et fermées. Le ton qui y était d'abord simple devint bientôt recherché et prétentieux ; les habitués de l'hôtel cherchèrent à rivaliser d'esprit et de finesse, et tombèrent dans le défaut auquel on a donné le nom de *préciosité*. A la vérité ce défaut ne se manifesta pas sous sa forme la plus regrettable à l'hôtel de Rambouillet même. Il devint excessif et ridicule chez les nombreuses imitatrices de madame de Rambouillet et gagna jusqu'aux provinces.

L'on se souvient que, dans les *Précieuses ridicules*, Molière voulut attaquer deux « pecques provinciales ». Il faut remarquer de plus que cette recherche excessive des expressions rares et nouvelles, ces façons de parler cherchées, travaillées et artificielles jusqu'à devenir ridicules, n'apparaissent pas seulement en France à cette époque. On rencontre les mêmes manifestations de ce qui semble avoir été une mode générale, en Angleterre sous le nom d'*euphuïsme*, en Italie sous le nom de *marinisme* ou *concettisme* et en Espagne sous le nom de *gongorisme* ou *cultisme*.

Tout, d'ailleurs, n'était point mauvais ou ridicule dans l'œuvre accomplie par les Précieux et Précieuses du dix-septième siècle. Ils ont créé de nouvelles façons de parler dont quelques-unes ont subsisté ; ils ont développé en France le goût de la conversation et le genre épistolaire, car on s'écrivait souvent et longuement entre habitués du même cercle, quand on ne pouvait se rencontrer. Avant tout, ils ont largement contribué à répandre le goût de l'analyse psychologique ; ils ont appris à distinguer des nuances dans les sentiments et à les décrire de façon précise. Ils ont cherché à peindre leurs contemporains et à se peindre eux-mêmes dans des portraits ; ils ont enfin aidé à la vogue des maximes. Il est peu d'écrivains du dix-septième siècle qui ne leur doivent quelque chose et sans eux il paraît probable que ni La Rochefoucauld dans ses *Maximes*, ni Madame de Sévigné dans ses *Lettres*, ni La Bruyère dans ses *Caractères* n'auraient atteint à la perfection qui leur est reconnue.

### QUESTIONNAIRE

1. Peut-on établir une ligne de démarcation exacte entre le seizième et le dix-septième siècle ?

2. Dans quelles œuvres se continue la tradition des romans de la Table ronde ?

3. Montrez que le sentiment de la nature n'est pas complètement absent de la poésie du dix-septième siècle.

4. Quelle tendance générale peut-on y constater aussi bien dans le gouvernement que dans la littérature ?

5. Quel effort systématique firent les écrivains du dix-septième siècle au point de vue de la langue ? Quel écrivain au début du siècle s'attacha à maintenir la pureté de la langue française ?

6. Quels écrivains et quelle institution continuèrent son œuvre ?

7. En quelle année l'Académie française fut-elle fondée, par qui, comment et pourquoi ?

8. Qu'est-ce que « la chambre bleue » de l'hôtel de Rambouillet ? Quel fut le rôle des Précieux et des Précieuses ?

# CHAPITRE XIII

## DESCARTES ET PASCAL

LES principes de Descartes (1596–1650) s'accordent si exactement avec l'idéal d'ordre et de raison de l'école classique française qu'il serait facile de voir en lui le théoricien et le philosophe du classicisme. En fait, son influence s'est surtout manifestée au dix-huitième siècle ; sur la littérature de son temps son action a été relativement limitée. Il n'en est pas moins vrai qu'il a défini et formulé des façons de raisonner et de penser qui correspondaient au besoin de logique et de clarté qui se faisait alors sentir chez ses contemporains.

Contrairement aux sceptiques de l'école de Montaigne, Descartes est persuadé que l'esprit humain est susceptible d'arriver à connaître la vérité. Pour atteindre ce but, il suffit de se garder des erreurs de raisonnements, et d'appliquer rigoureusement un certain nombre de principes ou de règles. Étant arrivé par ce moyen à des conclusions qu'il estime justes et intéressantes, il voulut faire profiter ses contemporains de sa découverte dans son fameux *Discours de la méthode pour bien conduire sa raison et chercher la vérité dans les sciences*. Il rejette d'abord l'autorité et la tradition pour n'admettre « que ce qui se présenterait si clairement et si distinctement » à son esprit qu'il n'eût aucune occasion de le mettre en doute. C'est là son premier précepte. Le second, dit-il, est de « diviser chacune des difficultés que je rencontrerais en autant de parcelles qu'il se pourrait et qu'il serait

RENÉ DESCARTES

requis pour les mieux résoudre. » « Le troisième, de conduire par ordre mes pensées, en commençant par les objets les plus simples et les plus aisés à connaître pour monter peu à peu et comme par degrés jusqu'à la connaissance des plus composés ; en supposant même de l'ordre entre ceux qui ne se précèdent pas naturellement les uns les autres. » Le dernier enfin est « de faire partout des dénombrements si entiers et des revues si générales que je fusse assuré de ne rien omettre. »

On voit du premier abord que la méthode de Descartes appliquée à la littérature aurait pour effet de réduire à néant le rôle de la fantaisie et de l'imagination. D'autre part on doit constater que, par nature ou par éducation, presque tous les Français sont plus ou moins cartésiens. Ils mettent volontiers leur confiance dans des raisonnements bien conduits ; en politique surtout ils aiment les systèmes dont toutes les parties sont systématiquement ordonnées ; ils recherchent ces dénombrements complets dont parle Descartes, et se plaisent à l'avance à prévoir toutes les éventualités possibles et imaginables dans leur jurisprudence et dans leurs textes de lois. Ils ont aussi les défauts de leurs qualités. Souvent ils s'efforcent de résoudre à l'avance des difficultés imaginaires et qui n'ont que de faibles chances de se produire dans la réalité. Ils ont tendance à accorder plus de poids aux raisonnements exacts qu'aux enseignements de l'expérience. Ils voudraient, en bien des occasions, faire plier les faits devant les systèmes logiquement construits et vont jusqu'à déclarer en face de la réalité des faits que les faits sont absurdes. Pour bien les comprendre il faut comprendre Descartes. Cette croyance à la souveraineté de la raison, la conviction que, comme le disait Descartes, « le bon sens est la chose du monde la mieux partagée » se manifesteront surtout chez eux au moment de la Révolution de 1789.

Descartes était cependant loin d'être un esprit révolutionnaire en ce qui regardait les choses de la vie courante. Les
maximes morales qu'il a formulées dans la troisième partie
de son *Discours* sont pleines de modération. Cet homme qui
était d'une hardiesse complète dans le domaine de la spéculation philosophique, n'hésitait pas à déclarer qu'il fallait dans
la vie ordinaire « obéir aux loix et aux coutumes de son pays »,
conserver la religion dans laquelle on a été élevé, suivre les
opinions les plus généralement reçues, et changer ses désirs
plutôt qu'essayer de changer l'ordre du monde. C'est qu'en
effet Descartes n'a pas osé, ou n'a pas voulu, pousser jusqu'au
bout l'application de sa méthode. Dans son titre même il
nous indique qu'elle ne doit servir à rechercher la vérité que
dans les sciences. Il est cependant en grande partie respon-
sable du « rationalisme » du siècle suivant. Ses disciples et
ses successeurs en effet ne tardèrent pas à étendre à la religion, à la morale et à la politique l'enquête que Descartes
avait prudemment restreinte à la science. Au dix-huitième
siècle le « doute méthodique » deviendra un doute universel.

On peut étudier Descartes sans presque rien connaître de
sa vie. Il importe peu de savoir qu'il est né en Touraine,
qu'il a été élevé au collège des Jésuites de la Flèche, qu'il a
voyagé en Allemagne, qu'il a passé près de vingt ans en Hollande et qu'il est mort en Suède où il s'était rendu sur les
instances de la reine Christine. Il n'en est pas de même de
Pascal dont la vie explique l'œuvre et qui a tant mis de lui-
même dans ses ouvrages.

Né en Auvergne en 1623, d'une famille de magistrats,
Blaise Pascal passa les premières années de sa vie dans la
maison que possédait son père à Clermont-Ferrand. En 1631,
le magistrat vendit sa charge et vint s'établir à Paris, où il
fréquenta assidûment et attira dans sa maison les savants du
temps. Élevé en grande partie par son père dans un milieu

assez sévère et austère, Pascal montra dans l'enfance une extraordinaire précocité pour les mathématiques et fut d'abord attiré par les sciences. Tout jeune encore il démontra de nouveaux théorèmes, inventa une machine à calculer, fit à vingt-cinq ans d'intéressantes expériences sur la pesanteur de l'air et la pression des liquides et des gaz. Pendant toute cette première partie de sa vie, il se partage entre la science et le monde, et son existence sans être dissipée n'a rien d'ascétique. En 1646, à la suite d'une rencontre qu'il avait faite à Rouen, il est attiré vers les doctrines jansénistes et y prend un vif intérêt. Le jansénisme, qui devait son nom à Jansénius, évêque d'Ypres, peut être brièvement défini une renaissance des idées de saint Augustin sur la prédestination, et une réaction austère contre l'indulgence dont, selon les Jansénistes, les Jésuites faisaient preuve à l'égard des pécheurs. C'était, si l'on peut dire, une sorte de puritanisme catholique. Attaqués vivement par les Jésuites qui portèrent la question devant la faculté de théologie de Paris, la Sorbonne, les Jansénistes furent défendus devant l'opinion publique par Pascal. C'est à cette occasion qu'en 1657 il composa ses fameuses *Provinciales*, dans lesquelles il s'attachait à ridiculiser et à rendre odieux les Jésuites. Ce sont des pamphlets d'une ironie mordante, pleines de véritables petites scènes de comédie et qui portèrent un coup terrible aux Jésuites, bien que les Jansénistes aient été condamnés en Sorbonne.

Pascal déjà depuis deux ans s'était retiré du monde, après une conversion entière, et s'était établi à Port-Royal, près de Paris, dans une maison de campagne qui servait de retraite à ceux que l'on nommait les « solitaires ». C'est là qu'il conçut le projet d'écrire une *Apologie de la religion chrétienne* à laquelle il travailla jusqu'à sa mort, dans les rares moments de répit que lui laissaient les souffrances atroces

PORTRAIT DE PASCAL PAR DOMAT

dues à une maladie mal déterminée. Il mourut à Paris chez sa sœur en 1662. Il avait à peine trente-neuf ans.

Il n'avait pu terminer son *Apologie*, mais il en avait souvent montré des passages à ses amis. Ces derniers recueillirent après sa mort les papiers qu'il avait laissés, y introduisirent un ordre arbitraire et les publièrent pour la première fois en 1670 sous le titre de *Pensées de M. Pascal*.

On s'est souvent demandé depuis quel classement Pascal lui-même aurait adopté, problème presque impossible à résoudre, puisqu'il est certain que l'auteur aurait remanié considérablement ses notes avant d'adopter un ordre définitif. Il est plus facile de déterminer le but que se proposait Pascal et ses idées essentielles. Il voulait, semble-t-il, procéder à une réfutation des incroyants, des sceptiques, de tous ceux qui, fiers de leur raison, refusent de croire. Il aurait ensuite essayé de démontrer, par des arguments d'un ordre différent, la nécessité de la croyance et, sans aucun doute, aurait manifesté son ardeur pour la foi janséniste. Avec une sorte d'acharnement, il s'est attaché à entasser toutes les erreurs de notre prétendue raison. L'homme est un amas de contradictions, d'incertitudes et d'erreurs. Doué d'une raison impuissante et qui souvent n'est que son imagination, il est trompé par des sens imparfaits, déçu par mille préjugés, par son milieu et par son orgueil. Condamné à passer une vie éphémère sur ce petit globe de boue perdu dans l'immensité que nous appelons la terre, il aspire cependant vers l'infini, et c'est ce qui fait sa grandeur. Dans toute la littérature française il n'existe pas de pages d'une plus grande beauté que celles où Pascal, avec un lyrisme amer et des comparaisons saisissantes, rabaisse ainsi l'homme et le convainc de son néant. « Nous souhaitons la vérité », dit-il, « et ne trouvons en nous qu'incertitude. Nous cherchons le bonheur, et ne trouvons que misère et mort. »

Seule la religion peut nous tirer du gouffre où nous nous débattons; mais la vérité religieuse ne peut se démontrer comme une vérité mathématique en faisant usage de notre raison. C'est une vérité qui se sent et se perçoit par le cœur, car « les vérités divines entrent du cœur dans l'esprit et non pas de l'esprit dans le cœur ».

Il est à remarquer que Pascal s'oppose ainsi très nettement aux rationalistes, pour qui toute connaissance est justiciable de la raison et peut être examinée par elle. Par avance, il répondait ainsi à toutes les critiques qui seront lancées contre la foi au dix-huitième siècle. Mais ce n'est probablement pas la partie de sa démonstration qui a le plus frappé l'imagination de ses contemporains. Par son pessimisme il dépasse de beaucoup son siècle. Aussi ne sera-t-il vraiment apprécié qu'au dix-neuvième siècle, quand les romantiques et leurs successeurs se plairont à chanter dans leurs vers les misères et le néant de l'humanité. Des deux parties de la thèse de Pascal: misère de l'homme sans Dieu, grandeur de l'homme en Dieu, on ne verra souvent que la première. Il faut d'ailleurs reconnaître que c'est celle qui occupe le plus de place dans les *Pensées* et celle qui a inspiré à Pascal les pages les plus belles et les plus profondément émouvantes.

## QUESTIONNAIRE

1. Quand vécut Descartes ? Ses principes sont-ils l'expression de l'esprit de son temps ?

2. Qu'a-t-il voulu démontrer dans son premier livre ? Quel en est le titre ?

3. Donnez les quatre règles de la méthode.

4. Montrez comment le cartésianisme reflète le caractère français.

5. Quelles limites Descartes a-t-il imposées à l'application de ses règles ?

6. Ses préceptes ont-ils eu une influence importante sur les générations suivantes ?

7. Quelle fut la vie de Pascal ? Pourquoi faut-il la connaître pour comprendre son œuvre ?

8. Qu'est-ce que le jansénisme ?

9. Quel objet se proposait Pascal dans les *Pensées* ? Quelle est, selon lui, l'importance de l'homme dans l'univers ? Croit-il que la raison puisse conduire à la vérité ?

10. Quelle influence l'œuvre de Pascal a-t-elle eue au dix-neuvième siècle ?

# CHAPITRE XIV

## LES DÉBUTS DE LA TRAGÉDIE:
## PIERRE CORNEILLE

La TRAGÉDIE qui devait arriver à sa perfection avec Racine, après 1660, n'est pas apparue soudainement sur la scène française. Elle est le résultat d'un effort réfléchi qui a commencé dès le début du seizième siècle, effort qui avait pour objet de doter la France d'un théâtre capable de rivaliser avec la tragédie antique. On peut dire que pendant la seconde moitié du seizième siècle, les auteurs dramatiques cherchent leur voie dans différentes directions; ils essayent de formuler des règles et de s'y conformer. A partir de la *Cléopâtre captive* de Jodelle (1552), on voit assez nettement se dessiner le mouvement qui devait faire abandonner les vieux mystères en faveur de pièces adaptées ou imitées de l'antiquité et qui, pourtant, diffèrent considérablement des drames grecs et des tragédies latines.

Au début du dix-septième siècle, on hésite encore beaucoup et, pendant le premier quart du siècle, la tragédie, la tragi-comédie, la pastorale semblent se disputer la faveur du public et des écrivains,—aucun d'ailleurs de ces genres n'ayant encore de forme bien définie et de règles nettement établies et généralement acceptées. Le plus grand dramaturge de cette période est Alexandre Hardy qui fit jouer un nombre considérable de pièces, dont toutes n'ont pas été conservées. Auteur aux gages d'une troupe de comédiens, il écrivit, pour le public et pour les acteurs, des pièces qui

étaient destinées à être jouées et non pas simplement à être
lues devant un public de lettrés. En ce sens, il peut être considéré comme le premier homme de théâtre que l'on rencontre
dans la littérature française. De cette production assez
confuse, et des discussions auxquelles se livrent les auteurs et
les critiques, émergent cependant quelques idées qui devaient
finir par triompher. Ces idées ont trouvé leur expression, incomplète d'ailleurs, dans la fameuse règle des trois unités, qui
fut aussi discutée en Italie, en Espagne et en Angleterre. On
finit par s'accorder pour reconnaître qu'une tragédie devrait
avoir une unité d'action, c'est-à-dire être composée d'actes
étroitement liés et non pas d'une série de tableaux et d'épisodes ; que les événements représentés devraient se dérouler
dans un temps limité (environ vingt-quatre heures), et non
pas porter sur toute la vie d'un héros comme on le voyait
souvent dans le théâtre du moyen âge ; enfin, que toute l'action devrait se passer dans un décor unique. C'est, on le voit,
un cadre assez rigide, dont tous ne s'accommodent pas tout
d'abord. Corneille en particulier se conformera assez mal aux
« règles ». C'est là le moule de la tragédie ; qu'allait-on y
mettre ? Puisque l'auteur se limite à un moment très court
de la vie, il est évident qu'il ne peut traiter que des crises,
qu'il doit choisir dans un sujet donné le moment où la situation atteint le maximum de tragique et de passion et frappe
le plus l'imagination. La tragédie sera donc ramassée et con-
centrée. Les sujets en seront choisis de préférence dans l'histoire authentique ou légendaire des civilisations anciennes ;
les personnages qui y paraîtront seront donc nécessairement
des héros, des rois et des princes ou même des martyrs,
puisque ce sont les seuls dont l'histoire ait conservé et trans-
mis le souvenir. Enfin, la tragédie sera écrite en vers alexan-
drins et divisée en cinq actes, et le dénouement devra en être
malheureux.

On ne saurait trop répéter que ces formules ne furent trouvées et adoptées que progressivement et que, par conséquent, elles ne sont pas entièrement arbitraires et artificielles. Elles correspondaient à certains goûts, à certaines façons de penser du public et des auteurs ; on ne saurait en trouver de meilleure preuve que le succès dont a joui la tragédie en France pendant près de deux cents ans.

Bien que Corneille ait eu plusieurs rivaux parmi ses contemporains, ce fut lui qui assura définitivement le succès du genre. Né à Rouen en 1606 et mort en 1684, son activité s'étend sur près d'un demi-siècle. Il débuta par des comédies, fut attiré par Richelieu dans le cercle d'auteurs que le cardinal avait réuni autour de lui et, en 1636, donna *Le Cid* qui fut salué par un extraordinaire enthousiasme. En plus de ses comédies, il n'écrivit pas moins de dix-neuf tragédies, plusieurs pièces d'un genre mixte dont la plus connue est la tragédie-ballet de *Psyché,* écrite en collaboration avec Molière et Quinault, des sonnets, des poèmes et des traductions en vers. C'est pendant la période qui s'étend de 1636 à 1644 qu'il donna ses chefs-d'œuvre : *Horace* (1640), *Cinna* (1640), *Polyeucte* (1642 ou 1643), *Rodogune* (1644). Bien que les tragédies qui suivirent contiennent encore des éclairs de génie, ses dernières productions sont nettement inférieures. Après 1660, il eut à lutter contre un rival heureux, Racine, qui lui ravit la faveur du public.

Si l'on met à part *Le Cid*, on peut voir que Corneille a choisi presque tous ses sujets soit dans l'histoire de Rome, soit dans les prolongements de l'histoire romaine. *Horace* se passe aux temps des premiers rois ; *Cinna*, c'est l'Empire ; *Rodogune*, Rome pendant la période républicaine ; *Polyeucte*, la lutte du christianisme et du paganisme sous l'empereur Décius. Les tragédies de Corneille ont donc comme arrière-plan, ou comme *background* si l'on préfère, une période importante de l'histoire ancienne. On ne doit cependant pas y chercher une résurrection des âges disparus. Corneille a fait un effort évident pour suivre la vérité historique et pour se conformer aux faits qu'il trouvait dans les auteurs qu'il avait consultés ; mais les héros qu'il met en scène éprouvent et expriment des sentiments qui sont communs à tous les temps et à tous les pays. En même temps, ils sont nettement au-dessus de l'humanité moyenne. Il y a donc quelque chose d'héroïque et parfois d'épique chez Corneille. Il aime l'éloquence dont il a pris le goût chez les orateurs et historiens latins et chez Plutarque. Il se plaît à décrire les combats qui peuvent se produire dans des âmes presque surhumaines. Il ne faut pas oublier d'autre part, qu'à un moindre degré, sous une forme plus banale, bien des problèmes qu'il traite appartiennent à la vie de tous les jours.

Dans *Le Cid*, nous nous trouvons en présence de la situation suivante. Une jeune fille, Chimène, aime un jeune homme, Rodrigue, et son amour est partagé. Le père de Chimène, blessé dans sa vanité, insulte gravement le père de Rodrigue, trop affaibli par l'âge pour venger son honneur. Rodrigue, pour venger son père, provoque en duel le père de celle qu'il aime et le tue. Chimène peut-elle continuer à aimer Rodrigue ? Peut-elle, si elle continue à l'aimer, le lui avouer ? N'a-t-elle point le devoir de poursuivre devant la justice le meurtrier de son père ? C'est à ce parti qu'elle se résout, non sans souffrances, non sans combats et sans déchirements. Plus elle aime et admire Rodrigue, dont l'héroïsme sauve le royaume, plus elle croit devoir imposer silence à son amour pour demander que la justice suive son cours. On peut reconnaître que c'est là une situation qui dans la vie est assez rare ; mais elle n'est pas exceptionnelle et n'appartient pas essentiellement à l'Espagne du onzième siècle. Elle pouvait survenir en France même à une époque où les duels étaient

PETRVS CORNELIVS
ROTHOMA GENSIS
Anno Dñi. 1644. M. fe.

PIERRE CORNEILLE

très fréquents, elle peut se reproduire dans les pays où les vendettas et les *feuds* existent encore, et elle a été plus d'une fois exploitée, au dix-neuvième siècle, dans le roman comme au théâtre.

Dans *Horace*, c'est un problème encore plus commun que discute Corneille et cette fois il en indique les aspects variés. Rome et Albe sont deux villes voisines et rivales. Dans Rome vit une vieille famille, la famille des Horaces, dont un fils, le jeune Horace, a épousé une jeune fille d'Albe, Sabine. D'autre part, la propre sœur d'Horace, Camille, aime un frère de Sabine, Curiace. La guerre ayant éclaté entre les deux villes, on accepte, pour éviter un massacre réciproque qui laisserait les deux villes affaiblies, de décider du conflit par un combat qui aura lieu entre trois champions de Rome et trois champions d'Albe. Le sort veut qu'Horace et ses deux frères soient désignés pour Rome, tandis que Curiace et ses deux frères se trouvent représenter Albe. Au cours du combat qui s'engage, deux des Horaces sont d'abord tués, mais le mari de Sabine tue de sa propre main les trois Curiaces, et assure ainsi le triomphe de Rome. Quand il revient, transporté de fierté et de joie d'avoir sauvé sa patrie, il est accueilli par les imprécations et les malédictions de sa sœur Camille et, dans un moment de fureur, il la tue. Pour ce meurtre il est traduit en jugement ; son père plaide pour lui en faisant valoir qu'on ne peut condamner le libérateur de Rome. Sa femme même, Sabine, faisant taire sa douleur, intercède pour son mari qui est finalement acquitté. Une étude détaillée d'*Horace* montrerait que les caractères de Corneille sont bien plus variés qu'on ne l'a souvent dit. Le patriotisme austère est représenté par le vieil Horace, le patriotisme farouche par son fils ; mais Curiace plus raffiné n'accepte pas sans hésitation de combattre contre ceux que jusque-là il a considérés comme des amis et des proches. Camille, dans son désespoir et l'in-

tensité de son amour, maudit la guerre et le patriotisme
même; tandis que Sabine, moins forte et moins héroïque que
la Chimène de la pièce précédente, pleure et s'afflige mais,
en dépit de ses tortures, conserve à son mari l'amour qu'elle
lui doit.

C'est à un conflit analogue que nous assistons dans *Polyeucte*, mais cette fois la lutte se produit entre l'amour et
la religion. Moins populaire que *Le Cid* parce qu'elle contient moins de pittoresque et moins de couleur, la tragédie de
*Polyeucte* est peut-être plus belle, et jamais Corneille ne s'est
élevé plus haut. Polyeucte, martyr enflammé par son zèle
religieux et sacrifiant à sa foi son bonheur, celui de sa femme
qu'il aime et sa vie, est évidemment un caractère exceptionnel. Mais sa femme Pauline est profondément humaine et
vraie, avec son inquiétude, son ressentiment contre la religion qui lui enlève son mari, sa demi-jalousie et son cœur
partagé entre un ancien amour qui renaît et son amour réel,
mais différent, pour son mari.

Les caractères de Corneille ne sont donc pas uniformément
héroïques; les situations et les problèmes qu'il traite sont
aussi moins exceptionnels qu'on ne serait tenté de le croire.
Ce qu'il y a d'exceptionnel, peut-être, chez certains de ses
caractères, mais non point chez tous, c'est la part dominante
que joue la volonté dans leur vie. Une fois leur résolution
prise, ils n'hésitent plus, en général, et traduisent immédiatement leur résolution en action. Ils ne reviennent pas sur eux-
mêmes pour regretter de ne pas avoir choisi une solution
différente; mais ce n'est pas sans hésitations, sans lutte intérieure et sans angoisses qu'ils se déterminent. Ils se sentent
libres de choisir et maîtres de leur décision et de leur vie;
ils ne sont pas conduits par des forces aveugles et irrésistibles
et en cela ils diffèrent de tant de personnages du roman et
du drame moderne. Ils reflètent cette foi dans la raison, dans

le devoir, dans la volonté, qui est si apparente dans la littérature comme dans la vie au dix-septième siècle ; et c'est surtout par là qu'ils appartiennent à leur temps.

## QUESTIONNAIRE

1. Retracer l'histoire de la tragédie à partir des mystères et donner le nom de la première tragédie française.

2. Qu'est-ce que la règle des trois unités ? Quelles furent les conséquences de l'adoption de cette règle ? Répondait-elle à un besoin ?

3. Donnez les dates de la vie et de la mort de Corneille, le nom de ses principales tragédies. Où en a-t-il pris le sujet ?

4. Les héros de Corneille sont-ils des êtres ordinaires ? Les passions qui les agitent et les situations dans lesquelles ils se trouvent placés sont-elles d'une vérité humaine applicable à tous les temps ? Donnez des exemples.

5. Quel est le sujet de *Polyeucte* ?

6. En quoi les héros de Corneille diffèrent-ils foncièrement des héros du drame moderne ? Représentent-ils l'esprit de leur temps ?

# CHAPITRE XV

## LA LITTÉRATURE CLASSIQUE : BOILEAU

VERS le milieu du dix-septième siècle on peut déjà remarquer les signes évidents d'une transformation profonde de la littérature. On constate en effet une réaction dans le sens de la vérité, on commence à se moquer des héros de romans, de l'emphase et de la préciosité, pour revenir à la raison et à la nature. De plus, grâce à la fondation de l'Académie française, à la protection que le pouvoir royal va accorder aux écrivains, la littérature tendra à échapper à l'action des coteries et des petits groupes et aux modes passagères. C'est sous ces influences variées que va se développer en France une littérature à laquelle on a donné le nom de *classique*.

A proprement parler, il n'exista jamais de groupement officiel d'écrivains qui après s'être proposé un idéal bien déterminé se soient efforcés d'exécuter un programme. Tout en travaillant dans des domaines et dans des genres différents, et en manifestant leur tempérament de façon variée, ils ont cependant tous entre eux un air de ressemblance, des points communs et des aspirations communes. Un écrivain classique est tout d'abord un écrivain qui a atteint un équilibre parfait de ses facultés, qui refuse de laisser prédominer l'imagination dans son œuvre et de se fier à l'inspiration du moment. C'est aussi un écrivain qui, tout en s'étudiant lui-même et en étudiant ses contemporains, s'efforce d'atteindre à une vérité générale et universelle et qui s'attache à peindre non des exceptions mais des types qui appartiennent à tous les temps

et à tous les pays. De plus, les classiques sont conduits par
là même à rejeter une imitation servile et trop étroite soit
de l'antiquité, soit des modèles étrangers. Ils ne refusent pas
de chercher des motifs d'inspiration en dehors de leur temps
et de leur pays, mais ils s'efforcent d'assimiler les éléments
qu'ils empruntent, de les fondre dans un tout qui donne
une impression d'unité. Ils veulent atteindre à la perfection
du genre dans lequel ils s'exercent, et croient fermement qu'ils
ne sauraient mieux faire que d'étudier les œuvres que nous a
laissées l'antiquité ; mais si les anciens nous sont supérieurs,
c'est surtout parce qu'ils étaient plus près de la nature et
pouvaient mieux l'observer et non simplement parce qu'ils
sont nos aînés. Ils sont convaincus enfin que l'écrivain doit
s'efforcer de donner à sa pensée une forme parfaite, que
l'ordre et la clarté sont des vertus supérieures.

Il n'est aucun écrivain de l'école dite classique qui réponde
entièrement à cette définition générale. Il s'en faut que toutes
ces idées aient été acceptées par tous les écrivains qui apparaissent en France pendant la seconde moitié du dix-
septième siècle ; mais dans l'ensemble, et au moins pour les
plus grands, il semble bien que ce soient là leurs tendances
dominantes.

Cet idéal, d'ailleurs un peu étroit, a été exprimé à maintes
reprises par l'un d'eux, qui à quelques égards peut être considéré comme le théoricien du classicisme, Nicolas Boileau-
Despréaux. Il naquit à Paris en 1636 et appartenait à la
bourgeoisie. Il fut destiné tout d'abord à la magistrature,
comme beaucoup de fils de bourgeois, et étudia le droit. Il
l'abandonna bientôt pour se consacrer tout entier à la littérature et fréquenter les hommes qui devaient illustrer sa génération : La Fontaine, Racine et Molière. En 1666 il donne
une première série de *Satires* dans lesquelles il raille sans
merci les travers du temps et commence la lutte qu'il devait

BOILEAU

soutenir toute sa vie, contre les mauvais écrivains. Il s'attaque ensuite aux *Héros de roman*, publie une série d'*Épîtres*
dans lesquelles sa doctrine se précise et résume ses théories
dans l'*Art poétique* qui paraît en 1674 et qui eut dès l'abord
un extraordinaire succès. Il entra bientôt après à l'Académie
française et reçut ainsi une sorte de consécration officielle,
prit part à la grande discussion qui divisa les esprits à la fin
du dix-septième siècle, la querelle des Anciens et des Modernes, et mourut en 1711, assez isolé et triste d'avoir vu disparaître tous ses amis avant lui.

Plus peut-être qu'un théoricien de l'art, Boileau est un sa-
tiriste. Il ne suffisait évidemment pas pour lui de proposer
aux écrivains de son temps un idéal élevé, il fallait d'abord
exterminer les mauvais auteurs. C'est une tâche qu'il a
entreprise avec une vigueur et une âpreté dont les critiques
modernes ont perdu la tradition. Il s'est montré impitoyable
et souvent injuste pour les écrivains qui avaient précédé la
génération de 1660; il a poursuivi de ses railleries les Précieux et les Précieuses; il a couvert de ridicule des écrivains
qui vivaient encore et qui ont vainement protesté contre la
férocité de ces attaques. Il s'est bien défendu de s'attaquer à leur caractère et à leur personne et il a prétendu n'en
vouloir qu'à leurs écrits; mais c'est une distinction assez sub-
tile que Boileau lui-même, emporté par sa verve, a souvent
oubliée. Il a été sévère même pour ses amis et pour ceux des
modernes qu'il admirait le plus. Il a signalé les défaillances
de Corneille, il a reproché à Molière de négliger la haute
comédie pour la farce. Au total cependant la postérité a ratifié
les jugements qu'il a portés sur ses contemporains : toutes
les « victimes de Boileau » ne méritent pas d'être défendues.
Par contre, il s'est montré fort injuste à l'égard du moyen
âge qu'il ignore et il a rabaissé l'œuvre de la Pléiade. Dans
deux vers bien connus et souvent cités, il a dit, semblant

considérer comme négligeable les œuvres antérieures au début
de son siècle :

> Enfin Malherbe vint et le premier en France
> Fit sentir dans les vers une juste cadence.

On peut difficilement lui pardonner de n'avoir pas senti la
beauté de l'ancienne poésie et de n'avoir pas compris que
Ronsard et du Bellay, pour ne mentionner que deux noms,
doivent être placés parmi les plus grands écrivains qui aient
écrit en français. C'est que Boileau appartient à une génération où la tolérance n'est guère connue. Persuadé qu'il pos-
sède une doctrine d'une vérité si éclatante et si évidente
qu'elle doit s'imposer à quiconque consent à ouvrir les yeux, il
a une tendance naturelle à condamner tout ce qui s'écarte de
l'orthodoxie littéraire. Sa doctrine est essentiellement celle
que l'on trouvera exposée au début de ce chapitre. C'est
la doctrine de la raison, de la vérité morale, du culte de
l'antiquité et de la perfection artistique. Il faut suivre la
nature, c'est-à-dire éviter les écarts de l'imagination et de la
fantaisie pour étudier et reproduire la réalité. Mais il faut
bien comprendre que par *nature*, Boileau ne veut pas dire
seulement la nature extérieure, c'est à la nature humaine
qu'il pense surtout, à la vérité des sentiments plus encore
qu'à la vérité des descriptions, bien que dans ses satires il se
soit montré un grand réaliste. Dans la nature même, il y a
des exceptions et des monstruosités que l'artiste doit éviter,
et c'est là que la raison doit intervenir pour écarter tout ce
qui n'est pas vraisemblable, même si cela est vrai. Enfin, il
faut suivre de près les anciens et ne pas ménager ses peines.
Écrire est un métier qu'il faut apprendre et que l'on n'apprend que par le travail, l'expérience, la scrupuleuse attention
à l'exactitude des termes que l'on emploie. Si étroite que fût
cette doctrine, elle était honnête et salutaire. Appliquée par

des esprits médiocres elle n'aurait donné qu'une littérature médiocre et c'est ce qui se produisit au dix-huitième siècle. A l'époque de Boileau, au contraire, elle représentait les tendances principales de plusieurs écrivains de génie au nombre desquels étaient Molière et Racine.

## QUESTIONNAIRE

1. Vers quelle partie du dix-septième siècle la littérature prend-elle une direction nouvelle ?

2. Comment peut-on définir un écrivain classique ? Quel but doit-il se proposer ? Quels défauts doit-il éviter ?

3. Quel écrivain consacra sa vie à défendre l'idéal classique ?

4. Citez trois ouvrages de Boileau.

5. Quels moyens Boileau a-t-il employés pour faire triompher ses théories ? A-t-il toujours été juste envers le passé ?

6. Définissez la littérature classique.

# CHAPITRE XVI

## MOLIÈRE

COMME la tragédie, la comédie avait commencé au seizième siècle. Son développement est cependant beaucoup moins net. On traduit bien des pièces de Térence et l'on imite des pièces italiennes, mais la comédie proprement dite date en réalité des environs de 1630. Elle résulte en partie de la séparation plus nette qui s'établit vers cette date entre le tragique et le comique. C'est par des comédies, et des comédies très fines dont la meilleure est probablement la *Galerie du Palais*, que débute Corneille, et, en 1644 encore, il donne une comédie, *Le Menteur*. Il est d'ailleurs imité à cet égard par ses contemporains, Rotrou et Mairet, qui nous ont laissé à la fois des comédies et des tragédies. De 1630 à 1660, les productions comiques sont fort nombreuses. Ce sont des œuvres en général assez mal composées, dont beaucoup sont imitées de l'italien, où la farce et la grossièreté sont souvent mélangées à la préciosité. Bien que Molière se soit quelquefois souvenu de ses prédécesseurs et leur ait emprunté des scènes ou des situations et des mots, on ne trouve parmi eux aucun auteur qui l'approche même de très loin.

Il naquit à Paris en 1622, d'une famille de bonne bourgeoisie, et fit des études régulières. Élevé d'abord au collège de Clermont, il se fit recevoir avocat à Orléans, mais abandonna bientôt le barreau pour fréquenter les gens de théâtre. C'est sans doute au moment où il fonda avec eux une troupe dramatique, qu'il appela l'*Illustre Théâtre*, qu'il abandonna son nom de famille, qui était Poquelin, pour prendre celui de Molière. La profession de comédien était peu estimée au dix-septième siècle et Molière voulut sans doute éviter de jeter le discrédit sur le nom qu'il avait reçu de ses pères. L'Illustre Théâtre ayant misérablement échoué, Molière s'associe à une autre troupe qui parcourait les provinces et, de 1646 à 1658, on peut suivre sa trace dans plusieurs villes de France. En 1658 il revient à Paris, donne au Louvre une tragédie de Corneille, *Nicomède*, et une farce qu'il avait composée lui-même, le *Docteur amoureux*. Un an après, viennent les *Précieuses ridicules*, la première vraie comédie de Molière. Auteur et acteur, tout en jouant des comédies, des tragédies et des farces, il avait déjà composé pour sa troupe un certain nombre de pièces, dont plusieurs ont survécu, et qui révèlent un sens puissant du comique. C'est à partir de son retour à Paris, cependant, qu'il écrivit ses chefs-d'œuvre. Il les donna tous dans un espace de temps fort court, puisqu'il mourut en 1673, et qu'à ses comédies les plus connues il faut encore ajouter des pièces de circonstance, ballets, divertissements et comédies-ballets. En treize ou quatorze ans, il écrit près de trente pièces, dirige sa troupe de comédiens, organise les représentations, joue lui-même régulièrement, fait face à ses ennemis qui s'acharnent contre lui et dont il ne triomphe que grâce à l'appui du roi, et cela malgré des tracas d'argent et une vie domestique qui fut douloureuse. Ses pièces jouissent d'une renommée universelle, et il ne saurait être question de les résumer ici, même brièvement. Nous essaierons simplement d'en dégager une impression générale.

On peut étudier le théâtre de Molière en se plaçant à bien des points de vue différents. On peut voir en lui un peintre et un critique de la vie et de la société françaises du dix-septième siècle. Il nous a montré les Précieux et les Précieuses, ou plutôt leurs caricatures provinciales (*Les Pré-*

MOLIÈRE

*cieuses ridicules*) ; il a dépeint les *Femmes savantes,* éprises du grec et de l'astronomie, qui cherchaient à attirer chez elles les savants du temps. Il a critiqué la coutume qui permettait de donner en mariage une enfant à un vieillard et aussi ces unions réglées par les parents où les jeunes gens n'étaient point consultés. Il s'est moqué de façon cinglante des médecins de son temps et de leur fausse science (*Le Malade imaginaire*). Dans le *Tartufe,* il a fait des allusions évidentes à la Compagnie du Saint-Sacrement qui, fondée d'abord dans un but pieux, était accusée de dépouiller les mourants et de vider leur bourse. Il s'est d'autre part attaqué aux libertins dans *Don Juan.* Il s'est moqué de la vanité des bourgeois enrichis (*Le Bourgeois gentilhomme*) et des nobles de province qui veulent singer les airs de Paris (*La Comtesse d'Escarbagnas* et *Monsieur de Pourceaugnac*). On pourrait passer ainsi en revue presque toutes les pièces de Molière et dans presque toutes on retrouverait des situations, des caractères ou des traits qu'il avait observés dans la société de son temps.

Tout en mettant à profit ses observations personnelles, il ne dédaigne d'ailleurs pas de se servir de ses contemporains et de ses devanciers ; on retrouve chez lui des souvenirs des comiques latins, des Italiens, de Cyrano de Bergerac, de bien d'autres encore dont il avait joué les pièces. Suivant son mot, il prenait son bien où il le trouvait, ce qui d'ailleurs ne diminue en rien son originalité. Mais, tout en étant un peintre de sa société, il la dépasse de beaucoup et crée des types d'une vérité générale, et c'est par là qu'il est un classique. Au lieu de dire un hypocrite on dit souvent encore aujourd'hui un Tartufe, au lieu d'un avare, un Harpagon. C'est qu'en effet Molière étudie et met en relief chez ses caractères principaux un trait ou un vice dominant, avarice, hypocrisie, vanité orgueilleuse de bourgeois enrichi, pédanterie, libertinage ou coquetterie. Balzac et Dickens après lui seront peut-être les seuls écrivains qui seront doués d'une force créatrice comparable.

Mais, quand un vice est à ce point dominant chez un homme, on ne peut admettre qu'il soit brusquement supprimé. C'est pour cette raison que l'on a pu accuser Molière de pessimisme et trouver chez lui une philosophie amère de la vie. Monsieur Jourdain n'est point corrigé de sa vanité à la fin du *Bourgeois gentilhomme,* Célimène est tout aussi coquette au dénouement qu'au début du *Misanthrope,* et Tartufe, s'il est puni, n'est point repentant et recommencera à la prochaine occasion. Cependant les pièces de Molière ne sont pas des drames, elles restent des comédies. Un mot, un geste, une intervention d'un personnage secondaire viennent interrompre les situations qui risqueraient de tourner au tragique, et nous font rire de nouveau. Si Molière s'est proposé un but moral en écrivant ses pièces, il est bien évident qu'il comptait atteindre ce but en rendant le vice ridicule encore plus qu'odieux et repoussant. Même s'il ne s'est point tracé un programme et n'a pas prétendu corriger ses contemporains, il n'en éprouvait pas moins une répugnance extrême contre tout ce qui était artificiel et, comme on disait au dix-septième siècle, contre tout ce qui s'écartait de la nature. Par là encore il est un classique, mais en même temps il se rattache à la tradition de Rabelais et de Montaigne.

Il est contre la nature et contre la vérité de prétendre savoir ce que l'on ne sait pas et de cacher son ignorance sous un étalage de mots grecs et latins, et c'est pour cette raison qu'il attaque si violemment les médecins de son temps. Il est aussi contre la nature et contre la vérité de se servir de la religion pour des buts intéressés, pour satisfaire ses vices, ses ambitions et ses appétits, et c'est ce qu'il attaque chez Tartufe. Il est contre la nature de vouloir passer pour un gentilhomme quand on n'est qu'un bon marchand, et de marier les jeunes gens contre leur gré. La sagesse de Molière, celle qui paraît chez Henriette dans *Les Femmes savantes* ou chez Philinte dans *Le Misanthrope*, ne place pas son idéal trop haut, car on peut concevoir que trop de vertu rende légèrement ridicule, si cette vertu est intransigeante, de même que trop de science peut rendre pédant. C'est donc une sagesse bourgeoise, de juste milieu, faite d'équilibre et de proportions qu'il nous faut cultiver. Et par ce souci de la modération, comme par son insistance à nous proposer en modèle ce qui est naturel et raisonnable, Molière appartient bien à l'école classique, de même qu'il a justement exprimé l'idéal de son temps.

## QUESTIONNAIRE

1. A quel moment la comédie se sépare-t-elle de la tragédie et où a-t-elle d'abord trouvé ses modèles ?

2. Racontez ce que vous savez de la vie de Molière.

3. Citez deux pièces dans lesquelles il a critiqué les exagérations des imitateurs de l'hôtel de Rambouillet.

4. Dans quelles pièces se moque-t-il (1) des nobles de province ? (2) de la fausse piété ? (3) des médecins ignorants ?

5. Quelle est la véritable originalité de Molière ? Que signifient les expressions « un Tartufe », « un Harpagon » ?

6. Pour quelles raisons a-t-on accusé Molière d'être un pessimiste ?

7. Montrez en quoi Molière est un classique.

8. Quelle est sa philosophie de la vie ?

# CHAPITRE XVII

## RACINE, LA FONTAINE

Racine a rendu un singulier service à la tragédie française : il l'a portée au plus haut point de perfection qu'elle était susceptible d'atteindre et, par là même, il l'a tuée. Nous avons vu que, dès la Renaissance, on avait cherché une formule dramatique qui permettrait aux auteurs français de rivaliser avec les grands dramaturges de l'antiquité. C'est de cet effort qu'était sortie la tragédie, et la tragédie s'était déjà élevée très haut avec Corneille ; mais le génie impétueux, romanesque et inégal de Corneille s'était assez mal accommodé des règles que l'on voulait lui imposer. Il aimait les sujets compliqués, les coups de théâtre, les âmes peu communes et la grandeur. En plus d'un sens, son théâtre reflète son époque, qui était l'époque de Louis XIII, encore peu disciplinée et, malgré le vernis d'élégance que lui donna la société précieuse, encore peu raffinée. Racine appartient à une époque très différente, à une génération qui se sépare nettement de la génération précédente. Non seulement il s'est plié sans effort aux règles des trois unités, mais il semble qu'il les aurait inventées si elles n'avaient pas été formulées avant lui. Pour parler plus exactement, c'est de son théâtre que l'on peut dériver la formule la plus parfaite de la tragédie classique. C'est ce que ne manquèrent pas de faire ses successeurs qui ont malheureusement cru que, la formule une fois trouvée, il suffisait de l'appliquer exactement pour produire des chefs-d'œuvre comparables à ceux de Racine.

La tragédie racinienne présente une combinaison, probablement unique dans l'histoire du théâtre, d'une violence de passion et d'une perfection de forme qui, il faut le reconnaître, risque de dérouter le lecteur étranger et qui, en France même, a fait commettre, surtout au début du dix-neuvième siècle, plus d'un contre-sens sur l'œuvre de Racine.

Né, en 1639, à La Ferté-Milon, Racine, ayant perdu ses parents de bonne heure, fut élevé d'abord par ses grands-parents et confié, à l'âge de seize ans, aux solitaires de Port-Royal, chez qui il apprit le latin et le grec. On le destinait à la carrière ecclésiastique, mais ses goûts le portaient vers le monde. Très tôt il commence à écrire des vers, il se lie avec La Fontaine, Boileau et Molière et, par ce dernier, pénètre dans le monde du théâtre. C'est Molière qui joue ses deux premières pièces, *La Thébaïde* (1664) et *Alexandre* (1665), mais Racine ne tarde pas à se brouiller avec lui.

En un peu plus de dix ans il donne ses principaux chefs-d'œuvre : *Andromaque* (1667), une comédie, *Les Plaideurs* (1668), *Britannicus* (1669), *Bérénice* (1670), *Bajazet* (1672), *Mithridate* (1673), *Iphigénie* (1674), *Phèdre* (1677). Jusque-là la vie de Racine avait été assez dissipée et assez orageuse, au moins sa vie sentimentale ; brusquement, il se réconcilie avec les solitaires de Port-Royal, qui désapprouvaient fort les activités profanes de leur ancien élève. Il renonce au théâtre, se marie, se consacre entièrement à sa famille et à sa besogne d'historiographe du roi. Il ne revient au théâtre qu'à la requête de M^me de Maintenon. C'est sur sa prière qu'il écrit deux « tragédies sacrées », *Esther* en 1689 et *Athalie* en 1691. Encore faut-il remarquer que ces deux pièces furent jouées par les jeunes filles du pensionnat de Saint-Cyr et non par des acteurs de profession. Tombé en disgrâce à cause de ses relations avec Port-Royal, Racine mourut en 1699. Au total, sa vie est assez peu con-

RACINE

nue dans le détail. On sait mal jusqu'à quel point elle a
pu influer sur son œuvre. On ne sait point davantage pour
quelles raisons précises il renonça au théâtre en pleine gloire,
alors qu'il pouvait encore donner des chefs-d'œuvre. On de-
vine en lui une âme passionnée et violente qu'il a su discipliner dans la dernière période de sa vie. Il avait à
l'occasion l'esprit mordant, se blessait facilement comme il
le fit voir en plusieurs cas. Mais il est également certain qu'il
se plia sans contrainte apparente à son milieu et à la vie de
son temps.

L'influence qui paraît dominer à première vue dans le
théâtre de Racine est celle du drame grec. Mais il suffit
de lire, même dans une traduction, un drame d'Eschyle, de
Sophocle, ou même d'Euripide, pour sentir combien ces ressemblances sont en réalité superficielles et purement exté-
rieures. On trouvera chez les Grecs du cinquième siècle un
lyrisme, une poésie tantôt héroïque et tantôt familière et
presque réaliste, que l'on chercherait en vain chez Racine.
Il a emprunté soit à l'histoire ancienne soit à la légende et
à la mythologie des sujets, des thèmes, les noms même de ses
personnages. Les sentiments qu'il analyse ne sont cependant
pas particulièrement grecs, romains ou même turcs. Ils ne
sont pas non plus essentiellement des sentiments particuliers
à son époque. La langue de Racine est la langue épurée,
élégante, précise mais peu colorée, que l'on employait dans la
bonne société de son temps, mais il serait également dange-
reux de voir dans les personnages de Racine des courtisans
de Louis XIV.

Dans *Andromaque* nous voyons une jeune femme qui conserve à son mari, mort récemment, un amour passionné, et
qui se trouve placée par la fatalité dans une situation telle
que l'avenir et la vie même de son enfant dépendent d'un
homme qui la demande en mariage. Dans *Britannicus*, c'est

un homme (Néron), rival de son demi-frère (Britannicus), qui, poussé par l'ambition, la passion, les mauvais conseils, commet un fratricide. Dans *Phèdre*, c'est une femme, mariée à un homme d'âge mûr, qu'une passion insensée entraîne malgré elle vers son beau-fils. Dans *Bérénice*, ce sont deux êtres qui s'aiment et que la raison d'état sépare. Dans *Mithridate*, c'est un vieillard au caractère autocratique qui aime la même femme que ses deux plus jeunes fils. Certes ce ne sont pas là des situations de la vie courante et moyenne; mais il n'en est pas moins vrai qu'elles se rencontrent même à notre époque.

Il est à remarquer que, de façon générale, dans les conflits psychologiques mis à la scène par Corneille, la volonté finissait par triompher. Chez Racine, malgré les hésitations, les remords anticipés, la passion semble avoir une force irrésistible qui entraîne les héros à leur perte. Racine a peint l'amour coupable et criminel, mais on trouve également chez lui des âmes tendres et fortes, plus près de nous peut-être, car les grandes passions sont aussi rares que les grands héroïsmes. Ce sont des caractères comme ceux d'Iphigénie, de Junie (dans *Britannicus*), de Monime (dans *Mithridate*), qui lui ont valu d'être appelé le tendre Racine. C'est peut-être aussi l'harmonie de ses vers.

Ne disposant que d'un vocabulaire limité d'où le pittoresque semblait avoir disparu, il en a tiré des sonorités voilées qui font de lui un des plus grands musiciens de la poésie française. Il a écrit de nombreux vers qui restent dans toutes les mémoires parce qu'ils évoquent des horizons illimités plutôt qu'ils ne décrivent des paysages précis. Il aurait été contraire aux usages du temps et à l'idéal même de Racine d'insister sur la couleur locale. Il a cependant subi l'attrait du passé et, en quelques traits, a su évoquer des temps et des pays bien divers : la Grèce des héros et des demi-dieux dans *Phèdre* et dans *Iphigénie*, la Grèce à demi barbare dans *La Thébaïde* et dans *Andromaque*; la Rome de l'Empire dans *Britannicus* et dans *Bérénice*; la lutte de l'Asie contre la puissance romaine dans *Mithridate*; dans *Bajazet* un Orient plus moderne et plus mystérieux encore peut-être; dans ses tragédies sacrées enfin deux grands épisodes de l'histoire des Juifs. Racine est l'analyste par excellence de l'amour et de la jalousie, mais il a aussi peint l'amour maternel dans *Andromaque*, l'ambition politique et la soif du pouvoir dans *Britannicus* et dans *Athalie*. Enfin il est bon de signaler que malgré la pénétration de son analyse psychologique il a su, avec un minimum d'événements extérieurs, maintenir l'intérêt dramatique. Ses pièces ont été écrites avant tout pour être jouées et c'est une des raisons sans doute pour laquelle tant d'étrangers qui ne peuvent les voir au théâtre hésitent à reconnaître en lui le génie supérieur que les Français d'aujourd'hui s'accordent à lui reconnaître.

C'est à la même génération qu'appartient un écrivain dont le génie fut moins puissant que celui de Racine ou de Molière, mais qui dans un domaine différent n'en fut pas moins un incomparable artiste. La Fontaine qui, en commun avec les grands classiques, a l'admiration de l'antiquité, le culte de la forme parfaite, de la vérité et de la nature, a eu le rare mérite de ne pas dédaigner l'héritage du moyen âge. Il a lu les vieux conteurs dont il aimait la naïveté, l'esprit et la « gentillesse », la nonchalance et la grâce aisée. De ce fait, tout en étant bien de son siècle il occupe une place à part parmi ses contemporains.

Il importe assez peu en somme de savoir qu'il est né en 1621 à Château-Thierry, qu'il étudia pour être prêtre, puis magistrat et qu'en fin de compte, malgré son titre imposant de maître des eaux et forêts, il ne fit rien du tout. Assez égoïste, mari qui oublia pendant des années qu'il était marié,

peu désireux de s'occuper des détails de la vie matérielle bien
qu'aimant ses aises et le confort, il fut protégé par le surintendant des finances, puis par la duchesse d'Orléans, enfin
par M^me de la Sablière. Il écrivit des contes assez licen-
cieux dont il emprunta les sujets aux fabliaux et aux conteurs
italiens, plusieurs petites comédies, un roman en prose, *Psyché*,
qui contient des parties charmantes. Il participa activement
à la querelle des Anciens et des Modernes, et mourut en
1695. En 1668 il publia les six premiers livres de ses *Fables*,
les livres VII et VIII parurent en 1678, dix ans plus tard, les
livres IX, X et XI en 1679 et le douzième et dernier livre
en 1694. Ces petits poèmes constituent des chefs-d'œuvre
uniques non seulement dans la littérature française, mais
même dans l'histoire du genre.

Comme tous les classiques La Fontaine n'a point cherché
l'originalité dans l'invention de nouveaux sujets. Il s'est
servi sans aucune hésitation des nombreux recueils de fables
qui avaient paru avant lui et dans lesquels il pouvait trouver
des fables indiennes, des fables grecques, en particulier celles
d'Ésope, des fables latines, celles de Phèdre et toutes les
imitations ou traductions des fables ésopiques qui avaient
été publiées au seizième siècle, sans oublier celles qu'il avait
puisées dans le *Roman de Renard*, Rabelais et les conteurs de
fabliaux. Chez quelques-uns de ses prédécesseurs, en plus
du sujet même, il avait pu remarquer des traits ingénieux,
quelques silhouettes amusantes et pittoresques et il ne s'est
pas fait faute de les recueillir. Mais, comme il l'a dit lui-
même de son œuvre, « son imitation n'est point un esclavage »
et il suffit de comparer ses fables à l'un quelconque de ses
modèles pour reconnaître son originalité.

Essentiellement, les fables ont toujours été de petits récits
où les animaux jouent un rôle prépondérant. C'est la forme
ancienne des *animal tales* qui ont toujours fait la joie des

enfants de tous les pays et de tous les temps. Bien souvent aussi ces petits récits étaient destinés à illustrer une leçon ou une *morale*, présentée comme résultat de l'expérience et non comme principe abstrait. Par sa nature même, la fable est donc un genre artificiel, puisqu'on y voit forcément des animaux qui pensent, parlent et agissent comme des hommes et qu'ainsi nous sommes placés dans un monde irréel, au temps où les bêtes parlaient. La plus grande originalité de La Fontaine provient peut-être de ce qu'il a su mieux qu'aucun de ses prédécesseurs rendre vraisemblable ce monde irréel. Tout en parlant et en agissant comme des hommes, ses animaux restent cependant des animaux, qu'il nous fait voir, dont nous reconnaissons les allures, les habitudes et les attitudes. Ils vivent, combattent, se trompent, s'aiment, souffrent et meurent dans des paysages indiqués d'un trait vif et précis, dans une nature qui nous est familière, et La Fontaine est un tel magicien que nous ne nous étonnons pas plus de trouver des lions que des lapins dans les forêts de l'Ile de France. En plus des animaux, on voit passer dans ce cadre des types que nous connaissons et dont beaucoup sont empruntés à la vie des champs, le charretier dont la voiture est embourbée, la laitière allant porter son lait à la ville, le meunier se rendant au marché, le savetier dans son échoppe, le curé de village, le bûcheron dans la forêt et le laboureur dans son champ. Il n'est même point besoin d'aller chercher les hommes sous des déguisements d'animaux pour trouver chez La Fontaine un tableau vif et animé de la société de son temps.

Il a été sévèrement critiqué pour sa morale, en particulier par Jean-Jacques Rousseau et par Lamartine, et il faut reconnaître que l'enseignement qu'il donne n'est pas optimiste. Mais il faut bien dire aussi que sa morale est souvent celle de la vie. Sans doute la fourmi industrieuse et économe n'est

LA FONTAINE

guère charitable, le lion n'emploie pas toujours sa force justement, le renard triomphe insolemment de la naïveté du corbeau ou du loup. On ne voit cependant pas que La Fontaine
ait jamais recommandé à ses lecteurs d'imiter ces exemples,
il a voulu plutôt les mettre en garde et les avertir et il a
souvent donné de nobles conseils de solidarité, de patience,
de résignation, de dévouement et de bonté. A ne le considérer
que comme un artiste il doit être placé parmi les plus grands.
Il a le sens de la vie et de la composition dramatique, il sait
habilement ménager l'intérêt, composer des dialogues vifs et
rapides. Son vers se plie à toutes les exigences de la pensée :
c'est un instrument d'une admirable souplesse, tantôt noble
et tantôt familier. Son naturel est exquis. Mais il ne faut pas
oublier que ces petits récits si simples d'apparence qui se
lisent sans effort et qui semblent avoir coulé de sa plume lui
ont coûté de nombreuses corrections. Sa nonchalance et sa
naïveté apparentes ne sont pas le résultat de sa paresse ; ce
prétendu paresseux a travaillé ses vers tout autant que Boileau, et il a ciselé ses petits récits comme autant de bijoux
précieux.

## QUESTIONNAIRE

1. La tragédie continue-t-elle à se développer avec Racine ? En
quoi son génie est-il différent de celui de Corneille ?

2. En quelle année est né Racine ? Racontez ce que vous savez de
sa vie, de son caractère. Quels écrivains fréquenta-t-il ? Qu'est-ce que
les solitaires de Port-Royal ?

3. Citez trois tragédies de Racine, une de ses comédies. Pour qui
*Esther* et *Athalie* ont-elles été écrites ? Montrez par quels côtés ses
tragédies diffèrent des drames grecs.

4. A qui Racine a-t-il emprunté les sujets de ses tragédies ? Les
situations dans lesquelles ses personnages se trouvent placés sont-
elles celles de la vie ordinaire ? Donnez des exemples.

5. Comparez les héros de Corneille avec ceux de Racine.

6. La Fontaine est-il un classique ? Pourquoi ? Où est-il allé chercher ses sujets ?

7. Qu'est-ce que la « morale » d'une fable ? La morale de La Fontaine est-elle toujours désintéressée ? Que lui a-t-on reproché ?

8. Quelle est sa véritable originalité ? A-t-il peint la société de son temps ?

9. Quelles sont les qualités de son style ?

# CHAPITRE XVIII

## LES GRANDS PROSATEURS CLASSIQUES

Encore lourde et toute proche du latin chez Descartes, maniérée et un peu fade chez Voiture et chez d'Urfé, pittoresque et riche mais manquant de netteté chez des romanciers comme Sorel ou Scarron, la prose française n'atteint sa perfection que dans la seconde moitié du siècle. C'est à peine si l'on peut faire une exception pour Pascal, puisque les *Provinciales* sont de 1657 et que les *Pensées* ne constituent pas une rédaction définitive. Il importe de remarquer cependant que la génération de 1660 a profité des progrès qui avaient été accomplis par la génération précédente. La netteté, la simplicité de la phrase, l'absence de recherche, le naturel de l'expression ont quelquefois fait dire que beaucoup d'écrivains de cette période écrivent comme on parle. C'est vrai surtout des femmes comme M^{me} de la Fayette et M^{me} de Sévigné. Encore faut-il se souvenir que si les mondains du dix-septième siècle n'avaient pas appris à écrire, ils avaient appris à parler. On n'arrivait pas sans travail à s'attirer la réputation d'un brillant causeur et l'on savait fort bien que, si l'on écrivait une jolie lettre, elle ne manquerait pas de circuler. Cette crainte salutaire de juges toujours prêts à relever la moindre erreur d'expression et la moindre faute de goût, le désir de plaire à ses correspondants et d'en être applaudi donnent aux lettres du dix-septième siècle une tenue qui manque à nos correspondances modernes, et le genre épistolaire subit lui aussi l'influence marquée de l'idéal classique.

Il est tout à fait remarquable par contre que le roman disparaît presque entièrement à cette époque. Il est vrai qu'il est représenté par un chef-d'œuvre, *La Princesse de Clèves*, de M<sup>me</sup> de la Fayette. C'est un ouvrage qui diffère autant des romans héroïques et pastoraux de la première moitié du siècle que la tragédie de Racine diffère de la tragédie de Corneille. Comme chez Racine, l'action est réduite à un minimum et l'analyse des sentiments est au contraire extrêmement détaillée et poussée. C'est la simple histoire d'une très honnête femme qui éprouve pour son mari plus de respect que d'amour, et qui, se sentant entraînée vers un jeune homme et se défiant d'elle-même, prend pour confident son mari. Situation qui aurait pu devenir fort scabreuse, mais qui est traitée de façon si délicate qu'elle est profondément émouvante.

Si le roman paraît ainsi négligé, c'est qu'en réalité on s'est lassé des grandes aventures et des interminables discussions qui remplissaient les ouvrages de La Calprenède, de Gomberville et de M<sup>lle</sup> de Scudéry, et c'est que le goût du temps porte plutôt à l'analyse et à l'observation aiguë des sentiments. C'est ce besoin qui détermine la vogue des *maximes* et des *caractères* dans la seconde moitié du siècle. Si par moraliste on entend un auteur qui se propose d'étudier le cœur humain, il n'est point d'auteur classique qui ne réponde à cette définition. Il faut cependant faire une classe à part pour ceux qui ont voulu présenter les résultats de leurs observations sans les revêtir d'une forme romanesque ou dramatique. Ce furent les salons qui mirent à la mode les portraits et les maximes. Le recueil le plus important de maximes du dix-septième fut publié en 1665. Il était dû à un grand seigneur hautain et désabusé, le duc de la Rochefoucauld (1613–1680). Il y exposa une théorie qui fit alors scandale, mais qui au siècle suivant devait être reprise, particulièrement en Angleterre, par toute une école de philosophes. Selon La Rochefoucauld, il n'est point d'action, si désintéressée qu'elle soit en apparence, qui ne puisse être expliquée par un mobile intéressé, et il résumait sa théorie dans des maximes épigrammatiques frappées comme des médailles : *Ce que nous prenons pour des vertus n'est souvent qu'un assemblage de diverses actions et de divers intérêts, que la fortune ou notre industrie savent arranger.—Ce que les hommes ont nommé amitié n'est qu'une société, qu'un ménagement réciproque d'intérêts, et qu'un échange de bons offices.—Il en est de la reconnaissance comme de la bonne foi des marchands : elle entretient le commerce.* Dans tout cela il faut faire la part du tempérament de l'auteur, du fait qu'il avait vécu pendant sa jeunesse dans un milieu de conspirateurs et de courtisans, qui cherchaient avant tout à satisfaire des ambitions personnelles. Beaucoup de ces rapprochements inattendus proviennent aussi du désir de briller, de surprendre en donnant une forme paradoxale à la pensée. Il n'y avait pas moins là une philosophie amère de la vie, qui saisit fortement l'imagination des contemporains, et qui devait faire considérer La Rochefoucauld comme un ancêtre des pessimistes modernes.

Plus nuancés, plus détaillés, plus nourris de détails pittoresques et réalistes, sont les *Caractères* de La Bruyère. Comme Boileau et Molière, La Bruyère naquit à Paris (1645), et comme eux il appartenait à la bourgeoisie. Nommé précepteur du petit-fils du grand Condé, il eut l'occasion d'observer de près les grands et de les juger sans indulgence. C'est seulement en 1688 qu'il publia la première édition des *Caractères*, qui de son vivant même atteignirent huit éditions. Bien que d'abord il ait donné l'ouvrage comme une simple traduction de Théophraste, à laquelle il se serait contenté d'ajouter quelques imitations, le sous-titre indiquait clairement que l'auteur s'était proposé de peindre « les mœurs de

JACQUES-BÉNIGNE BOSSUET

ce siècle ». On y trouve en effet un tableau complet de la société française à la fin du dix-septième siècle et déjà les manifestations d'un esprit nouveau. Courtisans, bourgeois, gens du haut et bas clergé, prédicateurs, coquettes, dames de la société, excentriques et originaux appartenant à toutes les classes, hommes de lettres contemporains et ceux qui appartenaient à la génération précédente, paysans courbés sur la terre et souverain épuisant le pays par son luxe et son ostentation, c'est toute la France d'alors qui défile devant les yeux dans une série de caractères et d'esquisses, qui font penser tantôt à des eaux-fortes et tantôt aux portraits minutieux et réalistes des peintres flamands. Comme La Rochefoucauld, et de façon plus raisonnée que lui, il est persuadé de la méchanceté foncière de l'homme ; mais on trouve déjà chez lui ce que l'on ne trouverait pas chez La Rochefoucauld, une révolte sincère contre les injustices de la vie et de la société et une pitié pour les misérables qui n'apparaissent que bien rarement chez ses contemporains. Plus qu'aucun d'eux, il a eu le sens de la vie extérieure, il se plaît à observer les attitudes, les gestes, les tics, les manies autant que les passions de ses caractères. Il a su enfermer en quelques lignes la matière de cent romans de mœurs et en plus d'un endroit il fait déjà penser à Balzac.

Pour comprendre quelles étaient les ressources de la prose classique, il est nécessaire d'avoir lu au moins quelques pages de Bossuet. Quels que soient les mérites dont il a fait preuve dans son *Discours sur l'histoire universelle* et dans l'*Histoire des variations des églises protestantes*, il fut le plus grand orateur de son siècle, et c'est surtout à ce titre qu'il doit d'occuper une place de tout premier ordre parmi les écrivains classiques du dix-septième siècle. Nourri des orateurs latins, mais plus encore de la Bible et des Pères de l'Église, Bossuet n'a jamais oublié qu'il était avant tout un prêtre et il n'a sacrifié que bien rarement au goût du siècle. Il fut pour la cour et pour le roi lui-même un moraliste sévère et d'un grand courage. Ame forte et convaincue, chrétien iné- branlable dans sa foi, admirable de sincérité et d'honnêteté, Bossuet a été justement appelé le dernier des Pères de l'Église. Il fut aussi un grand poète en prose. Dans ses oraisons fu- nèbres comme dans ses sermons, il a su donner une forme dramatique et saisissante aux grands lieux communs de la religion sur la mort et le néant de la vie humaine. Prêchant devant les grands, il a maintes fois rappelé la vanité des grandeurs de ce monde, et ces belles phrases rythmées, ces images hardies font déjà en plus d'un endroit penser aux grandes strophes lyriques de Lamartine et de Victor Hugo.

## QUESTIONNAIRE

1. Donnez les raisons du développement rapide de la prose dans la seconde moitié du dix-septième siècle.

2. Comment comprend-on le roman à cette époque ? Quel est le titre du roman de M<sup>me</sup> de Lafayette ?

3. Qu'est-ce qu'un moraliste ? Qu'appelle-t-on « maximes » et « caractères » ?

4. Quand La Rochefoucauld a-t-il publié ses *Maximes* ? Citez-en quelques-unes. Que pensez-vous de sa doctrine de l'intérêt ? Fut-il apprécié par ses contemporains ?

5. En quelle année naquit La Bruyère ? Où a-t-il trouvé des mo- dèles pour ses caractères ? Quelle société a-t-il mise en scène ?

6. Sa philosophie de la vie ressemble-t-elle à celle de La Rochefou- cauld ?

7. Qui était Bossuet ? Pourquoi l'a-t-on appelé le dernier des Pères de l'Église ?

8. Par quoi est-il célèbre ? Pourquoi peut-on le considérer comme un poète ?

# CHAPITRE XIX

## CONCLUSION : LA RÉSISTANCE AU CLASSICISME

Prise dans son ensemble, et étudiée seulement d'un point de vue général, cette seconde moitié du dix-septième siècle laisse une forte impression d'unité, d'ordre et de discipline. Il est certain que les grands écrivains de la génération de 1660 ont eu un idéal artistique commun et qu'ils ont consciemment travaillé à le réaliser. D'autre part, il faut bien reconnaître que cet idéal ne fut pas universellement accepté. Certains courants de pensée dont nous avons constaté l'existence au seizième siècle et dans la première partie du dix-septième semblent disparaître entièrement vers 1660 ; mais cette disparition n'est que momentanée et ils vont remonter à la surface avant même la fin du siècle.

Le dix-septième siècle avait reçu de la Renaissance le culte de l'antiquité, et ce culte avait atteint sa forme la plus systématique et la plus raisonnée avec l'école de 1660. Il s'était trouvé de très bonne heure cependant un certain nombre d'écrivains pour protester contre ce respect et cette vénération. On sait qu'au début du siècle, le philosophe anglais Francis Bacon avait déclaré que l'antiquité n'était que la jeunesse du monde. Descartes avait rudement affirmé qu'il n'y avait pas plus de raison d'apprendre le grec et le latin que le bas-breton, et fort de sa raison refusait de s'incliner devant l'autorité des anciens. Pascal à son tour protestait que nous avions joint aux connaissances des anciens l'expérience des

siècles qui avaient suivi, et comparait les générations successives « à un même homme qui subsiste toujours et apprend continuellement ». Cette attitude naturelle de la part
d'hommes qui avaient une forte culture scientifique se reflète
dans la littérature chez un homme comme Desmarets de
Saint-Sorlin. Il fut un des premiers à protester contre l'abus
de mythologie qu'avaient fait les poètes, à proclamer que les
sujets chrétiens offraient des beautés supérieures aux sujets
anciens (Préface de *Clovis*, 1657), et il continua à défendre la
même thèse jusqu'en 1675, affirmant même la supériorité des
poètes français de sa génération sur les poètes grecs et latins.
Par malheur Desmarets de Saint-Sorlin était assez mauvais
poète lui-même et ses œuvres firent tort à sa thèse. Elle fut
reprise par Perrault en 1687, pour la plus grande indignation
de Boileau, dans une séance publique de l'Académie française.
La bataille s'engagea immédiatement ; elle devait se prolonger jusqu'à 1694 et fut marquée par un échange de sonnets, de discours et de traités dans lesquels les adversaires ne
se ménageaient guère. Boileau avait à ses côtés La Bruyère,
Racine, La Fontaine, tandis que Perrault était soutenu par
de nombreux confrères de l'Académie, par Saint-Évremond
et par Fontenelle. Ce fut une controverse d'érudits et d'écrivains où les blessures d'amour-propre furent nombreuses,
mais qui se termina en 1694 par la réconciliation des deux
protagonistes Boileau et Perrault. Telle fut ce que l'on appelle
la première phase de la querelle des Anciens et des Modernes.

La deuxième phase devait apparaître une vingtaine d'années plus tard. Elle fut moins violente et porta d'abord
sur Homère. Elle se produisit à l'occasion d'une adaptation
d'Homère en vers français faite par l'académicien La Motte
d'après la traduction de M^me Dacier. Comme dans sa
préface La Motte avait critiqué le vieux poème, M^me Dacier
prit vivement la défense de son idole, et une seconde bataille

s'engagea. Elle se termina assez tôt, surtout grâce aux efforts
de Fénelon qui s'efforça de concilier les deux partis ; mais les
échos devaient se prolonger loin dans le dix-huitième siècle
et, jusqu'à un certain point, l'on peut même dire qu'on a vu
renaître la querelle de nos jours dans l'opposition qui a été
établie entre les langues modernes et les langues classiques.

Chose assez curieuse, on ne semble pas en avoir alors saisi
toute la portée. Le grand débat entre les partisans du progrès et les partisans de la tradition n'en était pas moins en-
gagé. Il devait passionner tout le dix-huitième siècle. Sans
vouloir anticiper, il importe au moins de remarquer que s'attaquer aux anciens était s'attaquer à l'idéal classique. L'école
de 1660 avait à peine produit ses chefs-d'œuvre que des voix
discordantes se faisaient entendre. Des tendances analogues,
qui annonçaient un âge nouveau, se manifestaient d'ailleurs
en même temps dans d'autres domaines.

Dans son ensemble, a-t-on dit souvent, le dix-septième
siècle est monarchique et chrétien, c'est-à-dire monarchique
et catholique. Mais on ne peut admettre cette généralisation
qu'à condition de négliger le courant libertin qui continue à
travers tout le siècle. Le libertinage, c'est-à-dire la libre
pensée, a été l'objet d'attaques fréquentes de la part de Pascal,
de Bossuet et de La Bruyère. En 1680 Nicole peut déclarer
que « la grande hérésie n'est pas le protestantisme, ni le jansénisme, mais l'athéisme ». Des travaux récents ont montré que pour s'être dissimulé pendant toute une partie du
siècle le libertinage n'en a pas moins occupé une place importante, non seulement chez les philosophes, mais encore
chez les mondains.

D'autre part les polémiques entre protestants et catholiques continuent sans interruption. Les calvinistes trouvent
en Bossuet un rude adversaire, mais ne cèdent pas un pouce
de terrain. La lutte entre les jésuites et les jansénistes, que

nous avons indiquée à propos de Pascal, commence dès le milieu du siècle et se prolonge jusqu'en 1710, date à laquelle l'église de Port-Royal-des-Champs est rasée par ordre du roi. La querelle du quiétisme met aux prises deux grands prélats français, Fénelon et Bossuet. Dans le clergé même on voit renaître un mouvement pour rendre l'Église de France indépendante de la tutelle du pape : c'est le gallicanisme qui risqua à un moment de dégénérer en schisme. Il y eut donc toute une série d'incidents auxquels le public ne put rester indifférent, même si nous ne saisissons qu'un écho affaibli de ces querelles et de ces controverses dans les ouvrages des grands écrivains.

De plus le cartésianisme fait des progrès considérables. Prudemment Descartes avait évité d'appliquer les principes de sa méthode aux questions de politique, de religion et de morale, mais dès le dix-septième siècle ses successeurs seront moins réservés. C'est ainsi que Richard Simon dans son *Histoire critique du Vieux Testament* entreprend d'appliquer aux livres de l'Écriture sainte les méthodes d'examen, de critique de texte et de critique historique que l'on commençait à employer dans l'étude des livres profanes.

Les protestants français ne s'étaient résignés que par force à subir le contrôle d'un roi catholique dans les affaires de l'État. Quand, à la suite de la révocation de l'édit de Nantes, qui leur enlevait toute apparence de liberté politique et religieuse, un grand nombre de Huguenots quittent le royaume, ils emportent avec eux des rancunes et des haines qui, tout naturellement, se feront jour dans leurs écrits. Il est vrai qu'ils font imprimer leurs livres en Angleterre ou en Hollande, mais ces livres, malgré les interdictions, pénètrent et circulent en France. Il serait inexact de dire que tous les contemporains de Louis XIV ont accepté sans résistance et sans réserves la théorie de la monarchie de droit divin.

On voit donc qu'avant la fin du siècle un esprit de libre examen, et quelquefois même de révolte, se manifeste presque ouvertement. On l'a quelquefois appelé l'esprit du dix-huitième siècle, et c'est en effet au dix-huitième siècle qu'il prendra son plein développement. Il importe cependant de se souvenir qu'il existe dès le siècle précédent et qu'il croît rapidement à partir de la révocation de l'édit de Nantes. En fait, on avait pu en constater l'existence dès le seizième siècle, et l'on peut dire que sur bien des points le dix-huitième siècle ne fera que continuer l'œuvre de la Renaissance.

## QUESTIONNAIRE

1. Quelles sont les qualités prédominantes de la littérature française à la fin du dix-septième siècle? Quels écrivains protestent contre le culte de l'antiquité? Quelles étaient leurs raisons?

2. Comment les auteurs se trouvèrent-ils divisés dans la première phase de la *querelle*? Quel nom lui donna-t-on?

3. A quel moment reprit-elle et pourquoi? S'est-elle continuée jusqu'à nos jours?

4. Qu'est-ce que le libertinage? Quelles discussions s'engagèrent au sujet de la religion?

5. Quel auteur appliqua la critique de texte à la Bible?

6. Qu'est-ce que la révocation de l'édit de Nantes? Quelles en furent les conséquences?

7. Montrez comment le courant de révolte qui se manifeste à cette date remonte jusqu'à la Renaissance.

# LE DIX-HUITIÈME SIÈCLE

# CHAPITRE XX

## LES ANNONCIATEURS D'UN ESPRIT NOUVEAU

LES tendances définies dans le chapitre précédent apparaissent, à des degrés différents, chez un certain nombre d'auteurs que l'on ne peut classer de façon exacte si l'on s'en tient à une division rigoureuse de la littérature par siècles. On les remarque très nettement chez Pierre Bayle qui par ses dates (1647–1706) appartient cependant au dix-septième siècle. Il est vrai qu'il a passé la plus grande partie de sa vie hors de France, en Suisse et en Hollande, mais il n'en exerça pas moins une action considérable sur ses contemporains. Dès 1682, dans les *Pensées sur la comète*, on le voit attaquer le principe d'autorité au nom de la raison et mettre en doute les miracles contraires aux lois physiques. Dans son célèbre *Dictionnaire historique et critique*, dont la première édition paraît en 1697, il entasse des citations et des anecdotes et constitue ainsi un arsenal où les philosophes du dix-huitième siècle iront chercher des armes pour attaquer les traditions religieuses aussi bien que les traditions historiques. Il est rare d'ailleurs que Bayle se prononce ouvertement ou violemment contre les erreurs ou les préjugés de ses contemporains. Sa méthode n'est point de procéder par démonstrations systématiques, mais plutôt de multiplier les insinuations, de soulever des doutes et des objections. Plus d'un siècle après Montaigne, il reprend l'œuvre que ce dernier avait commencée dans les *Essais* et arrive à peu près aux mêmes conclusions. Mais il est loin d'avoir l'abandon charmant, l'esprit et le style de Montaigne. Bayle est un érudit de premier ordre, mais il étale une érudition souvent pesante et ne peut pas être considéré comme un grand écrivain.

Bien différent de Bayle est Fontenelle : né en 1657, il mourut centenaire en 1757. Dans le dix-septième siècle, il fait figure de précurseur ; au dix-huitième, au contraire, il paraît comme un représentant attardé des beaux esprits du siècle précédent. Sceptique et prudent, amoureux de sa tranquillité et de ses aises, il prend part de bonne heure à la querelle des Anciens et des Modernes et se prononce nettement pour les derniers. Dans ses *Entretiens sur la pluralité des mondes* (1686), il fait œuvre de vulgarisateur scientifique et met à la portée des lecteurs mondains les dernières découvertes astronomiques. Dans l'*Histoire des oracles* (1687), il refait à sa manière la critique des miracles ; mais au lieu de procéder par attaques directes, il se sert d'apologues, d'anecdotes, prétend n'en vouloir qu'aux faux miracles ou aux religions de l'antiquité. Ces subterfuges d'ailleurs ne trompaient personne, et le lecteur saisissait facilement les allusions contemporaines ; mais tout en exprimant les idées les plus hardies, Fontenelle évitait au moins le scandale. Profondément aristocrate par son esprit et ses fréquentations, il ne tenait pas à voir ses idées se répandre en dehors d'un petit cercle de gens du monde. C'est à lui que l'on prête le mot bien connu : « Si j'avais la main pleine de vérités, je ne l'ouvrirais pas pour le peuple. » Nommé secrétaire perpétuel de l'Académie des sciences en 1699, il se consacra dans la seconde moitié de sa vie à des travaux historiques et académiques, écrivant une *Vie de Corneille*, dont par sa mère il était le neveu, une *Histoire de l'Académie des sciences*, prononçant les *Éloges* de ceux de ses collègues qui mouraient, promenant de salon en salon son scepticisme de bonne compagnie, restant toujours mesuré et fin, et évitant avec le plus grand soin de s'engager dans les querelles philosophiques qui mettaient aux prises les écrivains du temps.

Plus significatif encore est le cas de Fénelon (1651–1715). Voici un grand seigneur, un prélat, un catholique sincère, un admirateur de l'antiquité qui est en même temps un esprit hardi, parfois même chimérique et épris de nouveautés. Ce contemporain de Louis XIV se sent à l'étroit dans son siècle, rêve d'un gouvernement différent et, en bien des cas, met le sentiment au-dessus de la raison. Son amour pour les anciens, et surtout pour les Grecs, apparaît dans ses *Dialogues des morts*, dans ses *Fables* et dans le *Télémaque*, roman dans lequel il raconte, en s'inspirant de l'*Odyssée* d'Homère, les aventures du fils d'Ulysse à la recherche de son père. Mais déjà dans le *Télémaque*, composé vers 1694 et publié en 1699 sans l'autorisation de l'auteur, on voit très nettement paraître les tendances réformatrices de Fénelon. Il avait probablement composé l'ouvrage pour mettre en garde son élève, le duc de Bourgogne, petit-fils de Louis XIV, contre les dangers qui assaillent un souverain. Au cours des voyages qu'il entreprend, Télémaque visite de nombreux pays dont il étudie le gouvernement, ce qui est pour Fénelon prétexte à faire indirectement certaines critiques dirigées contre Louis XIV lui-même, et à nous exposer son idéal politique. Il ne faut pas chercher en lui un révolutionnaire; il appartient trop à son temps pour désirer voir en France autre chose qu'une monarchie; mais il veut que le souverain soit un père plutôt qu'un maître, et surtout il se prononce nettement contre les guerres. Il est probable que cette attitude pacifiste de Fénelon est due avant tout à sa très grande bonté. Il souffrait déjà des maux qui accablaient le peuple de France à la suite des guerres ininterrompues soutenues par Louis XIV contre ses voisins. Mais un peu plus de dix ans après la publication du *Télémaque*, il donna une forme plus précise à ses idées dans le plan de réforme qu'il arrêta, d'accord avec deux conseillers du duc de Bourgogne, et qui est connu sous le nom de *Tables de Chaulnes* (1711). Aussi n'est-il point étonnant de constater que les philosophes du dix-huitième siècle le réclamèrent comme l'un des leurs.

A certains égards Lesage (1668–1747), l'auteur du *Gil Blas*, est lui aussi un écrivain de transition. Il prolonge dans le dix-huitième siècle le goût et l'imitation de l'Espagne, et c'est à des auteurs espagnols qu'il emprunte des thèmes et des motifs. Mais sous ce déguisement étranger, il est facile de reconnaître des Français de son temps. C'est toute une peinture malicieuse de la société à la fin du dix-septième siècle et au début du dix-huitième que l'on retrouve dans le *Diable boiteux* et dans le *Gil Blas*. Il continue la tradition réaliste que nous avons observée dans la première partie du siècle chez Sorel et chez Scarron. Mais son observation est plus fine et plus malicieuse; le grotesque est éliminé, et par son goût du portrait Lesage fait songer bien souvent à La Bruyère. Dans *Turcaret* (1709), il transporte la satire sociale à la scène. M. Turcaret, ancien laquais, devenu riche dans les affaires et en même temps insolent, grossier, et presque cruel, est un type très différent du M. Jourdain dont Molière avait fait un portrait si amusant dans *Le Bourgeois gentilhomme*.

Il ne faudrait d'ailleurs point croire que ce soient là des cas isolés et des exceptions. L'esprit de réforme et la critique du régime, dont nous avons constaté l'existence chez plusieurs grands écrivains, se manifestent encore plus nettement peut-être chez des auteurs moins connus mais qui ne sont point sans importance. Les attaques contre la monarchie absolue se multiplient chez les protestants réfugiés hors de France; l'esprit pacifiste apparaît dans le *Projet de paix perpétuelle* de l'abbé de Saint-Pierre (1713–1717); Vauban dans son *Projet d'une dîme royale* (1707) présente un tableau pathétique de la condition des gens du peuple; Boisguillebert, *Détail de la France sous le règne de Louis XIV* (1695–1707), traite déjà en économiste les questions sociales. Alors que tant d'écrivains de la génération précédente s'étaient attachés à étudier et à peindre l'âme humaine, avec ses passions, ses vices, ses misères et sa grandeur, le dix-huitième siècle va avant tout considérer la place que l'homme occupe dans la société et l'influence, bonne ou mauvaise, que la société, la forme de gouvernement, les opinions, les superstitions, les croyances peuvent exercer sur lui.

## QUESTIONNAIRE

1. Qu'est-ce que le *Dictionnaire historique et critique*? Quel en est l'auteur? Quelle est sa méthode critique?

2. Comparez-le à Montaigne.

3. Donnez les dates de la vie et de la mort de Fontenelle. Montrez comment il se rattache à la fois au dix-septième et au dix-huitième siècles. Citez deux de ses ouvrages.

4. Qui était Fénelon? Sous quel règne vivait-il? Quels livres a-t-il écrits pour son élève? Dans quel but?

5. Quelles idées a-t-il exprimées dans le *Télémaque*?

6. Où Lesage a-t-il pris ses sujets? Quelle tradition continue-t-il? Citez deux de ses œuvres.

7. Montrez comment le dix-huitième siècle diffère du dix-septième dans son étude de l'homme, et nommez quelques écrivains chez qui se manifestent des tendances nouvelles.

# CHAPITRE XXI

## VOLTAIRE ET MONTESQUIEU

A QUELQUE date que l'on place les premières manifestations de l'esprit philosophique, on s'accorde pour reconnaître
que l'on peut diviser le dix-huitième siècle en deux périodes
nettement tranchées : la première se termine aux environs de
1750, tandis que la seconde va de 1750 à la Révolution. A la
première période appartiennent Montesquieu, l'abbé Prévost,
Marivaux ; à la seconde Diderot et le groupe des Encyclopédistes, Jean-Jacques Rousseau, Buffon, Bernardin de Saint-
Pierre et Beaumarchais. L'activité de Voltaire fut telle et
s'étendit à de si nombreux sujets, pendant un si grand nombre
d'années, qu'il appartient au siècle tout entier, bien que sa
vie elle-même puisse se diviser en deux parties assez dis-
tinctes, dont la première finirait vers 1750.

Né à Paris en 1694, Voltaire, dont le véritable nom était
François-Marie Arouet, mourut en 1778. Il fut donc le témoin de toutes les grandes transformations qui se produisirent
au dix-huitième siècle. Il avait déjà près de vingt ans quand
mourut Louis XIV ; il vit la Régence, le règne de Louis XV
en entier ; il fréquenta Frédéric II et passa plusieurs années
à sa cour de Potsdam. Il reçut Franklin quand ce dernier
vint en France pour solliciter l'aide du roi Louis XVI dans
la guerre de l'Indépendance américaine. Il voyagea en Hollande, séjourna en Angleterre et en Suisse, correspondit avec
les savants, les poètes, les hommes politiques de l'Europe
entière. Il écrivit des comédies, des tragédies, des épîtres,

VOLTAIRE

des vers légers, un poème épique *La Henriade*, des traités
scientifiques, des ouvrages philosophiques, des ouvrages d'histoire générale comme l'*Essai sur les mœurs*, un tableau du
*Siècle de Louis XIV*, une étude sur le règne de Louis XV, des
romans philosophiques, des contes en prose et en vers. Il
toucha à toutes les questions qui intéressaient les gens de son
temps et se passionna pour les sujets les plus divers. Ce petit
homme maigre et d'apparence chétive qui, dès l'adolescence,
se croyait condamné à une mort prochaine, a empli tout le
siècle de son activité. Doué d'une vanité prodigieuse et d'une
grande ambition, il prétendit exceller dans tous les genres et
occuper de façon constante le centre de la scène. S'il eut peu
d'idées vraiment originales, il eut un talent qui touche au
génie pour exposer de façon lumineuse les problèmes les
plus compliqués, pour deviner les questions qui allaient s'imposer à l'opinion publique.

Il fut élevé à Paris au collège des Jésuites et, comme
presque tous les jeunes gens de la petite bourgeoisie, fut destiné par sa famille à la carrière du barreau. Il fréquenta
de bonne heure la société des libertins, et très tôt se fit connaître par de petites pièces de vers mordantes et méchantes.
Sa tragédie d'*Œdipe* (1718) le montra déjà préoccupé de
mettre sur la scène, sous un déguisement antique, des questions contemporaines. Emprisonné à la Bastille pendant près
d'un an, pour un poème satirique qui n'était pas de lui, il est
à peine relâché qu'il s'attire une nouvelle affaire. Il provoque
en duel le chevalier de Rohan qui l'avait fait bâtonner, et
en 1726 part pour l'Angleterre où il devait rester deux années.
C'est un épisode décisif dans la vie de Voltaire. Grâce à son
esprit et à son charme personnel, il se fait de nombreux amis
parmi les grands seigneurs et les gens de lettres. Il fréquente
le théâtre et découvre Shakespeare, il entasse les lectures et
les observations et, bien que l'Angleterre fût déjà connue en

France par des récits de voyage et par d'assez nombreuses traductions, les *Lettres philosophiques* ou *Lettres anglaises*, qu'il publie en 1734, furent pour le public une véritable révélation. L'ouvrage contenait des vues si hardies et une telle satire indirecte de la société et du gouvernement français que Voltaire dut quitter de nouveau Paris peu de temps après leur publication. Il s'installa en Champagne chez la marquise du Châtelet et devait y passer dix ans. Bien qu'il fût protégé par la marquise de Pompadour, qu'il fût entré à l'Académie et qu'il eût de nombreux amis, sa turbulence incorrigible lui valut de nouvelles inquiétudes, et il se décida en 1750 à accepter l'invitation que lui avait faite, assez longtemps auparavant, Frédéric II roi de Prusse.

Pendant cette première partie de sa vie, Voltaire est plutôt un homme de lettres qu'un « philosophe » au sens du dix-huitième siècle. Il veut rivaliser avec Racine et devenir le grand poète tragique de sa génération. Il s'essaie dans tous les genres. En écrivant *La Henriade*, il entreprend de doter la France d'un poème national épique. Cependant il avait déjà réuni les matériaux pour le *Siècle de Louis XIV* qui paraîtra en 1751, il avait publié une *Histoire de Charles XII* roi de Suède, et un premier conte philosophique, *Zadig* (1747). Dès cette date il est aisé de discerner dans ses ouvrages les principes essentiels de sa philosophie. Voltaire y apparaît comme un esprit infiniment curieux ; c'est aussi un esprit des plus irrespectueux pour qui il n'existe pas de sujets réservés. Il a une confiance absolue dans les forces de l'esprit humain et dans la raison. Pour lui il n'est point de mystère et il nie simplement l'existence de ce qu'il ne peut comprendre. Aussi se déclarera-t-il l'ennemi de tout ce qui peut faire obstacle au plein exercice de la raison humaine ; il fera la critique des superstitions, du fanatisme, de l'intolérance religieuse. Par contre, il est incapable de reconnaître que ses adversaires peuvent être de bonne foi, et cet apôtre de la tolérance s'est montré souvent fort intolérant. Surtout, Voltaire est doué du tempérament le plus agressif et le plus batailleur qui se puisse imaginer, et en même temps il se blesse et s'irrite de la moindre critique. Telles sont les caractéristiques principales qu'il apportera dans la bataille philosophique qui s'engagera aux environs de 1750.

Comme Voltaire, Montesquieu (1689-1755) fut d'abord un esprit assez mondain. Mais ce ne fut chez lui qu'une crise passagère. Son premier ouvrage, les *Lettres persanes* (1721), sous une apparence frivole est d'ailleurs autre chose qu'un divertissement. Montesquieu suppose que deux Persans, Rica et Usbek, qui voyagent en Europe et discutent l'Italie, l'Angleterre, mais plus particulièrement la France, envoient leurs impressions de voyage à leurs amis restés en Perse, et reçoivent d'eux des lettres nombreuses qui les tiennent au courant des affaires de leur pays et de leur harem. On trouve donc dans les *Lettres persanes* un élément exotique qui devait amuser les contemporains et piquer leur curiosité. Montesquieu s'était d'ailleurs assez soigneusement documenté et emprunta à des récits de voyages authentiques les renseignements dont il avait besoin pour cette partie de son ouvrage. D'autre part, on y trouve une satire fort vive des mœurs et de la vie des Européens, et c'est cette partie qui mérite surtout de retenir l'attention aujourd'hui. Comme l'avait fait La Bruyère et comme le faisait à la même date Lesage dans son *Gil Blas*, Montesquieu présente un tableau vivant et animé de la vie française. On voit défiler dans les *Lettres persanes* courtisans, vieux généraux qui racontent leurs campagnes, membres de l'Académie, médecins, faux savants, pédants, coquettes, financiers, gens de théâtre, prédicateurs et confesseurs mondains, moines et charlatans. Mais ne parlant pas en son propre nom et mettant toutes ses

C. DE SECONDAT
DE MONTESQUIEU.

MONTESQUIEU

opinions, ses jugements et ses critiques sous la plume de ses
Persans, l'auteur se trouve bien plus libre de s'exprimer sans
réserves. De plus, Usbek et Rica trouvent des raisons excellentes ou plausibles, et en tout cas parfaitement convain-
cantes à leurs propres yeux, pour démontrer la supériorité de
la civilisation de leur pays. La conclusion que le lecteur ne
peut manquer de tirer de la lecture des *Lettres persanes* est
que les principes de morale, de religion, de gouvernement
varient de pays à pays et n'ont point de valeur absolue.
Erreur d'un côté des Pyrénées, vérité de l'autre côté, avait
déjà dit Pascal au siècle précédent, et la même idée se trouve
souvent exprimée chez Montaigne. Montesquieu, qui les continue sur ce point, entreprend à nouveau de démontrer sous
une forme plaisante la variabilité et la diversité des institutions humaines.

C'est une idée qui reparaîtra plus d'une fois dans son
œuvre. Plus qu'aucun de ses contemporains peut-être, Montesquieu s'est intéressé aux variations de la société. Dans ses
*Considérations sur les causes de la grandeur des Romains et
de leur décadence* (1734) il s'attache cette fois à rechercher
quelles ont été les causes qui ont amené Rome à un degré de
puissance unique et comment cette puissance s'est finalement
écroulée. Il n'invoque pas comme l'avait fait Bossuet l'action
de la providence ; à des phénomènes sociaux il veut trouver
des causes tirées de la société même.

La même méthode paraît encore plus nettement dans l'*Esprit des lois* (1748). C'est là un livre capital pour l'histoire du dix-huitième siècle et le retentissement en sera grand,
non seulement en France, mais encore en Angleterre. Quant
à l'Amérique, on sait que l'autorité de Montesquieu fut souvent invoquée dans les discussions qui précédèrent l'adoption de la constitution des États-Unis. Comme Montesquieu
avait fait un assez long séjour en Angleterre, et qu'il fit du

gouvernement anglais un tableau, d'ailleurs idéalisé ou plutôt simplifié et rendu plus logique que la réalité, on a peut-être exagéré l'influence que la pensée anglaise avait exercée sur lui. Ce qui est certain, c'est que, grâce à lui, l'Angleterre va désormais passer aux yeux des Français comme le pays par excellence de la liberté politique, jusqu'au jour où, après 1776, l'idéal anglais sera remplacé par l'idéal américain. Mais plus encore que dans les *Lettres persanes*, Montesquieu insiste sur l'idée que les lois ne découlent pas de principes abstraits. Pour lui, elles sont l'expression de la société et sont par conséquent variables chez un même peuple, selon les temps et les circonstances, et encore plus variables de peuple à peuple, selon le climat, les conditions économiques et les productions du sol. Il n'existe donc pas une forme de gouvernement idéal qui soit applicable à tous les peuples de la terre, mais des formes nombreuses dont chacune a des avantages marqués. Il importe de remarquer d'ailleurs que, malgré cette diversité nécessaire, les préférences de Montesquieu vont très nettement vers une forme de monarchie parlementaire. Il n'est donc pas un révolutionnaire, mais simplement un libéral. Son grand mérite est d'avoir exposé à ses contemporains, de façon claire et compréhensible, bien des idées souvent exprimées avant lui, mais qui jusque-là étaient restées enfouies dans des traités spéciaux. Il intéressa ses contemporains aux problèmes de la politique et du gouvernement, il leur fit connaître les différents systèmes politiques de l'antiquité et de l'Europe moderne. Il serait probablement injuste de dire qu'il fut surtout un vulgarisateur, mais on peut au moins affirmer qu'il fut un grand éducateur et répandit dans le public le goût et la connaissance de la science politique.

## QUESTIONNAIRE

1. Nommez les principaux écrivains de la première partie du dix-huitième siècle ; ceux de la seconde partie. Où placez-vous Voltaire ?

2. Racontez ce que vous savez de sa vie, de son caractère.

3. Montrez la variété des sujets sur lesquels Voltaire a écrit. Qu'est-ce que *La Henriade* ?

4. Quelle fut l'influence de son séjour en Angleterre ? Quelles sont les qualités et quels sont les défauts de son esprit ?

5. Quel est le sujet des *Lettres persanes* ? De quel pays Montesquieu fait-il la critique dans ces lettres ?

6. Dans quel livre parle-t-il de la chute de Rome ? Explique-t-il l'histoire ainsi que l'avait fait Bossuet ?

7. En quelle année parut l'*Esprit des lois* ? Quel en est le sujet ? Quelle conception des lois et du gouvernement y trouve-t-on ?

8. Montesquieu exprime-t-il des idées complètement originales ? Quelle fut l'influence de son œuvre sur ses contemporains ?

# CHAPITRE XXII

## LE THÉATRE ET LE ROMAN AVANT 1750

LE DIX-HUITIÈME siècle voit se produire la décadence de la tragédie, une transformation des plus curieuses de la comédie et une rénovation complète du roman. De façon générale en effet, on peut dire que la tragédie n'est représentée par aucun chef-d'œuvre au dix-huitième siècle. Le plus souvent on se borne à imiter la formule que les grands tragiques du siècle précédent, et surtout Racine, avaient portée à sa perfection. Voltaire essaie de renouveler le genre en y introduisant, assez timidement d'abord, quelques éléments empruntés au théâtre anglais. Il veut traiter des sujets nationaux et non plus seulement des sujets antiques ; il fait un effort évident pour reconstituer des décors et des costumes historiquement plus exacts que ceux des tragédies du dix-huitième siècle et pour développer le sens de la couleur locale. Il ne manque qu'une chose à ces tragédies, c'est le génie.

D'ailleurs, le succès des tragédies classiques avait été dû en partie au goût du public pour la peinture des grandes passions de l'âme humaine. Or la passion passe de mode avec la Régence et le règne de Louis XV. Les changements qui se produisent alors dans la littérature reflètent nettement les modifications profondes qui s'étaient opérées dans les façons de vivre, de penser et de sentir des Français du temps. Au total, et malgré les courants dont nous avons constaté l'existence, la vie française dans la seconde moitié du dix-septième siècle donne une impression d'unité et d'organisation. Dans la première partie du dix-huitième siècle au contraire, on sent nettement que l'atmosphère est différente, il y a plus de confusion et plus de fantaisie, plus de scepticisme, plus d'esprit de frivolité. La passion est remplacée par le sentiment et bientôt par la sentimentalité. Les mêmes tendances se remarquent dans l'art. Il suffit de comparer les portraits du dix-septième siècle, et surtout les portraits de femmes, à ceux du dix-huitième, les scènes de batailles et les décorations majestueuses de Lebrun aux tableaux de Watteau, pour que la différence saute aux yeux. Ces tendances nouvelles trouvent leur expression dans la comédie et dans le roman de cette période.

Le génie de Molière avait naturellement dominé après sa mort le développement de la comédie. Il eut des continuateurs et des imitateurs ; mais comme il semblait avoir épuisé les grands caractères, ils se rejetèrent sur des caractères de moindre relief, et étudièrent plutôt des travers et des ridicules que des vices intenses et généraux comme l'avarice ou l'hypocrisie. Certaines de leurs comédies ne manquent pas de gaieté et d'esprit, et l'on peut encore prendre un plaisir réel à la représentation du *Légataire universel* de Regnard, à quelques pièces de Dancourt ou de Destouches.

Il appartenait à Marivaux de donner une orientation différente à la comédie. On trouvera dans ses pièces de jolies esquisses qui, à distance, nous semblent appartenir au monde de son temps mais qui, malgré tout leur charme, sont fort conventionnelles. Ce sont des amoureux de comédie, des coquettes de comédie, des valets de comédie qui se meuvent devant nos yeux, échangent de jolies phrases tournées de façon délicieuse, et cependant l'auteur est un tel maître d'illusion qu'il nous donne au moins pour un moment l'impression de la réalité. Il a réussi à le faire surtout grâce à son analyse de l'amour. Il s'est plu à peindre l'éveil du cœur et des sentiments chez les jeunes gens. Ses amoureux n'ont jamais à vaincre d'obstacles bien sérieux : la volonté ou le caprice de parents autoritaires ne s'opposent pas irrémédiablement à leur bonheur. Ils ont avant tout à décider s'ils aiment et qui ils aiment ; et quand leur choix est fait, la pièce se termine. Aussi Marivaux a-t-il peint avec une rare délicatesse ces caractères de jeunes filles qui sont si peu fréquents dans le théâtre français. Il faudra attendre jusqu'au dix-neuvième siècle pour retrouver avec Musset une alliance aussi parfaite de l'esprit et du sentiment.

En plus de ses comédies, Marivaux écrivit plusieurs romans dont les plus connus sont *La Vie de Marianne* (1731–1741) et *Le Paysan parvenu* (1735–1736). Les incidents romanesques se succèdent dans l'histoire de Marianne, orpheline qui a été recueillie par un bon curé de village, et qui vient chercher fortune à Paris, où elle entre comme ouvrière chez une lingère, est pensionnaire dans un couvent et finit par épouser un jeune homme noble et riche. L'intrigue aujourd'hui nous paraît singulièrement conventionnelle, bien que l'auteur nous affirme qu'il s'agisse d'une histoire vraie. Marianne cependant, petite personne fort éveillée, à la fois courageuse et sentimentale, conservant malgré la tendresse de son cœur un jugement fort droit et une tête assez froide, est vivante et réelle. Ce sont aussi des types empruntés à la réalité que la bonne M^me Dutour, la lingère qui recueille Marianne, le cocher de fiacre et la supérieure du couvent.

La vie de l'abbé Prévost (1697–1763) est aussi curieuse et aussi mouvementée que ses romans. Novice chez les jésuites, puis soldat, puis moine bénédictin et enfin aumônier d'un grand seigneur incrédule, le prince de Conti, il fut avant tout un homme de lettres. Sa production est énorme. Il rédigea presque à lui seul les vingt volumes de sa gazette littéraire, *Le Pour et le contre*, les dix-sept premiers volumes de l'*His-*

*toire générale des voyages*; il traduisit les trois grands romans de Richardson: *Paméla* (1742), *Clarisse Harlowe* (1751), *Grandisson* (posthume, 1775). Ses *Œuvres choisies*, publiées à la fin du dix-huitième siècle, ne comportent pas moins de trente-neuf volumes. Parmi ses romans, les *Mémoires et aventures d'un homme de qualité* ont sept volumes, *Le Philosophe anglais, ou Histoire de monsieur Cléveland*, huit volumes, *Le Doyen de Killerine*, six volumes, etc. On ne peut exiger dans des ouvrages de telles dimensions une composition rigoureuse et serrée; aussi les digressions abondent et les incidents romanesques se multiplient. Chez Prévost on trouve de tout: des dissertations philosophiques, des récits de naufrages ou d'aventures chez les sauvages, des fragments de romans historiques, des effusions sentimentales, des analyses psychologiques. Le tout est conté d'un style simple et coulant, dans une langue au vocabulaire très pur qui, en beaucoup d'endroits, rappelle les vers de Racine. Classique encore par la langue, Prévost est déjà un romantique par les sujets qu'il traite, par l'importance qu'il accorde au sentiment et à la passion; ses personnages se laissent entraîner par les circonstances, par leurs désirs, et, s'ils résistent, savent à l'avance qu'ils seront vaincus. Les héros de Corneille luttent contre leurs passions et en triomphent; ceux de Racine y succombent souvent mais se sentent coupables et se repentent; les héros de Prévost se croient plus malheureux que coupables. Tel est le cas des personnages principaux de son roman le plus fameux, l'*Histoire du chevalier des Grieux et de Manon Lescaut*, épisode détaché des *Mémoires d'un homme de qualité* (1731). On y voit un jeune homme faible et sentimental d'abord, puis passionnément épris, s'avilir par degrés entre les mains d'une coquette ingénument perverse, la « perfide Manon ». On voit passer à l'arrière-plan des joueurs, des spadassins, des financiers ; nous sommes transportés à la prison Saint-Lazare, au séminaire Saint-Sulpice, et le roman se termine sur les bords du Mississippi où Manon a été déportée. C'est tout un tableau d'un réalisme sobre où la société hétéroclite de la Régence et du règne de Louis XV revit sous nos yeux. Par son sujet et par son traitement, le roman de Manon était fort en avance sur son temps, aussi n'est-il pas étonnant que les contemporains n'y aient attaché qu'une attention médiocre, alors que de nos jours Alexandre Dumas fils et Guy de Maupassant ont reconnu en Prévost un maître et un devancier.

Une transformation analogue s'opère dans le théâtre. Marivaux avait dans *Marianne* décrit des milieux populaires, Manon est de petite bourgeoisie, si elle n'est pas fille du peuple ; la comédie à son tour va s'attacher à chercher des sujets et des types dans la vie moyenne, et l'on verra apparaître un genre mixte, la comédie larmoyante, dans lequel on trouve déjà quelques-unes des caractéristiques du drame moderne. La comédie larmoyante en effet met en scène des gens de condition moyenne et étudie des problèmes de la vie quotidienne. On en trouve déjà un exemple dans *La Mère confidente* de Marivaux (1735), mais c'est surtout La Chaussée qui devait mettre le genre à la mode. Valets et soubrettes de comédie disparaissent de la scène, on cherche moins à faire rire qu'à attendrir et même à faire couler des larmes. Diderot, allant plus loin, cherchera à la fois à attendrir et à instruire, et composera des drames où l'influence de la comédie larmoyante se fera nettement sentir. Beaumarchais lui-même, à la fin du siècle, sacrifiera au goût du jour dans *Eugénie*. C'est ainsi qu'à travers le dix-huitième siècle on voit se développer en même temps que le genre qui, au dix-neuvième, devait donner la comédie d'Augier et d'Alexandre Dumas fils, une forme de romans dont le dix-neuvième siècle devait s'inspirer.

QUESTIONNAIRE

**1.** Quel est le sort de la tragédie au dix-huitième siècle ? Qui essaie de la rénover ? Quel changement s'était produit dans le goût du public ?

**2.** Montrez en quoi le goût littéraire et artistique diffère de celui du dix-septième siècle.

**3.** Que devient la comédie après la mort de Molière ? Marivaux continue-t-il la tradition de ce dernier ? Quel élément Marivaux introduit-il dans la comédie ?

**4.** Quel est le sujet de *Marianne* ?

**5.** Quelle fut la vie de l'abbé Prévost ? Sa production littéraire fut-elle abondante ?

**6.** Parlez du style de l'abbé Prévost. Pourquoi peut-on dire que c'est un romantique ? Comparez brièvement ses héros à ceux de Corneille et de Racine.

**7.** Qu'est-ce que *Manon Lescaut* ?

**8.** Qu'entend-on par « comédie larmoyante » ? Quels auteurs ont écrit des pièces de ce genre ?

# CHAPITRE XXIII

## DIDEROT ET LES ENCYCLOPÉDISTES

LA SECONDE moitié du dix-huitième siècle s'ouvre par
une période d'une extraordinaire activité. En moins de dix
années on vit paraître toute une série d'ouvrages qui devaient
laisser une empreinte profonde sur les générations suivantes.
Le premier volume de l'*Histoire naturelle* de Buffon est de
1749, le premier volume de l'*Encyclopédie* de 1751 ; Voltaire
publie *Le Siècle de Louis XIV* (1751), l'*Essai sur les mœurs*
(1753–1758), et *Candide* (1759) ; Jean-Jacques Rousseau débute en 1750 par son *Discours sur les sciences et les arts*, suivi
en 1755 du *Discours sur l'inégalité*, de *La Nouvelle Héloïse*
en 1761, du *Contrat social* et de l'*Émile* en 1762 ; Diderot en
plus de sa collaboration à l'*Encyclopédie* publie ses drames,
*Le Fils naturel* (1757) et *Le Père de famille* (1758), et ses
*Pensées sur l'interprétation de la nature*, tandis qu'Helvétius
formule, dans son traité sur l'*Esprit*, la philosophie matéria-
liste de sa génération. Mais malgré l'importance des ouvrages
et des auteurs particuliers, une grande entreprise collective
domine tout : c'est l'*Encyclopédie*. Elle fut rendue possible
grâce à l'acharnement passionné de Denis Diderot (1713–
1784).

Diderot fut un génie désordonné au cerveau bouillonnant
et tumultueux. Il écrivit des drames, des romans (*Le Neveu
de Rameau*, 1763, publié en 1823, *Jacques le fataliste*, 1773,
publié en 1796), des traités de philosophie, des maximes,
des réflexions, des dialogues, des études de critique littéraire

(*Discours sur la poésie dramatique*), des pages de critique d'art (*Les Salons*). Surtout, dans des conversations qui étaient des sortes de monologues, Diderot sema autour de lui à profusion des vues justes et nouvelles et des paradoxes déconcertants. L'*Encyclopédie* ne devait être d'abord que la traduction de la *Cyclopædia or Universal Dictionary of Arts and Sciences* d'Ephraim Chambers, parue à Londres en 1727. Sous la direction de Diderot, l'entreprise s'élargit et devint une œuvre entièrement nouvelle, à l'esprit entièrement différent, et d'un ton si hardi que le pouvoir royal en prit bientôt ombrage. La publication de l'*Encyclopédie* fut arrêtée et interdite à plusieurs reprises, les exemplaires déjà parus furent confisqués et Diderot pour continuer son entreprise dut avoir recours à des imprimeurs clandestins. L'ouvrage mit vingt et un ans à paraître ; c'est autour de lui que s'engagea la bataille. Diderot connut les attaques les plus violentes, à certains moments même il fut abandonné de ses amis, de ses collaborateurs et de son libraire. Il triompha cependant et assura le succès de la cause philosophique.

Il avait dès l'abord réuni autour de lui tous les talents. Il s'adressa à d'Alembert, qui était mathématicien, pour des articles scientifiques et pour le *Discours préliminaire* dans lequel était indiqué le plan de l'ouvrage. Montesquieu y collabora, Jean-Jacques Rousseau y traita de la musique, Voltaire y donna des articles qu'il inséra plus tard dans son *Dictionnaire philosophique*. En plus de ces collaborateurs plus ou moins occasionnels, Diderot sut retenir des philosophes comme Helvétius et le baron d'Holbach ainsi que Condillac, des savants comme Daubenton, collaborateur de Buffon, qui se chargea de l'histoire naturelle, des économistes comme Quesnay, fondateur de l'école physiocratique, et Turgot, le futur ministre de Louis XVI. Avec des associés dont les goûts étaient si variés et les tendances si différentes,

DIDEROT

l'*Encyclopédie* ne pouvait constituer un exposé systématique d'une doctrine unique. Aussi les contradictions y sont-elles nombreuses. Mais si l'on s'attache à l'ensemble seul, on ne peut manquer d'y reconnaître et d'en dégager quelques idées principales.

Tout d'abord, les Encyclopédistes sont fermement convaincus, qu'à tout prendre, l'humanité n'a cessé de progresser et que de leur temps même elle a prodigieusement avancé. Cette croyance est d'ailleurs fondée sur des faits. C'est au dix-huitième siècle que la science moderne est née. L'homme entrevoit comme possible et commence à réaliser la conquête de la nature, et Paris, plus tard, prendra pour son idole Franklin qui « ravit la foudre aux dieux et le sceptre aux tyrans ». Le microscope et le télescope, inventés antérieurement, mais utilisés seulement par des savants plus récents, avaient révélé aux yeux des hommes deux univers opposés, un infini de grandeur et un infini de petitesse comme avait dit Pascal; mais la foi dans la puissance de l'intelligence humaine est telle à cette date que l'on ne désespérait pas d'en percer tous les mystères. On ne songeait plus à se demander, comme l'avaient fait les gens du dix-septième siècle, si l'art des modernes était supérieur à l'art des anciens. La question ne se posait même plus, ou plutôt elle avait perdu presque toute son importance. Il suffisait que la science moderne fût supérieure à la science enfantine et balbutiante de l'antiquité pour confirmer l'homme dans sa foi au progrès. Il s'agissait bien entendu avant tout de progrès matériel, et c'est ce qui explique la part considérable que Voltaire fait à l'histoire des inventions dans le *Siècle de Louis XIV* et dans l'*Essai sur les mœurs*, ainsi que les nombreux articles techniques sur les métiers que contient l'*Encyclopédie*.

Au temps de la querelle des Anciens et des Modernes on avait vu opposer les beautés morales du christianisme à l'enseignement du paganisme. On peut dire encore ici que c'est une question qui ne se posait plus. Des œuvres des philosophes du dix-huitième siècle, on voit très nettement se dégager cette théorie que l'homme est sur la terre non pas pour arriver à réaliser un idéal de perfection morale qui le préparera à une autre vie, mais que le but essentiel qu'il doit poursuivre est d'être heureux. C'est bien là, semble-t-il, le fond de la morale dite utilitaire ou sensualiste, où l'homme ramène ses actions à son intérêt ou plus exactement à son bonheur. Il n'ira donc pas chercher hors de lui-même des règles pour conduire sa vie ; il lui suffira pour cela de comprendre son intérêt. Il devra naturellement se garantir des excès, car tout excès porte en soi sa punition naturelle et rapide ; il devra également se garder de nuire à ses semblables, ne serait-ce que pour éviter des représailles ; il cherchera « à se procurer son bien avec le moins de mal possible pour les autres » et ainsi s'établira une sorte de convention tacite ou écrite entre les hommes, qui permettra à la société de subsister. Il existe d'ailleurs chez l'homme une sorte d'instinct qui vient contre-balancer l'égoïsme naturel, c'est l'instinct de la sympathie, qui nous fait souffrir en nous-mêmes quand nous voyons souffrir les autres et nous fait souhaiter de faire cesser leur souffrance. D'autre part on arrivera à considérer comme nuisibles aux progrès du genre humain et à son bonheur toute loi, toute convention, ou comme on disait alors, tout préjugé qui impose des limites aux désirs naturels de l'homme, au nom d'une loi morale ou d'un idéal religieux. Sur ce point, Voltaire s'accorde avec les Encyclopédistes dans sa lutte contre les « préjugés ». A la loi humaine on opposera la loi naturelle, à la morale de la vertu la morale du bonheur.

Comme cette morale du bonheur est nettement opposée à la morale du christianisme et qu'elle est essentiellement laïque, les Encyclopédistes ne manqueront pas de voir un ennemi dans la religion. Avec Voltaire, ils attaqueront le « fanatisme », prêcheront la tolérance universelle, tout en étant d'ailleurs eux-mêmes passablement intolérants, puisqu'ils refuseront de reconnaître la beauté du sacrifice des martyrs et la sincérité des simples croyants. Pour la plupart cependant, ils se défendront d'aller jusqu'à l'athéisme déclaré, par prudence peut-être autant que par conviction. Certains déclareront qu'ils ne veulent s'occuper que des questions que l'intelligence humaine peut pleinement saisir, c'est le cas de d'Alembert dans le *Discours préliminaire* et même d'Helvétius. D'autres, par contre, accepteront l'existence d'un Créateur sans lequel ils ne pourraient expliquer la Création ; ce sont les déistes, parmi lesquels on peut placer Voltaire.

La plupart des idées ainsi exprimées par les Encyclopédistes, soit dans leurs articles, soit dans leurs ouvrages, n'étaient point nouvelles. Beaucoup d'entre eux étaient allés les chercher chez des penseurs anglais tels que Pope, Bolingbroke, Shaftesbury ou même Newton ; mais ils leur donnèrent une forme plus systématique, plus raisonnée et plus agressive au cours de la bataille qui s'engagea autour de l'*Encyclopédie*. Le rôle de Jean-Jacques Rousseau allait être, à beaucoup d'égards, de faire pencher la balance de l'opinion du côté opposé, et c'est pour cette raison entre autres que ce philosophe fut tellement attaqué par les philosophes qui d'abord avaient été ses amis.


### QUESTIONNAIRE

1. Citez six ouvrages publiés entre 1749 et 1760.

2. Quelle est l'œuvre la plus importante de cette période ? Qui en fut l'inspirateur ?

3. Donnez le titre d'un roman, d'un ouvrage de critique de Diderot.

4. Quels écrivains collaborèrent à l'*Encyclopédie* ?

5. Quelle est l'idée fondamentale commune aux Encyclopédistes ? Sur quels faits s'appuie-t-elle ? Pourquoi un grand nombre d'articles de l'*Encyclopédie* traitent-ils de questions techniques ?

6. Quelle théorie peut-on dégager des œuvres philosophiques du dix-huitième siècle ? Comparez-la à l'idéal chrétien.

7. Quels furent les résultats de cette nouvelle morale prêchée par les philosophes ? Où avaient-ils pris quelques-unes de leurs idées ?

# CHAPITRE XXIV

## JEAN-JACQUES ROUSSEAU

DE TOUS les écrivains du dix-huitième siècle, Jean-Jacques Rousseau est celui dont l'œuvre soulève encore aujourd'hui le plus de controverses. Il a ses partisans et ses ennemis : il est cité et discuté par les spécialistes des sciences politiques et par les éducateurs. On l'a accusé d'avoir causé la Révolution française et d'avoir produit dans l'âme française le déséquilibre qui se manifesta pendant la période romantique. D'autres, au contraire, ont vu en lui un émancipateur de l'humanité et un rénovateur des doctrines sociales. En fait, son action sur ses contemporains a été assez limitée ; il n'a lancé dans la circulation que peu d'idées nouvelles et la portée de ces idées n'a été comprise qu'assez tard. Son influence cependant s'est prolongée au-delà de sa vie par ses disciples et par tous ceux qui se sont réclamés de lui, sans toujours l'avoir lu à fond, et surtout sans l'avoir compris. Les théories de Rousseau sont assez contradictoires, assez peu neuves ; mais l'influence du rousseauisme, c'est-à-dire des théories qui se sont développées sous son influence plus ou moins directe, a été et reste encore considérable.

Sa vie nous est connue surtout par le récit qu'il en a fait dans ses *Confessions*. Il naquit à Genève en 1712, perdit sa mère très tôt et fut assez mal élevé par un père bien négligent. Tout jeune, il mena une vie de bohème et d'aventurier, allant en Savoie, à Lyon, en Italie. Il fut laquais, secrétaire d'un noble personnage, et de 1738 à 1741 s'installe

ROUSSEAU

aux Charmettes près de Chambéry chez M^me de Warens. Il la quitte en 1741 pour aller chercher fortune à Paris, où il arrive sans le sou, sans amis, sans autre moyen de gagner sa vie qu'une connaissance assez imparfaite de la musique. Il se lie avec des gens de lettres, dont Diderot et d'Alembert, et en 1749, alors qu'il n'avait encore rien publié, décide de concourir pour un prix offert par l'Académie de Dijon à l'auteur du meilleur mémoire sur le sujet suivant : *Si le rétablissement des sciences et des arts a contribué à épurer les mœurs*. En proposant le sujet l'Académie avait évidemment en vue les transformations opérées dans la société par la Renaissance, comme l'indique le mot « rétablissement ». Rousseau répondit à la question en la modifiant de la façon suivante : « *Si le progrès des sciences et des arts a contribué à corrompre ou à épurer les mœurs* » et, se plaçant à un point de vue général, il se prononça hardiment pour la négative. Dès son premier ouvrage il se posait donc en adversaire de la théorie du progrès ; mais il faut remarquer qu'il traitait la question au point de vue de la morale qui était précisément le point de vue ignoré par les Encyclopédistes.

Dans un second *Discours sur l'origine et les fondements de l'inégalité* (1755), il opposait la corruption et les vices de la société moderne aux vertus simples des sociétés primitives, encore toutes proches de l'état de nature, et attribuait au développement de la propriété individuelle la corruption graduelle qui s'était emparée de l'humanité.

En 1758, en réponse à l'article *Genève* de l'*Encyclopédie*, dans lequel d'Alembert avait proposé d'introduire des spectacles à Genève, où ils étaient interdits, Rousseau compose sa fameuse *Lettre sur les spectacles* dans laquelle il reprend sa thèse et soutient que la littérature en général, et le théâtre en particulier, exercent une action démoralisante sur le public.

En 1761 il publie son grand roman de *La Nouvelle Héloïse*, suivie un an après par *Le Contrat social* et l'*Émile*. Depuis cinq années Rousseau vivait près de Paris, sous la protection de M^me d'Épinay, amie des philosophes. Très tôt cependant, ses rapports avec les Encyclopédistes s'étaient tendus, et au moment où paraissaient ces deux dernières œuvres, Rousseau, déjà aigri, persuadé à tort ou à raison qu'il était victime d'une conspiration, s'était brouillé avec ses anciens amis. L'*Émile* ayant été vivement attaqué, et l'auteur même étant menacé d'être arrêté, Rousseau partit pour la Suisse et, de Genève, répondit à ses ennemis par ses *Lettres de la montagne* (1765). Chassé de Suisse, il revient à Paris et passe en Angleterre où il accepte l'hospitalité du philosophe Hume (1766). Il retourne bientôt à Paris (1767) et recommence sa vie errante. En 1770, il s'installe dans un modeste appartement, rue Plâtrière, et vit là huit ans, copiant de la musique pour vivre, de plus en plus en proie à une sorte de folie de la persécution, ne trouvant quelque calme que dans de longues promenades aux environs de Paris. C'est de là que devaient sortir ses *Rêveries d'un promeneur solitaire*. Il accepte en 1778 l'hospitalité que lui offrait le marquis de Girardin au château d'Ermenonville, près de Paris, et il meurt presque subitement en juillet de la même année.

Les théories exposées dans les ouvrages de Jean-Jacques Rousseau sont beaucoup moins neuves qu'il ne le croyait lui-même. Il y avait longtemps que les moralistes et les prédicateurs chrétiens avaient vu dans le luxe croissant un danger pour la morale. C'était même un lieu commun de morale chrétienne. Il en était de même pour la vision d'un état primitif où l'homme aurait joui de plus de liberté et de plus de bonheur que dans la société contemporaine, et où la propriété individuelle aurait été inconnue. C'est le vieux mythe de l'âge d'or, qui avait été traité par tant de poètes.

Mais Rousseau sut rénover des thèmes qui semblaient épuisés, il leur donna une apparence doctrinale qui séduisit ses contemporains. Il trouva pour les exprimer des formules saisissantes qui frappèrent l'imagination, restèrent dans les mémoires et furent répétées après lui. Par beaucoup il fut considéré comme un apôtre du primitivisme et du communisme, alors qu'en réalité il ne proposait ni de supprimer la propriété individuelle, ni de retourner à l'état de nature. Il voulait avant tout faire une satire de la société contemporaine en lui opposant un état idéal. Du second discours cependant se dégageait déjà l'idée que, si l'homme est mauvais aujourd'hui, la plupart de ses vices doivent être attribués à une sorte de dégénérescence qu'il aurait subie au cours de longs siècles de vie en société.

La thèse se précise dans l'*Émile* qui commence par cette formule qui devait rester dans bien des mémoires comme résumant la doctrine de Rousseau : « Tout est bien en sortant des mains de l'Auteur des choses, tout dégénère entre les mains de l'homme. » Rousseau se proposait ensuite, dans son roman pédagogique, de trouver une méthode d'éducation qui permettrait aux bonnes dispositions naturelles de son élève de se développer et de s'épanouir en toute liberté. Il s'agit avant tout de garantir le cœur d'Émile du vice et de l'erreur. Laisser le corps d'Émile s'exercer et grandir sans contrainte, laisser les choses instruire l'enfant, tel est le premier point de ce plan d'éducation. Ici non plus, Rousseau n'était pas entièrement original ; en plus d'un endroit il se faisait l'écho de Montaigne et de l'Anglais Locke, mais il avait su donner à la présentation de ses idées une forme paradoxale, éloquente et romancée. L'*Émile* étonna et fit scandale. Le scandale même assura le succès du livre.

*Le Contrat social* débute par une de ces formules lapidaires qui semblent résumer toute une thèse et dispenser le lecteur d'aller plus loin : « L'homme est né libre et partout il est dans les fers. » Si l'on ne lit pas plus avant, on peut croire qu'il y a là un appel à la révolte. En réalité, il n'en est rien. Loin de vouloir libérer l'individu de toute contrainte, Rousseau, dans son *Contrat*, affirme que dans la société la volonté individuelle doit se plier dans tous les cas à la volonté commune, c'est-à-dire à la volonté de la majorité, et, allant même plus loin, il sacrifie tous les droits de l'individu aux droits supérieurs de l'État. C'est, en effet, qu'il considère que la fonction de l'État est d'établir et de maintenir parmi les citoyens, non pas la liberté, mais l'égalité, et l'on voit qu'il revient ainsi indirectement aux idées exprimées dans le second *Discours*. On peut retrouver une trace de cette conception de Rousseau dans la devise adoptée au temps de la Révolution et conservée par la République française : *Liberté, Égalité, Fraternité.*

Rousseau devait cependant agir bien plus fortement sur les façons de sentir et sur l'imagination de ses lecteurs que sur leurs conceptions politiques. Cette action s'exerça surtout par son roman de *La Nouvelle Héloïse.* On y retrouve bien des influences : des souvenirs lointains de l'*Astrée* que Rousseau avait lue tout enfant, des thèmes qui déjà avaient été indiqués et même traités par l'abbé Prévost et par Richardson, dont Prévost avait traduit les principaux romans. On y trouve encore des souvenirs de toutes les aventures sentimentales de Rousseau, ses rêves, ses visions, ses théories sur la société, la morale, la religion, la famille et surtout son amour de la nature et des paysages de montagne. Le sujet du roman est au fond très simple et dépourvu des incidents romanesques qui tenaient tant de place chez l'abbé Prévost. Saint-Preux, précepteur de Julie d'Étanges, s'éprend de son élève, mais ne peut l'épouser par suite de l'opposition du père de Julie à donner sa fille à un homme pauvre, sans situation,

sans avenir, et appartenant en plus à une famille plébéienne.
Saint-Preux quitte Julie et va à Paris, tandis que celle-ci se
résigne à épouser un homme beaucoup plus âgé qu'elle, M. de
Wolmar. Après avoir voulu se suicider, le jeune précepteur
fait le tour du monde et, cinq ans après, revient dans son
pays natal où il trouve Julie heureuse, entourée de ses enfants, occupée aux soins de sa maison et, sinon éprise de son
mari, au moins éprouvant pour lui du respect et une bonne
et solide affection. Les deux anciens amants croient n'avoir
plus l'un pour l'autre que de l'amitié et veulent se le persuader. Mais l'amour renaît dans leur cœur et, avec l'amour,
la souffrance. Comme une héroïne de Corneille, Julie est
donc prise entre le devoir et la passion. Ce conflit tragique
se dénoue par sa mort accidentelle.

On a beaucoup discuté sur la signification de *La Nouvelle
Héloïse*. En fait, il est assez difficile de distinguer la thèse
que Rousseau a voulu y soutenir, ni même s'il n'a pas voulu
y soutenir des thèses contradictoires. Comme nous avons
affaire à un roman par lettres et que chacun des personnages
représente un point de vue différent, on peut y trouver à son
gré une leçon de morale ou un éloge de la passion. Ce qui
est plus certain c'est que Rousseau y indique comme aucun
de ses prédécesseurs ne l'avait fait le rôle du sentiment dans
la vie. C'est en réalité du sentiment que Rousseau fait dériver
toute sa conception de la morale et de la religion, et c'est ce
qui explique son influence sur ses contemporains et les premières générations romantiques.

Les philosophes avaient réduit la morale à la doctrine de
l'intérêt personnel. Quant à la religion, certains avaient refusé de s'en occuper, disant simplement que l'homme ne
pouvait juger que de ce que sa raison comprenait pleinement, d'autres n'avaient admis un Créateur que pour expliquer la création, quelques-uns enfin avaient été franchement

matérialistes et athées. De toutes façons ils considéraient que la raison humaine est la seule source de connaissance que nous possédions. Dans la *Profession de foi du vicaire Savoyard* qui se trouve dans l'*Émile*, comme déjà dans *La Nouvelle Héloïse*, Rousseau maintient au contraire que l'existence de Dieu se sent et ne se démontre pas, qu'il en est de même de la morale, qui ne repose pas sur des règles arbitraires ni des raisonnements philosophiques, mais qui est au contraire fondée sur la conscience, « instinct divin », « juge infaillible » que chaque homme a dans son cœur. Si discutables que soient beaucoup de ses théories, il a donc offert à ses contemporains de nouveaux motifs de croyance et il leur a permis d'échapper au matérialisme utilitaire des philosophes.

## QUESTIONNAIRE

**1.** Les théories de Rousseau ont-elles été acceptées sans discussion par ses contemporains et par les générations suivantes ?

**2.** Dites ce que vous savez de sa vie. Quels furent ses rapports avec les Encyclopédistes ?

**3.** Quel est le sujet du premier *Discours* ? De quelle façon l'a-t-il traité ?

**4.** Dans quels ouvrages Rousseau a-t-il exprimé son amour de la nature ?

**5.** Les idées de Rousseau étaient-elles très neuves ? Qu'est-ce qui en fait la nouveauté ? Qu'est-ce que l'âge d'or ? Rousseau a-t-il prêché le communisme ?

**6.** Dans quelle phrase a-t-on résumé la doctrine de Rousseau ? Quel était le but de l'*Émile* ? L'ouvrage fut-il bien accueilli ?

**7.** De quel sujet traite le *Contrat social* ? Rousseau veut-il que l'homme soit soumis aux lois ?

**8.** Quel est le sujet de *La Nouvelle Héloïse* ? Quelles influences y trouve-t-on ? Quelle est son importance et sa signification ?

# CHAPITRE XXV

## LA CRITIQUE DE LA SOCIÉTÉ : VOLTAIRE, BEAUMARCHAIS

QUAND on lit les ouvrages de Jean-Jacques Rousseau on est surpris de constater combien les critiques qu'il adresse à la société dans laquelle il a vécu sont, au total, rares et générales. Il a trouvé un remède aux maux de l'existence dans la construction d'une société idéale, réorganisée selon les principes qu'il avait posés dès ses premiers ouvrages, et souvent le rêve lui a fait oublier la réalité. Il a pu ainsi lancer ses contemporains dans une voie dangereuse ; il n'en est pas moins vrai qu'il croyait accomplir une besogne constructive. Il en fut tout autrement de Voltaire dans la seconde période de sa vie (voir chapitre XXI, p. 156).

Voltaire était parti en 1750 pour Potsdam et vécut trois ans à la cour de Frédéric II. En 1753, s'étant brouillé avec le roi de Prusse, il revint en France d'abord, puis s'établit à Lausanne, ensuite aux Délices près de Genève et enfin à Ferney, dans le comté de Gex, au nord-ouest de Genève. C'est là qu'il acheta un château et un véritable domaine seigneurial et qu'il se fixa à partir de 1760. Il avait à ce moment soixante-deux ans. Ayant des correspondants dans l'Europe entière, visité par tous les étrangers de marque qui venaient en France, reçu comme un triomphateur quand il allait à Paris, réunissant autour de lui un cercle d'amis et d'admirateurs, il exerça pendant les dernières années de sa vie une souveraineté intellectuelle indiscutable et mourut à

Paris en 1778, après une véritable apothéose. C'est de cette seconde période que datent ses œuvres les plus importantes.

Tout d'abord, il continua à composer des tragédies, car jamais il ne renonça au théâtre ; il multiplia les petites publications en vers et en prose, les satires, épîtres, contes, brochures publiées sous son nom ou sous un nom d'emprunt. Il participa à toutes les querelles et à toutes les discussions, entretint une correspondance vraiment prodigieuse et, entre temps, il publia ses œuvres historiques les plus marquantes, *Le Siècle de Louis XIV* (1751), l'*Essai sur les mœurs* (1753–1758) ; des ouvrages tels que le *Traité de la tolérance* (1763) et le *Dictionnaire philosophique* (1764) ; des contes et des romans philosophiques, *Zadig* (1747), *Micromégas* (1752), *Candide ou l'Optimisme* (1759), *Le Huron ou l'Ingénu* (1767), *La Princesse de Babylone* (1768). Ses œuvres complètes ne forment pas moins de cinquante-deux volumes dans la dernière édition moderne, et tous les jours on retrouve de nouvelles lettres de Voltaire.

Un critique français a justement défini Voltaire : « un chaos d'idées claires ». Un autre a dit : « Voltaire a l'esprit de tout le monde. » C'est qu'en effet on ne peut pas dire qu'aucun système défini se dégage de cette quantité imposante d'ouvrages, et c'est aussi que Voltaire n'a eu que peu ou point d'idées originales. Par contre, il a eu un véritable génie pour saisir les points essentiels d'un sujet quelconque, pour les mettre admirablement en lumière et pour exposer d'une façon claire et simplifiée les questions les plus embrouillées et les plus compliquées. Il semble pouvoir tout comprendre et, à le lire, il semble aussi que l'on comprenne tout. A la réfutation systématique d'une théorie, il préfère l'ironie, et son ironie est souvent mordante et impitoyable. Il fait rire aux dépens de ses ennemis ; il se plaît à les mettre en contradiction avec eux-mêmes et à démontrer leur manque de logique.

Il est donc un merveilleux polémiste et, de nos jours, aurait été un journaliste incomparable. Il s'est attaqué à tout, à la religion, aux prêtres, aux économistes, aux financiers, aux savants, à Jean-Jacques Rousseau qu'il a impitoyablement poursuivi, à tous ceux qui pouvaient lui porter ombrage. Il a été un grand destructeur, et par là il a préparé la Révolution française qui, sans aucun doute, l'aurait cependant épouvanté. Jamais en effet il n'a eu l'intention de bouleverser l'ordre social, dont il s'accommodait au total fort bien. Il affirme ne vouloir détruire que les abus et non point les institutions elles-mêmes ; mais par ses critiques acharnées, passionnées et répétées il a détruit le respect de l'autorité, de la tradition, de la morale. Il a mis les défauts de l'ordre social tellement en relief que bientôt on n'a plus distingué autre chose que des défauts, et cependant, quand tout est dit, il faut reconnaître qu'il n'a pas été seulement un négateur et un destructeur.

Sans doute on peut signaler chez lui bien des erreurs, mais il s'irrite surtout contre tout ce qui lui semble faux, incohérent, nébuleux et injuste. Il a en effet un besoin d'ordre, de clarté et de logique qui supplée aux qualités qui lui manquent. C'est à ce besoin de logique autant qu'à son désir de voir régner la justice qu'il faut attribuer les protestations qu'il a fait entendre contre plusieurs erreurs judiciaires de son temps. On se souvient de son intervention dans l'affaire Calas, le protestant de Toulouse injustement accusé d'avoir tué son fils. Il a demandé la tolérance en matière de religion, ce qui n'était pas inutile à un moment où l'exercice de la religion protestante était interdit en France, et où les condamnations pour impiété étaient encore nombreuses. Il s'est fait le champion de la liberté de conscience plus que de la liberté politique, mais il a protesté contre la cruauté et la stupidité de l'esclavage et du servage, le système de perception des impôts, le gaspillage et la malhonnêteté des officiers de la maison royale. Il a condamné les guerres qu'il considérait comme cruelles et ruineuses pour les petites gens. Mais on ne peut voir en lui un champion des droits populaires, car il est bourgeois, et même aristocrate, et il se plaît dans la société des grands seigneurs et des princes. Il est même persuadé au total que les hommes sont en grande majorité d'assez méchants animaux. Il va jusqu'à déclarer dans *Candide* que la sottise et la méchanceté de l'humanité sont telles que le sage n'a qu'un parti à prendre, c'est de se retirer du monde, d'avoir le moins de contact possible avec les hommes et de « cultiver son jardin ». Il ne faudrait cependant pas l'en croire sur parole, et en face de *Candide*, on doit mettre l'*Essai sur les mœurs*, dans lequel il a exprimé sa foi au progrès, et ce passage du *Siècle de Louis XIV* dans lequel il loue « ces génies quelquefois obscurs et souvent persécutés qui ont éclairé et consolé la terre pendant les guerres qui la désolaient ».

D'autre part, la limpidité et la clarté de son style, sa défiance de l'imagination, sa foi profonde dans les pouvoirs de la raison, de même que son admiration de l'antiquité le rattachent très fortement à la tradition classique du dix-septième siècle.

Par contre, en Beaumarchais on trouvera un véritable annonciateur de la Révolution française. Comme Rousseau et Diderot, il appartient au peuple par sa naissance. Il était fils d'un horloger parisien et apprit lui-même le métier de son père. A vrai dire, il fit tous les métiers. On le voit professeur de harpe des filles de Louis XV, négociant, marchand de bois, financier, journaliste, pamphlétaire, auteur dramatique, armateur. Il s'est ruiné à plusieurs reprises ; il s'est lancé dans les entreprises les plus hardies et les plus diverses depuis la publication des œuvres complètes de Voltaire (édition de

Kehl, 1784-1790), jusqu'à la fourniture d'armes, de munitions et de vivres aux soldats américains pendant la guerre
de l'Indépendance. Il finit par mourir presque dans la misère, après avoir été exilé pendant cette révolution qu'il avait
contribué à préparer. Il s'est mis tout entier dans ses deux
comédies principales, *Le Barbier de Séville* (représenté en
1775) et *Le Mariage de Figaro* (représenté en 1784). Dans
i'une et l'autre pièce, le personnage principal est Figaro. Fils
de père inconnu, élevé au hasard de la vie, il n'a pas un
sou en poche. N'ayant pour toute fortune que son intelligence
souple et déliée, un merveilleux esprit d'intrigue, beaucoup
d'ambition et beaucoup de talent, il est condamné à rester
valet et secrétaire d'un grand seigneur à qui il est infiniment
supérieur. La première pièce se passe dans une Espagne de
fantaisie ; elle a pour sujet un thème déjà souvent traité : un
tuteur vieux, jaloux et laid veut épouser sa pupille jeune,
belle et riche et fort éprise d'un beau jeune homme, le comte
Almaviva. Grâce à l'entremise de Figaro, établi momentanément barbier à Séville, la jeunesse et l'amour finissent par
triompher. La pièce est avant tout une pièce gaie, où les
situations comiques abondent, où les mots d'esprit sont mul-
tipliés, elle est aussi une pièce vivante et, parmi ces personnages de convention, deux caractères se détachent avec
vigueur : celui de Basile, maître de chant et sinistre coquin,
dont l'arme favorite est la calomnie, et celui de Figaro, per-
sonnification du génie de l'intrigue, qui met au service de la
jeunesse et de l'amour toutes les ressources d'un esprit fécond en stratagèmes.

Le ton est bien différent dans *Le Mariage de Figaro* où
l'ancien barbier de Séville devenu secrétaire du comte Almaviva s'indigne contre une société qui refuse de reconnaître
le mérite chez les gens du peuple. Il y a encore bien de la
gaieté et de l'esprit, mais d'un bout à l'autre de la pièce on

perçoit une révolte ouvertement exprimée contre les seigneurs, les droits féodaux et les privilèges, qui annonce des
temps nouveaux.

## QUESTIONNAIRE

1. Où Voltaire a-t-il vécu de 1750 à 1753 ? Où s'est-il établi en
1760 ? Quelle est la date de sa mort ?

2. Citez deux de ses ouvrages historiques, deux ouvrages philosophiques, trois de ses contes. Montrez ce que fut sa production
littéraire.

3. Comment a-t-on défini Voltaire ? Quelle est sa véritable originalité ? Pourquoi peut-on dire qu'il a été un destructeur ?

4. Voulait-il détruire le gouvernement qui existait de son temps ?
Quelle est sa part de responsibilité dans la Révolution ?

5. Montrez l'esprit de tolérance de Voltaire. Approuvait-il la guerre ?
Que pense-t-il de l'homme en général ? Fait-il des exceptions ?

6. Comment se rattache-t-il à la tradition classique ?

7. A quelle classe de la société appartenait Beaumarchais ? Que fit-il
pendant sa vie ? Donnez les titres de deux comédies de Beaumarchais.

8. Quelle est le sujet de la première ? Qu'est-ce qui la caractérise ?
Que trouve-t-on de plus dans la seconde comédie ?

# CHAPITRE XXVI

## LA MORALE DU BONHEUR. LA NATURE
## ET LE SENTIMENT

Il NOUS faut maintenant rechercher les tendances principales qui se manifestent dans ce dix-huitième siècle qui va finir.

De façon générale, on peut dire que le siècle tout entier s'était passionnément attaché à la recherche du bonheur. D'autre part, comme la foi en la religion traditionnelle du royaume diminue, devient hésitante et même disparaît entièrement chez beaucoup, on voit grandir dans tout le siècle un désir de plus en plus impérieux de réaliser le bonheur de l'homme sur la terre. C'est une maxime généralement acceptée, et que l'on voit même apparaître dans la Déclaration de l'Indépendance américaine, que l'homme a droit au bonheur et que le gouvernement doit s'efforcer de lui assurer le libre exercice de ce droit, *the pursuit of happiness*. De là, viennent les critiques adressées au gouvernement royal, l'idéal de liberté politique qui attire de plus en plus les regards, et que l'on croit réalisé d'abord par le gouvernement anglais, mais que l'on placera après 1776 dans le système développé dans le nouveau monde par les États-Unis.

D'autre part, les hommes avaient pris un intérêt plus grand au monde physique et s'étaient tournés vers l'observation de la nature. Le goût pour l'histoire naturelle existe à peine au dix-septième siècle, et en tout cas ne se trouve que chez les spécialistes ; au dix-huitième siècle au contraire on l'observe chez les gens du monde et chez les femmes autant que chez les philosophes et les savants. Tous désirent mieux connaître le domaine habité par l'homme et en faire l'inventaire. C'est le but que s'est proposé Buffon, dont l'*Histoire naturelle* paraît à partir de 1749, et dont les collaborateurs et continuateurs n'ont publié les derniers volumes qu'en 1819. Il veut aussi faire l'histoire de l'univers physique et en donne une esquisse dans sa *Théorie de la terre* (1749) et dans ses *Époques de la nature* (1778). En même temps les récits de voyages se multiplient, les grandes découvertes enfièvrent les imaginations, on publie des collections, comme l'*Histoire générale des voyages* de l'abbé Prévost, et dans la seconde moitié du siècle les voyages de Cook, de Bougainville, de La Pérouse révèlent un monde inconnu, l'Océanie. Le goût de la nature et la recherche de l'exotisme se trouvent combinés chez un disciple de Rousseau, Bernardin de Saint-Pierre, dans son *Voyage à l'Ile de France*, ses *Études de la nature* (1784) et surtout son petit roman de *Paul et Virginie* (1788), idylle de deux enfants qui se déroule dans le cadre prestigieux de la nature tropicale. On voit ainsi se développer un genre descriptif, un vocabulaire spécial où les formes, les couleurs, les sons et même les parfums occupent une place, mais ces nouveaux éléments qui vont enrichir la littérature ne seront pleinement utilisés que par les poètes romantiques.

La nature cependant ne fait pas oublier l'homme. Jean-Jacques Rousseau, dans maintes pages des *Confessions*, de *La Nouvelle Héloïse* et des *Rêveries*, s'est avant tout attaché à peindre les émotions qui s'emparaient de lui devant le spectacle de la nature. Pour mieux en jouir et pour mieux rêver, il recherche la solitude de la montagne et de la forêt. Dans cette contemplation le cœur humain s'emplit et déborde d'une douce mélancolie, et l'on transporte dans toute la vie ce culte du sentiment. L'émotion coule à flots dans la plupart des romans de la fin du dix-huitième siècle, on s'attendrit et l'on pleure pour le plaisir que procurent les larmes et l'attendrissement. Allant plus loin, on s'attachera de préférence aux paysages qui portent à la tristesse ; de là le goût pour la poésie des ruines et des tombeaux, qui devient si fort à la fin du siècle et qui n'est pas uniquement dû à l'influence de l'élégie que le poète anglais Gray avait écrite sur un cimetière de village. C'est ainsi que dans ce siècle où le scepticisme grandit et veut tout englober, où la science positive et l'observation des faits exercent une telle attraction sur les esprits et où l'on semble tout ramener au culte de la Raison, on voit aussi naître et grandir cette mélancolie et cette tristesse qui atteindront leur plein développement à l'époque romantique.

Le dix-huitième siècle a combattu la tradition en religion et en politique et cependant il a eu plus qu'aucune période précédente le goût de l'histoire et du passé. Dès le début du siècle on voit des érudits s'attacher à retracer l'histoire des premiers temps de la France ; plus tard on voit reparaître, sous une forme modernisée, les vieux romans de chevalerie, et la tragédie, avec Voltaire et de Belloy, met à la scène des épisodes de l'histoire nationale. En même temps on étudie l'histoire grecque et l'histoire romaine, on s'efforce de mieux comprendre Homère et, en pleine Révolution, Volney publiera *Les Ruines ou Méditations sur les révolutions des empires*, qui commence par une invocation adressée aux ruines de la cité antique de Palmyre. Un jeune poète, André Chénier, né à Constantinople d'un père français et d'une mère grecque, et qui devait périr sur l'échafaud en 1794, unit ce culte de l'antiquité grecque à la philosophie des Encyclopédistes. Enfin, l'on sait que la Révolution voudra faire revivre l'esprit de la Rome républicaine et les vertus des héros de Plutarque.

BERNARDIN DE SAINT-PIERRE PAR REMBRANDT PEALE

Ce tableau se trouve dans la collection permanente de la Corcoran Gallery
of Art à Washington, D.C.

L'engouement pour la littérature anglaise servit à travers tout le siècle à renforcer les tendances que nous venons de signaler. Bien souvent, il est vrai, les Français du dix-huitième siècle n'ont fait que découvrir chez les Anglais ce qui existait déjà chez eux, et l'influence anglaise n'a servi qu'à revêtir d'un déguisement commode des idées et des sentiments qui autrement auraient passé inaperçus. Il n'en est pas moins vrai que pendant tout le siècle les échanges intellectuels entre les deux pays restent ininterrompus, en dépit des guerres qui mettent aux prises les deux gouvernements. On emprunte aux Anglais, en particulier à Locke, la vieille théorie de la souveraineté populaire ; Voltaire développe son scepticisme et son déisme grâce à Shaftesbury et Bolingbroke ; c'est la *Cyclopædia* de Chambers qui donne à Diderot la première idée de l'*Encyclopédie* ; c'est surtout grâce à l'influence de Shakespeare que la tragédie classique se modifie et conserve une apparence de vie ; *Robinson Crusoe* de Defoe trouve des lecteurs encore plus enthousiastes en France qu'en Angleterre ; on traduit et l'on imite les *Saisons* de Thomson et l'on redécouvre chez lui le sentiment de la nature et l'amour de la vie des champs. A la fin du siècle, la littérature anglaise contribue encore à augmenter le goût de la solitude, de la méditation mélancolique et de la tristesse, grâce aux traductions des *Nuits* de Young et encore plus aux traductions des poèmes d'Ossian. On trouvait déjà chez « le barde du Nord » ces apostrophes éloquentes, ces paysages mélancoliques d'automne, cet aspect sauvage de la nature, qui feront fureur chez les romantiques. Toute une génération s'est nourrie de ces poèmes dont l'authenticité ne sera mise en doute que longtemps plus tard. A la veille de la Révolution *Ossian* est encore le livre de chevet de Chateaubriand et de Bonaparte.

## QUESTIONNAIRE

1. Quelle est l'idée qui domine le dix-huitième siècle ? Quelles en sont les conséquences au point de vue de la religion et de la politique ?

2. En quelle année et par qui fut publiée l'*Histoire naturelle* ? Comment et chez qui le goût de l'histoire naturelle s'est-il manifesté ? Quelle nouvelle partie du monde a été découverte et explorée dans la seconde moitié du dix-huitième siècle ?

3. Comment Jean-Jacques Rousseau a-t-il allié l'amour de la nature et le culte du sentiment ? Montrez comment le culte de la Raison et du sentiment se manifeste vers la fin du siècle.

4. Comment se développent l'histoire et l'intérêt du passé ?

5. Quelle fut l'influence de l'Angleterre sur la littérature française ? Chez quels auteurs retrouve-t-on cette influence ?

6. Montrez comment les auteurs du dix-huitième siècle diffèrent par le fond, sinon par la forme, de ceux du dix-septième.

# LE DIX-NEUVIÈME SIÈCLE ET LA
# PÉRIODE CONTEMPORAINE

# CHAPITRE XXVII

## LES PREMIERS GRANDS ROMANTIQUES :
## CHATEAUBRIAND, MADAME DE STAËL

A LA FIN du siècle, en dépit du respect dont on continue
à entourer les grands auteurs, on n'a guère conservé que les
formes du classicisme et un esprit différent pénètre la littérature. On ne considère plus que l'écrivain doit s'interdire de
traiter des questions de religion ou de politique ; il n'existe
plus de sujets réservés, et la philosophie s'étend à tous les
domaines. Enfin, sauf de rares exceptions, les écrivains du
dix-septième siècle évitaient de parler d'eux-mêmes dans
leurs œuvres. Les tragédies de Corneille, pas plus que celles
de Racine, ne nous révèlent rien sur la vie de l'auteur, et l'on
discute encore pour savoir si, dans une pièce comme *Le
Misanthrope*, Alceste a servi ou non de porte-parole à Molière.
Chez beaucoup d'auteurs du dix-huitième siècle au contraire,
on ne peut séparer de son œuvre la vie de l'écrivain : la personnalité de Voltaire apparaît dans chacune de ses pages ;
dans *La Nouvelle Héloïse,* Jean-Jacques Rousseau a raconté
toute une partie de sa vie et a pris le public pour confident
de ses rêves et de ses amours. Dans les *Confessions* il se
croira tenu à une franchise qui touche au cynisme. Diderot
écrira des drames pour nous exposer ses théories et les illustrer et non pas pour peindre la société de son temps ou
quelque vice humain et général. Sur ce point comme sur
beaucoup d'autres le dix-huitième siècle prépare et annonce
un âge nouveau qui sera celui du romantisme.

La Révolution française bouleversa la société et n'exerça tout d'abord qu'une action médiocre sur la littérature. Pendant toute la période révolutionnaire on continue à composer et à jouer des tragédies, on s'attendrit sur des romans champêtres et sur des idylles. Le seul genre *nouveau* qui apparaisse est celui de l'éloquence politique qui, sous l'ancien régime, n'avait pu se développer. Tout en s'inspirant de souvenirs classiques et surtout des orateurs latins, l'éloquence révolutionnaire est aussi pleine de flamme et de passion. Elle a donné à la France plusieurs grands orateurs, au nombre desquels il faut citer au moins Mirabeau, Vergniaud, Danton et Robespierre.

La Révolution contribua cependant à renforcer le pessimisme latent que nous avons constaté à la fin du dix-huitième siècle et, par là, elle a hâté l'éclosion du romantisme. Nous avons dit, en effet, que le dix-huitième siècle avait cru tout d'abord à la possibilité d'atteindre et d'organiser le bonheur sur la terre. C'était le but que s'étaient proposé les philosophes. Bien peu d'entre eux croyaient à la réalisation immédiate de leur idéal ; ils conservaient cependant l'espoir que, dans un avenir plus ou moins prochain, grâce au progrès continu et à une plus grande diffusion des « lumières », c'est-à-dire de la philosophie, l'humanité atteindrait à un état de bonheur qu'elle n'avait jamais connu. Le dix-huitième siècle avait détruit chez les disciples des philosophes la croyance à un bonheur éternel ; la Révolution dissipa toutes les illusions sur le progrès. Privés de tout espoir, essayant vainement de se faire une foi, pleins d'ambitions, de désirs et persuadés en même temps de leur impuissance et de leur faiblesse, les hommes du commencement du dix-neuvième siècle furent en proie à ce pessimisme que l'on a nommé le « mal du siècle ». Il importe d'ailleurs de se souvenir qu'il ne s'agit pas là d'un phénomène particulier à la France. Le mal du siècle, comme le romantisme dont il est une des manifestations, s'étend à toute l'Europe et il a en grande partie pour cause la faillite de la philosophie du siècle précédent.

On peut l'étudier en France chez un homme qui fut un prodigieux artiste et un écrivain incomparable, François-René de Chateaubriand. Breton têtu, orgueilleux et timide dans sa jeunesse, il était né en 1768 au château de Combourg, près de Saint-Malo. Presque enfant encore, il fut atteint de cette tristesse incurable qui devait le poursuivre toute sa vie. On voulut faire de lui un prêtre, puis un marin, puis un soldat. La Révolution le trouva sous-lieutenant. Rêvant d'illustrer son nom par de grandes découvertes, il partit pour l'Amérique en 1791 et y voyagea pendant quelques mois. Il revint en France pour quitter immédiatement son pays et rejoindre les royalistes émigrés en Allemagne ; il fit campagne contre les armées de la République, passa bientôt en Angleterre où il devait rester jusqu'en 1800. Il est d'abord attiré par Bonaparte et accepte même un poste diplomatique à Rome, mais il se brouille bientôt avec l'Empereur. Il voyage en Grèce et en Orient, puis vit dans une demi-retraite jusqu'à la chute de Napoléon en 1815. Il est alors nommé pair de France, ambassadeur à Berlin, puis à Londres, devient ministre des affaires étrangères et se retire de la politique après la Révolution de 1830. Il mourut à Paris en 1848, quelques mois après la proclamation de la seconde République. Sa position est unique dans la littérature française. Il a grandi dans le dix-huitième siècle finissant et il a été d'abord le disciple des philosophes et de Jean-Jacques Rousseau. Doué d'une mémoire prodigieuse, il a lu énormément et semble avoir tout retenu et l'on ne peut nier qu'il n'ait profité de l'œuvre de ses devanciers. Par contre, il est non moins certain que, venant tout au début du dix-neuvième siècle, Chateaubriand a ouvert de nouvelles voies à la littérature qui devait suivre. Il est peu d'auteurs du dix-neuvième siècle qui ne lui doivent quelque chose.

Il ne fut pas le premier à attirer l'attention sur les beautés morales et artistiques du christianisme. D'autres l'avaient fait avant lui et nous avons vu que la question avait été discutée au moment de la querelle des Anciens et des Modernes. Mais personne avant lui n'avait décrit comme il l'a fait la beauté poétique de certaines cérémonies catholiques. Il se peut que le christianisme de Chateaubriand ne soit pas très orthodoxe; mais il faut se souvenir qu'il compose *Le Génie du christianisme* pour des gens dont la foi était morte. Il s'est peut-être adressé à leurs yeux plus qu'à leur cœur, mais le succès prodigieux de son livre prouve qu'il n'avait pas eu tort. *Le Génie* contient d'ailleurs autre chose que des descriptions pittoresques. Chateaubriand y montrait que le christianisme était la religion des ancêtres, il y voyait une forme même de l'amour de la patrie, le seul moyen, pour une génération qui avait grandi dans la tourmente, de s'enraciner et de se fixer. La thèse qu'il soutint à ce moment a été reprise de nos jours dans toute l'œuvre de Maurice Barrès.

Il y avait eu avant lui de nombreux récits de voyages et de nombreux romans exotiques. Dans *Atala* (1801) et dans les *Natchez* (écrits vers 1796, publiés en 1826), il renouvelle le genre en peignant une grande passion dans un décor splendide, en opposant de façon constante la simplicité du sauvage à la complexité des sentiments qui emplissent le cœur de l'homme civilisé, et par là il crée une nouvelle forme de roman exotique qui se prolonge jusqu'à Loti et, par delà Loti, jusqu'à nos jours.

Dans *Les Martyrs*, il se révèle un grand peintre d'histoire. Ses tableaux de la Grèce, de la Gaule, de la Germanie, de la Rome des catacombes annoncent déjà la résurrection du passé, que les historiens romantiques, tels que Michelet, s'efforce-

CHATEAUBRIAND

ront d'accomplir. Dans *Les Martyrs* et dans l'*Itinéraire de Paris à Jérusalem* il fait revivre la Grèce et, avant Byron, découvre l'Orient.

Dans *René* enfin, il indique, comme personne ne l'avait fait avant lui, la disproportion qui existe entre les rêves, les aspirations et les ambitions de l'homme, qui sont infinis, et sa vie elle-même trop imparfaite pour satisfaire cette soif de bonheur absolu que les romantiques portent en eux.

Enfin il a été un très grand artiste et un très grand poète en prose. Voltaire avait porté la phrase française à son maximum de clarté; Jean-Jacques Rousseau dans ses *Rêveries* y avait déjà introduit des valeurs musicales; Bernardin de Saint-Pierre avait enrichi le vocabulaire littéraire d'une grande quantité de termes pittoresques empruntés à l'histoire naturelle; Chateaubriand, en même temps qu'un grand peintre, est un grand musicien.

A côté de lui une femme de génie prolonge elle aussi le dix-huitième siècle et prépare le romantisme, c'est M^me de Staël (1766-1817). Née à Paris d'un père genevois, devenu en 1777 ministre de Louis XVI, elle épousa en 1786 le baron de Staël-Holstein, ambassadeur de Suède à Paris. Elle quitta la France à la Révolution, séjourna en Angleterre, en Allemagne, en Italie, en Autriche et en Suisse. Française de langue, elle était avant tout cosmopolite, et servit en quelque sorte d'intermédiaire entre la littérature française et les littératures étrangères et surtout la littérature allemande. Dans son livre *De la littérature considérée dans ses rapports avec les institutions sociales* (1800), elle renouvelle la critique littéraire en rattachant les œuvres à leur milieu et à leur temps, et elle se montre un apôtre convaincu de la théorie du progrès, en affirmant la supériorité des littératures modernes sur les littératures anciennes. Dans le livre *De l'Allemagne* (1810), elle trace un tableau fortement idéalisé d'une

MADAME DE STAËL

Allemagne rêveuse et poétique. Dans son roman de *Corinne* enfin (1807), elle attire l'attention des Français sur l'Italie, ses paysages et ses ruines. Surtout, et c'est par là qu'elle appartient déjà au romantisme, elle y proclame les droits de la passion qu'elle considère comme supérieure à toutes les conventions sociales. Elle continue ainsi le Jean-Jacques Rousseau de *La Nouvelle Héloïse* en même temps qu'elle annonce George Sand.

### QUESTIONNAIRE

1. Quel genre nouveau se développe pendant la Révolution ? Donnez le nom de quelques orateurs.

2. Qu'a-t-on appelé le « mal du siècle » ? Quelles en ont été les causes ? Dans quel roman Chateaubriand a-t-il analysé ce mal ?

3. Où et quand naquit Chateaubriand ? Dans quels pays a-t-il voyagé ? Quelle est la date de sa mort ?

4. Quels ont été ses prédécesseurs ? Qu'est-ce que le *Génie du christianisme* ? Qu'est-ce que Chateaubriand a voulu montrer dans ce livre ? Par qui des idées analogues ont-elles été exprimées de nos jours ?

5. Citez deux de ses romans exotiques et leurs dates. Quels sentiments y étudie-t-il ?

6. Dans quelle œuvre a-t-il voulu faire revivre le passé ?

7. Dites ce que la langue française avait acquis avec Voltaire, Jean-Jacques Rousseau et Bernardin de Saint-Pierre. Quelles sont les qualités du style de Chateaubriand ?

8. Quand vécut M^{me} de Staël ? Pourquoi peut-on dire qu'elle est cosmopolite ?

9. Pour qui aurait-elle pris parti dans la querelle des Anciens et des Modernes ?

10. Quel est le pays sur lequel *Corinne* attire l'attention ? Comment M^{me} de Staël annonce-t-elle le romantisme ?

# CHAPITRE XXVIII

## LA BATAILLE ROMANTIQUE. LE DRAME

Parmi leurs contemporains, Chateaubriand et M<sup>me</sup> de Staël sont deux exceptions de génie. En dehors d'eux, si l'on en excepte des isolés, comme Benjamin Constant et Sénancour, rien ne fait prévoir qu'une littérature d'une richesse extraordinaire va soudainement éclore. Tout au contraire, on peut constater sous l'Empire une réaction en faveur du classicisme ou du pseudo-classicisme. Des écrivains catholiques comme Joseph de Maistre et Bonald combattent l'esprit de la Révolution et s'efforcent de ramener la France à une conception de gouvernement monarchique et catholique. Le goût du temps, au moins pendant l'Empire, est pour l'ordre et la discipline, et les tragédies que l'on écrit alors ressemblent singulièrement aux tragédies du dix-huitième siècle. D'autre part, la philosophie du dix-huitième siècle se continue par les Idéologues, dont le plus connu est Destutt de Tracy. Négligeant la passion qu'ils considèrent comme un égarement, affirmant une relation étroite entre le physique et le moral de l'homme, ils s'opposent nettement aux tendances romantiques. Ils annoncent déjà les psychologues scientifiques modernes, de même qu'ils relient Auguste Comte et Taine aux philosophes du siècle précédent.

Il faut attendre jusqu'en 1820 pour trouver les signes évidents d'une révolution littéraire. C'est entre 1820 et 1830 que la bataille s'engagea entre les romantiques et les classiques, comme un siècle et demi auparavant elle s'était engagée entre les Anciens et les Modernes. Malgré la résistance des classiques, la bataille est gagnée par les jeunes romantiques dès 1830. Mais sous une forme ou sous une autre la discussion se prolonge jusqu'à nos jours.

On se battit avec d'autant plus d'acharnement que l'on se querella pour des mots dont personne ne pouvait définir le sens exact, que personne ne semblait avoir de programme bien déterminé et que les romantiques eux-mêmes n'avaient point d'unité de doctrine. La *Préface de Cromwell* (1827) de Victor Hugo fut considérée par les contemporains comme un manifeste de la jeune école. Hugo avait déjà essayé de formuler son esthétique dans différentes préfaces. Mais la doctrine du romantisme n'eut jamais une netteté comparable à celle que l'on trouve dans la *Défense et illustration de la langue française* de Joachim du Bellay ou dans l'*Art poétique* de Boileau.

Ce qui rend la question plus complexe est que le romantisme n'était pas seulement une certaine attitude à l'égard de la littérature, mais bien plus une attitude à l'égard de la vie. En littérature, on voit les romantiques se révolter ouvertement contre les règles qui avaient été formulées au dix-septième siècle. Comme ces règles étaient particulièrement précises en ce qui regardait le théâtre, c'est autour du drame romantique que la lutte fut la plus vive. La tragédie française était essentiellement une pièce en cinq actes, en vers, ayant un dénouement tragique, éliminant tout élément comique et mettant d'ordinaire en scène de grands caractères légendaires ou historiques. Surtout, la tragédie classique respectait ou prétendait respecter les fameuses unités, bien qu'au dix-huitième siècle on ait pris de grandes libertés avec l'unité de lieu ou de décor. Les romantiques revendiquent le droit de diviser leurs drames en un nombre variable d'actes, d'employer la prose si bon leur semble, de mélanger le comique et le tragique, de faire rire et de faire pleurer tour à tour, de changer le décor à chaque acte s'ils le désirent, de donner plus d'exactitude à la mise en scène, de mettre des scènes de violence ou de meurtre sur le théâtre, et d'y faire assister le spectateur au lieu de les faire raconter dans un récit par un des acteurs. Ils se réclament de Shakespeare dont les œuvres sont alors traduites, jouées et commentées en France, au lieu de se réclamer de Racine.

En poésie, ils protestent contre l'abus des périphrases, contre les distinctions qui avaient été établies entre les mots nobles ou poétiques et les mots bas ou vulgaires, et affirment très haut leur droit de modifier la forme du vers.

Plus que tout,—et c'est ici qu'intervient la question morale, —ils mettent en scène des héros qui célèbrent la grandeur et la beauté de la passion, car le personnage des drames romantiques cherche bien plus à s'affranchir des règles ordinaires de la vie que des règles de la tragédie. Tel est le cas des héros grandiloquents de Victor Hugo, chez qui vivre passionnément devient la seule règle de conduite.

En fait, quand on examine de plus près ces drames, on s'aperçoit qu'ils contenaient bien moins d'innovations formelles que les auteurs eux-mêmes ne se l'imaginaient. L'exemple le plus frappant peut-être se trouve dans *Hernani*, où l'on voit le héros, qui est un *outlaw* volontaire en révolte contre le roi, mourir pour tenir son serment, tout comme l'aurait fait un héros cornélien. On retrouve le même esprit de sacrifice dans *Marion de Lorme*, où l'un des jeunes héros, Saverny, refuse de s'évader de sa prison pour mourir avec son ami. Les personnages de Victor Hugo ont des « âmes » aussi « peu communes » que les héros de Corneille. Quant à la reconstitution historique que prétendaient faire les romantiques, elle est tout aussi inexacte au fond que celle que l'on trouvait dans les tragédies classiques. Si la Grèce de Racine n'est pas la Grèce antique il est difficile de croire que l'Espagne d'*Hernani* soit la véritable Espagne de Charles-Quint, ou que le caractère de Cromwell dans le drame qui porte son nom soit plus exact historiquement que le caractère de Néron dans *Britannicus*.

C'est par le décor, par le costume, par quelques façons de parler que les romantiques donnent aux spectateurs l'illusion de la vérité historique, mais les personnages qui déclament, s'agitent, se battent et pleurent sur la scène sont en réalité des caractères romantiques. Ils expriment, souvent de façon splendide, les aspirations, les rêves, les ambitions, les révoltes de toute une génération, la génération de 1830. A ce titre seul ils mériteraient encore d'être étudiés. Ils ont cependant un autre mérite et c'est peut-être le plus grand. Les imitateurs des poètes tragiques du dix-septième siècle avaient peu à peu exclu de la tragédie non seulement toute psychologie mais encore toute poésie. Les drames de Hugo, même si on leur refuse la vérité psychologique et historique, contiennent au moins de magnifiques élans lyriques. Si sévère qu'on soit à leur égard, il suffit de les comparer aux tragédies pseudo-classiques de la même période pour sentir toute leur supériorité, qui vient en grande partie de ce que l'on y trouve l'expression d'un merveilleux tempérament de poète.

Le drame romantique n'eut d'ailleurs qu'une existence assez brève. Il ne commence vraiment qu'avec la préface de *Cromwell* (1827), dans laquelle Victor Hugo proclamait l'avènement d'un nouveau genre dramatique. Quant au drame de *Cromwell* lui-même, véritable défi jeté aux classiques, avec ses nombreux changements de décors, ses personnages presque innombrables, il était injouable et ne fut pas joué. Si l'on met de côté Alexandre Dumas père, dont il faut pourtant retenir au moins deux pièces : un drame historique *Henri III et sa cour* (1829) et *Antony* (1831), les principaux représentants du théâtre romantique sont Victor Hugo, Alfred de Vigny et Alfred de Musset. Les pièces de Musset ne sont

VICTOR HUGO

d'ailleurs pas des drames, elles appartiennent au théâtre romantique en ce que le poète donne libre cours à son imagination et à sa fantaisie et ne se croit tenu d'observer aucune
des fameuses *règles*. Beaucoup d'entre elles n'ont pas été
écrites pour être jouées et ne furent mises à la scène que
longtemps après leur publication. Ce sont des comédies
poétiques, dont plusieurs rappellent le théâtre de Marivaux
par la finesse de l'analyse psychologique. Musset d'ailleurs
n'était pas un romantique intégral et ne fit pas école.

Alfred de Vigny, par contre, débuta au théâtre par des
adaptations en vers de Shakespeare et en 1831 donna un
drame historique en prose, *La Maréchale d'Ancre*, dans lequel
il mettait en scène l'assassinat de Leonora Galigai et de son
mari, Concini, le maréchal d'Ancre, aventurier italien devenu
ministre de Marie de Médicis pendant la minorité de Louis
XIII. Dans son second drame, *Chatterton*, dont le héros est
le jeune poète anglais, il voulait protester contre l'injustice
de la société à l'égard du génie et plus particulièrement du
génie poétique. La thèse elle-même n'a plus guère d'intérêt
et le héros paraît bien emphatique; mais Vigny a esquissé
un charmant caractère de femme, Kitty Bell, et a dessiné
vigoureusement le portrait de son mari et celui du vieux
philosophe quaker. Ce sont ces caractères secondaires qui
aujourd'hui encore assurent le succès de la pièce.

Par le bruit que firent ses pièces comme par leur nombre,
Victor Hugo tient la première place parmi les dramaturges
romantiques. Il débuta en 1830 par *Hernani*, et classiques
et romantiques en vinrent presque aux coups pendant la première représentation. Vint ensuite *Marion de Lorme* (écrite
avant *Hernani* mais jouée seulement en 1831); *Le Roi
s'amuse* (1832) donné une seule fois et aussitôt interdit pour
des raisons politiques. Cette pièce fut suivie de trois pièces en
prose: *Lucrèce Borgia* (1833), *Marie Tudor* (1833), *Angelo*

*tyran de Padoue* (1835) qui sont véritablement plus des mélodrames que des drames. En 1838, Hugo fait jouer *Ruy Blas*, probablement le plus curieux de ses drames, et en 1843 *Les Burgraves* qui échouèrent dès la première représentation et qui, par leur échec, marquent la fin du drame romantique proprement dit. Victor Hugo écrivit encore des pièces, mais sans tenter de les faire jouer, et après *Les Burgraves* il renonça vraiment au théâtre. A différentes reprises, dans le cours du siècle, des essais furent tentés sans grand succès pour faire revivre la forme du drame romantique en vers. La seule de ces tentatives qui ait vraiment réussi est celle de Rostand dont le *Cyrano de Bergerac* (1897) et *L'Aiglon* présentent avec les drames de Victor Hugo des ressemblances frappantes.

## QUESTIONNAIRE

1. Quelle réaction se produisit au début du dix-neuvième siècle ? Quels écrivains y continuent le siècle précédent ?

2. Qui a formulé la doctrine des romantiques et où a-t-elle été exposée ?

3. Contre quoi les romantiques protestent-ils ? Que veulent-ils faire ? De qui se réclament-ils ? Quelle modification veulent-ils apporter à la poésie ?

4. Quel est leur point de vue moral ?

5. Montrez en quoi les héros de Victor Hugo ressemblent à ceux de Corneille.

6. Citez deux drames romantiques de Victor Hugo. Le genre a-t-il duré longtemps ?

7. Par quel côté les pièces de Musset appartiennent-elles au théâtre romantique ?

8. Citez un drame historique d'Alfred de Vigny. Quel en est le sujet ? Pour quelles raisons *Chatterton* est-il encore populaire ?

9. A quelle date *Hernani* fut-il joué ? Citez quatre autres pièces de Victor Hugo.

# CHAPITRE XXIX

## LA POÉSIE ROMANTIQUE : LAMARTINE, VICTOR HUGO, VIGNY, MUSSET

LE DIX-NEUVIÈME siècle vit éclore en France une poésie nouvelle. De la Renaissance à l'aube romantique la littérature française en effet n'avait pas eu de vraiment grand poète. Si l'on peut citer de nombreux vers de Racine et surtout de La Fontaine qui annoncent déjà la poésie moderne, l'un et l'autre étaient restés confinés dans des genres spéciaux et limités, la tragédie classique et la fable. Au dix-huitième siècle, André Chénier est le seul vrai poète, mais son œuvre ne fut connue que près de vingt-cinq ans après sa mort, au moment même où allaient apparaître les productions de la jeune école. Le caractère le plus frappant de la poésie romantique est peut-être son universalité. Le poète chantera ses émotions, ses douleurs et ses joies ; il exprimera dans ses vers sa conception de l'univers et sa philosophie de la vie ; il s'attachera à faire revivre les grands épisodes de l'histoire de l'humanité ; il décrira la nature dans ses aspects les plus variés, non pas seulement celle à laquelle des yeux européens sont accoutumés, mais la nature exotique, et il évoquera l'Italie, l'Espagne, la Méditerranée, l'Orient et même l'Inde. Rien de ce qui constitue notre vie intérieure et aucune des visions, des sensations, des images que peut lui apporter le monde extérieur ne lui seront étrangers. La révolution qui s'opéra entre 1820 et 1830 dans la poésie proprement dite suscita des querelles moins violentes que les transformations

du drame, elle devait avoir cependant des résultats infiniment plus profonds et plus permanents.

On peut, en regardant de près, retrouver les signes avant-
coureurs de cette transformation au dix-huitième siècle.
M^{me} de Staël l'avait annoncée dans son livre *De la littérature*, et Chateaubriand en avait indiqué le programme dans
*Le Génie du christianisme*. Mais à cette nouvelle poésie que
l'on entrevoyait et que l'on désirait, il ne manquait que de
grands poètes : ils apparurent entre 1820 et 1830.

Le premier en date fut Lamartine (1790–1869). Son œuvre
est considérable et variée. Il débute en 1820 par les *Premières
Méditations poétiques* qui sont suivies en 1823 des *Nouvelles
Méditations*, des *Harmonies poétiques et religieuses* (1830)
et des *Recueillements* en 1839. Il donna de plus deux fragments d'un poème épique qui devait évoquer toute l'histoire
de l'humanité : *Jocelyn* (1836) et *La Chute d'un ange* (1838).
Son œuvre en prose est encore plus imposante par le volume.
On y trouve des récits de voyage (*Voyage en Orient*, 1835) ;
des travaux historiques (*Histoire des Girondins*, 1847) ; des
discours et des mémoires politiques : un *Cours familier de
littérature* (1856–1869) en vingt-huit volumes. Ce poète fut
aussi un diplomate, un parlementaire, un homme politique et
un membre du gouvernement provisoire après la Révolution
de 1848.

Par plus d'un côté Lamartine rappelle Jean-Jacques Rousseau, tout au moins le Rousseau des *Rêveries d'un promeneur
solitaire*. Comme Rousseau, Lamartine croit à la bonté de la
nature ; comme lui, il dégage de la contemplation de la création
une émotion religieuse. Comme Rousseau enfin, Lamartine
rêve et médite devant la nature, qui sert avant tout de cadre
ou d'arrière-plan à ses sentiments, au lieu de décrire des
paysages précis aux lignes arrêtées, aux couleurs nettement
définies. A la philosophie du dix-huitième siècle il doit sa

croyance au progrès ; à Bernardin de Saint-Pierre et à Chateaubriand la plupart des notations pittoresques qui se trouvent dans ses poésies. Il a lu les poètes anglais et même les petits poètes français de la fin du dix-huitième siècle, et pourtant son originalité n'en est pas moins grande. Elle provient précisément de ce qu'aux idées trop logiquement déduites, il préfère les sentiments et les émotions ; de ce qu'il suggère plutôt qu'il ne peint ; surtout de la valeur musicale unique de ses vers.

L'œuvre de Victor Hugo est infiniment plus variée, plus colorée, plus sonore. Il a fait vibrer toutes « les cordes de la lyre » et a prolongé le romantisme loin dans le dix-neuvième siècle, puisqu'il meurt en 1885 et que la dernière partie de *La Légende des siècles* est publiée en 1883. Il est né douze ans plus tard que Lamartine, en 1802, à Besançon. Il accompagna son père, qui était officier, en Corse, en Espagne et en Italie. De retour à Paris en 1811 il fut destiné à la carrière militaire. Sa vocation poétique s'éveille cependant de bonne heure. A seize ans il obtient déjà un prix pour une pièce de vers, en 1822 il publie un premier recueil d'*Odes*, en 1826 les *Odes et ballades,* en 1829 *Les Orientales, Les Feuilles d'automne* en 1831 et *Les Chants du crépuscule* en 1836. Ses œuvres les plus marquantes sont ensuite *Les Contemplations* (1856), *La Légende des siècles* (1859, 1877, 1883). A partir de 1845, il se mêle activement à la politique, est nommé pair de France, devient député après la Révolution de 1848, et défend les idées libérales. Il quitte la France après le coup d'état du 2 décembre 1851 et vit dans un exil volontaire à Jersey, puis à Guernesey, jusqu'à la chute de l'Empire en 1870. C'est pendant cet exil qui l'avait soustrait aux agitations de la politique et de la vie de Paris, qu'il lance contre Napoléon III et son gouvernement une extraordinaire satire, *Les Châtiments,* qui, par leur violence, rappellent *Les Tra-*

LAMARTINE

*giques* d'Agrippa d'Aubigné, le vieux poète du seizième siècle. C'est aussi pendant l'exil qu'il publie *Les Misérables* (1862), *Les Travailleurs de la mer* (1866), *L'Homme qui rit* (1869) et qu'il travaille à *Quatre-vingt-treize* qui ne paraîtra qu'en 1873. Il devait vivre plus de quinze ans après son retour d'exil, ne cessant de produire, entouré de gloire, et salué comme le grand poète national de la France.

Après avoir été adoré, Victor Hugo a souvent été critiqué vivement et quelquefois injustement. On lui a reproché d'avoir varié dans ses opinions politiques. Il fut en effet royaliste dans sa jeunesse, républicain sous l'Empire et inclina nettement vers un socialisme sentimental et humanitaire dans la dernière partie de sa vie. Il a, en cela, suivi la marche de son siècle; mais il n'a point flatté les gouvernements sous lesquels il a vécu. Il a pu afficher ses opinions avec une certaine affectation théâtrale, mais il semble bien qu'il ait été sincère. Sa philosophie de la société est essentiellement celle du dix-huitième siècle, modifiée par la tendance humanitaire de la génération de 1830. Il croit au progrès de l'humanité; il proclame sa foi en la démocratie. Il a chanté le peuple, montré ses misères. Il a aussi attaqué les prêtres tout en affirmant sa croyance en Dieu, et par là encore il se rattache au dix-huitième siècle. On peut même admettre qu'il n'a eu que peu d'idées, la plupart du temps sans originalité. Sa connaissance de l'histoire est aussi fantaisiste dans *La Légende des siècles* que dans ses drames. Son érudition est d'une qualité très douteuse, et pourtant il aime à faire étalage de sa science. On peut lui reprocher de n'avoir eu et de n'avoir donné à ses héros qu'une psychologie rudimentaire et simplifiée à l'excès. Mais quand tout est dit, et même quand on a reconnu que dans la dernière partie de sa vie Hugo a écrit des poèmes lourds, obscurs et vraiment apocalyptiques, il n'en reste pas moins qu'il suffit d'ouvrir *Les*

*Contemplations* ou *La Légende des siècles* pour retomber sous le charme. Il est en effet le plus grand peintre et le plus grand musicien de la langue française. Il est un grand peintre, avant tout, parce qu'il pense par images, ou plus exactement parce que toutes ses pensées se traduisent par des images et dans ses derniers poèmes par des visions. Il a eu pour les mots un véritable culte, et quelquefois il s'est plus préoccupé du son des mots que de leur sens; mais par là même il a introduit dans la poésie française un rythme et une musique que l'on chercherait vainement avant lui.

Victor Hugo avait voulu participer à la vie de son siècle, Alfred de Vigny au contraire se réfugia de bonne heure dans un isolement hautain et un peu dédaigneux. Né en 1787 à Loches, il fut d'abord soldat, mais démissionna dès 1827; il essaya du théâtre et renonça au théâtre après *Chatterton* (1835). Il se retira bientôt dans sa tour d'ivoire, vivant dans le manoir de sa famille au Maine-Giraud en Charente, ne venant que rarement à Paris, publiant de loin en loin un poème. Il mourut en 1863 d'un cancer à l'estomac après de longues années d'une souffrance stoïquement supportée. Il avait publié en 1826 un roman historique sur le règne de Louis XIII, *Cinq-Mars*, un curieux mélange de réflexions philosophiques et de nouvelles, *Stello* (1832), trois nouvelles, *Laurette ou le cachet rouge*, *La Veillée de Vincennes*, *La Canne de jonc*, réunies sous le titre général de *Servitude et grandeur militaires* (1835). Ses poèmes ont été publiés d'abord sous le titre de *Poèmes anciens et modernes* et ne forment qu'un seul volume. Nous sommes bien loin de l'énorme production de Lamartine et de Victor Hugo. Dans la période romantique où l'on assiste à un débordement de forces indisciplinées, Vigny apporte un sens de la retenue, de la modération, un dédain de la publicité et du gros public rares parmi ses contemporains. Chez lui le pessimisme est autre chose qu'une mode littéraire et qu'une affectation. Il est profondément pessimiste, mais sa philosophie au lieu de le conduire à la révolte l'amène au stoïcisme, à l'abnégation et à la religion de la beauté morale. On trouve aussi chez Vigny une très grande pitié pour toutes les souffrances humaines, des vers pleins d'une tendresse contenue, et sa tristesse n'est pas si absolue qu'il n'espère pour l'homme un avenir meilleur.

Alfred de Musset, né à Paris comme Boileau et comme Voltaire, a été l'enfant terrible du romantisme. Par un certain côté de son œuvre il se rattache à la vieille école du bon sens et ne s'est pas fait faute de se moquer des exagérations de ses contemporains et de ses amis. Il avait cependant commencé à sacrifier au goût du jour dans son premier recueil, *Contes d'Espagne et d'Italie* (1830). Dans la préface de son roman autobiographique *La Confession d'un enfant du siècle* (1836), il a analysé le « mal romantique » dont lui-même avait été atteint et avait souffert. Mais d'autre part il a osé louer Racine et même Boileau en plein romantisme, et son admiration pour les grands classiques du dix-septième siècle est restée constante. Il a donc fait un effort pour conserver intact le patrimoine du passé; mais il appartient bien à son temps et à sa génération par la place qu'il accorde dans ses œuvres à l'expression de sentiments personnels. Il a écrit de nombreux vers d'amour et a chanté la tristesse de ses contemporains en chantant la sienne (*Les Nuits*, 1835–1837).

Par les dates que nous avons données on peut donc voir que la poésie romantique avait produit ses chefs-d'œuvre les plus marquants de 1820 à 1845. Qu'elle traite de sujets orientaux, espagnols, bibliques, antiques ou contemporains, elle a pour caractère principal de permettre au poète d'exprimer ses sentiments, ses émotions, ses douleurs, son enthousiasme. Elle est avant tout personnelle et lyrique. La nature, l'histoire, l'exotisme servent d'arrière-plan ou de prétexte, mais

ALFRED DE VIGNY

le poète reste au premier plan. Cette poésie allait faire place à une autre tout aussi colorée, pittoresque et musicale, mais où la personnalité de l'auteur s'effacera et se dissimulera et où le poète se proposera avant tout pour but de produire une œuvre d'art.

## QUESTIONNAIRE

1. Quel est le seul grand poète du dix-huitième siècle ?

2. Quelles sont les caractéristiques de la nouvelle école ?

3. Comparez cette poésie à celle de Racine et de La Fontaine.

4. A quelle date vécut Lamartine ? Citez trois de ses œuvres poétiques, deux de ses œuvres en prose.

5. A qui peut-on le comparer au point de vue de sa conception de la nature ? Quelles influences a-t-il subies ?

6. En quelle année est mort Victor Hugo ? Dites ce que vous savez de sa vie.

7. Nommez ses ouvrages les plus importants. Indiquez en quoi sa poésie diffère de celle de Lamartine.

8. Quelles étaient ses opinions politiques et sociales ? A-t-il fait preuve d'une connaissance exacte de l'histoire ?

9. Pourquoi l'appelle-t-on le plus grand musicien et le plus grand peintre de la littérature française ?

10. Alfred de Vigny se mêla-t-il à la vie de son temps comme Hugo ? Citez une pièce de théâtre de Vigny, une œuvre en prose.

11. Sa poésie est-elle aussi populaire que celle de Victor Hugo ? A quels sentiments le conduisit son pessimisme ?

12. Comment Alfred de Musset se rattache-t-il au dix-septième siècle ? Par quels côtés est-il un romantique ?

13. A quelles dates la poésie romantique a-t-elle donné ses principaux chefs-d'œuvre ?

# CHAPITRE XXX

## LE ROMAN DE 1830 A 1850

LE ROMAN, n'étant représenté dans l'antiquité par aucune œuvre qui s'imposât à l'admiration générale, avait échappé aux règles et laissé à l'auteur pleine et entière liberté de suivre ses goûts, sa fantaisie et son imagination. De plus, il avait été constamment soumis depuis la Renaissance à des influences étrangères : influence des romans italiens et espagnols d'abord, influence des romans anglais au dix-huitième siècle, influence de romans allemands comme le *Werther* de Gœthe au début du dix-neuvième. Il est donc difficile d'établir des divisions et d'arriver à une classification satisfaisante ; on peut cependant reconnaître un certain nombre de tendances principales.

Le développement du roman historique à l'époque romantique est étroitement associé à un goût nouveau pour l'histoire et pour la littérature historique. Les historiens des siècles précédents—et ils sont nombreux—étaient dans la plupart des cas soit des érudits patients et estimables, soit des auteurs de mémoires qui écrivaient avant tout l'histoire de leur temps. Nous avons vu qu'il fallait établir une exception pour Bossuet au dix-septième siècle et pour Voltaire au dix-huitième ; mais les documents dont l'un et l'autre disposaient étaient encore peu nombreux ; l'un et l'autre ont d'ailleurs écrit pour expliquer l'histoire suivant une certaine philosophie. Il appartenait à l'époque romantique de s'efforcer comme l'a dit Augustin Thierry « de présenter en action les hommes, les

mœurs et les caractères », tout en s'appliquant, par une étude
exacte des documents, à donner du passé une reconstitution
exacte mais aussi « dramatique ». C'est l'œuvre qu'il entreprit dans ses *Récits des temps mérovingiens* (1840). C'est
aussi l'œuvre que réalisa encore mieux que lui Michelet, dont
l'*Histoire de France*, publiée de 1833 à 1867, est en quelques
parties, particulièrement pour le moyen âge et la Renaissance,
une extraordinaire résurrection du passé. C'est Chateaubriand qui dans *Les Martyrs* avait montré la voie à la fois
aux historiens et aux romanciers ; son influence fut bientôt
renforcée par celle de Walter Scott, dont les romans furent
traduits en français presque dès leur apparition en anglais.
La littérature historique fournit aux esprits inquiets, las de
la civilisation dans laquelle ils vivaient, un moyen de s'évader
en imagination dans des temps où la vie était plus pittoresque,
plus colorée, plus active. De là, la vogue de certaines périodes,
comme le moyen âge et la première partie du dix-septième
siècle, dans le roman comme dans le drame romantiques.
Alfred de Vigny débute, nous l'avons vu, par un roman sur
l'époque de Louis XIII dans *Cinq-Mars*, où l'on trouve les
duels, les conspirations, les exploits héroïques et les aventures
d'amour qui devaient reparaître de façon si fréquente chez
Alexandre Dumas père. Le premier grand roman de Victor
Hugo est *Notre-Dame de Paris*, où les mêmes éléments se
retrouvent mais qui comporte en plus une prodigieuse et
grouillante peinture du Paris du quinzième siècle. En un sens,
*Les Misérables* peuvent être considérés comme un roman historique et contiennent en tout cas des tableaux d'histoire,
comme l'épisode de la bataille de Waterloo, ou les récits
d'émeute dans les rues de Paris. Dans sa vieillesse même
Hugo revint au même genre dans *L'Homme qui rit* et *Quatre-
vingt-treize*, qui est une évocation de la Révolution et des
guerres de Vendée. Presque toute l'œuvre de Dumas enfin

est composée de romans historiques et il a comme découpé
en tranches l'histoire de France à partir du seizième siècle.
Malgré les prétentions à l'exactitude des écrivains romantiques, nous savons aujourd'hui que leur connaissance du
passé laissait en général beaucoup à désirer. Chez Hugo, le
décor est historique : les costumes, quelquefois les façons de
parler sont reconstitués assez fidèlement ; mais la documentation de l'auteur est beaucoup trop superficielle pour lui
permettre de reconstruire des caractères historiquement vrais.
La même critique s'appliquerait encore plus justement et
encore plus fortement à Alexandre Dumas. Il est avant tout
un maître conteur. Il sait accumuler les péripéties et faire
agir ses personnages avec un tel sens de l'intérêt dramatique
que le lecteur les suit sans trop se demander tout d'abord
s'ils sont vraisemblables, possibles ou réels. Le chef-d'œuvre
du genre pendant la période romantique a probablement été
donné par Mérimée dans *La Chronique de Charles IX*. Non
seulement sa couleur locale est en général plus exacte que
celle de ses contemporains, mais il a fait un effort évident
pour faire penser et parler ses personnages comme des
hommes et des femmes de la fin du seizième siècle.

Il est plus difficile de classer les romans de George Sand
dans un genre particulier. Elle débute par un roman de
passion, dans lequel elle montre l'amour s'élevant au-dessus
des conventions sociales et des lois ordinaires de la morale (*Indiana*, 1831). C'est chez elle, et non pas chez Jean-
Jacques Rousseau, que l'on trouvera la passion romantique
à son paroxysme. Elle continue bientôt par des romans où
les théories humanitaires se mélangent de façon curieuse à sa
théorie de l'amour et où l'on trouve déjà cet amour de la
nature qui devait reparaître si fortement plus tard dans ses
romans champêtres. On ne voit point chez elle de princes
épousant des bergères, mais on trouve au moins une grande

dame aimant et épousant un ouvrier imprimeur. Ses romans les plus connus appartiennent à une époque de sa vie où, lasse de la politique, après la Révolution de 1848, ayant perdu son premier enthousiasme pour les théories humanitaires et socialistes, elle était revenue vivre à Nohant dans le petit village du Berri où elle était née. Dans *La Petite Fadette* (1849), *François le Champi* (1850), *Les Maîtres sonneurs* (1852), elle met en scène les gens du Berri au milieu desquels elle avait grandi et avait vécu jusqu'à l'âge de vingt-six ans. Ils n'avaient d'ailleurs jamais été totalement absents de son œuvre et, en plus du roman qu'elle leur avait consacré dès 1846 (*La Mare au diable*), on les retrouve au premier plan dans *Le Meunier d'Angibault* (1845) et même dans *Jacques* (1834). Elle a peint les paysans et les paysages du Berri comme elle les voyait, avec sincérité. Peut-être son imagination a-t-elle idéalisé et poétisé la réalité, mais au fond les hommes comme les choses sont vrais chez elle et, en attirant l'attention des lecteurs parisiens et des lecteurs de province sur ce délicieux coin de France, elle a commencé un mouvement qui devait aboutir de nos jours à la production de nombreux romans régionalistes.

Comme tant de ses contemporains, Balzac a d'abord écrit des romans historiques. Ils sont fort mauvais, et leur auteur lui-même les a désavoués, puisqu'il ne les a pas fait figurer dans ses œuvres complètes. Le premier grand roman qu'il publia sous son nom est cependant encore un roman historique, puisque dans *Les Chouans* (1829) il a pris pour sujet un des derniers épisodes de l'insurrection royaliste à la fin du dix-huitième siècle, et que l'influence de Walter Scott s'y fait sentir très fortement. Il a groupé lui-même sous le titre général de *Comédie humaine* les ouvrages qu'il publia de 1830 à 1848. Né à Tours en 1799, il mourut à Paris en 1850, épuisé par un labeur formidable que lui imposaient à la fois

GEORGE SAND

son imagination prodigieuse et la nécessité de satisfaire ses créanciers. Dans le plan qu'il a tracé de la *Comédie humaine*, on voit nettement que Balzac s'était proposé de faire un tableau complet de la société de son temps. Il a lui-même réparti les romans qu'il nous a laissés dans les catégories suivantes : *Scènes de la vie privée; Scènes de la vie de province; Scènes de la vie parisienne; Scènes de la vie politique; Scènes de la vie militaire; Scènes de la vie de campagne; Études philosophiques.* Balzac n'a pu exécuter qu'en partie le plan gigantesque qu'il s'était tracé. Les *Scènes de la vie militaire*, par exemple, ne comprennent qu'un seul roman, *Les Chouans*, et les *Scènes de la vie politique* sont également incomplètes. *La Comédie humaine* n'en constitue pas moins un extraordinaire répertoire et comme une sorte d'histoire naturelle des Français dans la première moitié du dix-neuvième siècle. Toutes les classes sociales et tous les types humains du temps s'y trouvent représentés. A la suite de Balzac nous pénétrons dans les salons du Faubourg Saint-Germain et dans les bas-fonds où grouille un monde horrible de voleurs et d'assassins. La boutique d'un parfumeur, le cabinet d'un grand banquier, le magasin d'un marchand de châles, les pensions de famille du quartier latin, la galerie d'un grand collectionneur, le grenier où un artiste peint un chef-d'œuvre, l'hôtel d'une précieuse ridicule du dix-neuvième siècle, la sombre maison provinciale d'un vieil avare, le château d'un soldat de l'Empire devenu gentilhomme campagnard, tels sont quelques-uns des décors dans lesquels se meuvent des personnages doués d'une vie et d'une réalité extraordinaires. Personne avant Balzac, et probablement personne depuis lors, n'a montré avec la même puissance la conformité qui s'établit entre l'homme et le milieu qu'il habite, les difficultés qu'il éprouve quand il change de milieu et doit s'adapter à une société nouvelle et y trouver sa place.

HONORÉ DE BALZAC

Il a déployé le même génie réaliste dans la peinture des caractères. Il faut cependant remarquer que dans certains personnages de premier plan comme le père Grandet dans *Eugénie Grandet*, le père Goriot dans le roman du même nom, Balzac a grossi la réalité et créé des types qui sont en proie à une passion unique et absorbante, d'une intensité telle qu'elle se rencontre rarement dans la vie. Son imagination qui était une imagination romantique, c'est-à-dire peu réglée, est intervenue pour modifier et quelquefois déformer les traits que lui fournissait l'observation. Aussi Balzac, tout en étant à beaucoup d'égards le prédécesseur et le maître des écrivains réalistes, se rattache-t-il, tant par ses dates que par son œuvre, à la période romantique.

## QUESTIONNAIRE

1. Quelles sont les influences successives subies par le roman français aux dix-septième, dix-huitième et dix-neuvième siècles ?

2. Comment s'est développé le roman historique ? Quelle a été l'œuvre de l'époque romantique au point de vue de l'histoire ? Citez deux historiens de cette époque.

3. Quel écrivain étranger contribua à la vogue du roman historique ?

4. Citez trois romans historiques de Hugo. Quels en sont les sujets ? Trouve-t-on chez Dumas une véritable exactitude historique ?

5. Donnez le titre et le sujet du premier roman de George Sand. Où passa-t-elle la fin de sa vie ?

6. Donnez le titre de trois de ses principaux romans. Quels personnages décrit-elle ? Quels paysages a-t-elle aimés ?

7. Quel roman historique a écrit Balzac ? Sous quel titre a-t-il groupé ses ouvrages ? Quelles divisions avait-il choisies ? A-t-il réalisé l'œuvre qu'il avait projetée ?

8. Citez les différentes classes de la société qu'il étudie. A-t-il exagéré certains caractères ? Comment se rattache-t-il à la période romantique ?

# CHAPITRE XXXI

## COURANTS ET TENDANCES PENDANT LA PÉRIODE ROMANTIQUE. L'ÉCOLE DE L'ART POUR L'ART

APRÈS une longue période de préparation, qui comprend toute la seconde moitié du dix-huitième siècle et les premières années du dix-neuvième, le romantisme était arrivé à son plein épanouissement aux environs de 1830. En moins de vingt années il avait donné ses chefs-d'œuvre les plus caractéristiques ; aux environs de 1850 il se survivait à lui-même. Chateaubriand meurt en 1848, Balzac en 1850, Vigny est depuis longtemps retiré dans son manoir du Maine-Giraud et ne publie plus qu'à de rares intervalles ses poèmes philosophiques, Lamartine a abandonné la poésie pour la politique, Musset mourra en 1857 et Victor Hugo lui-même va pendant vingt ans rester éloigné de Paris. Les grands romantiques vont être remplacés par une génération nouvelle. Avant de l'étudier, il convient de revenir en arrière pour examiner les différentes tendances qui s'étaient manifestées de 1830 à 1850. Elles sont nombreuses, variées et souvent contradictoires, et ces contradictions se rencontrent dans tous les genres.

Nous avons vu que pour Augustin Thierry et surtout pour Michelet l'histoire devait être une résurrection du passé, mais on aurait tort de croire qu'il ne s'agissait là pour l'historien que de peindre une succession de tableaux brillants. Non seulement Michelet a fouillé dans les archives, mais encore il a voulu fonder l'histoire sur la géographie : son *Histoire de*

*France* commence par un *Tableau de la France* dans lequel il s'attache à différencier les différentes régions, à en indiquer la physionomie. L'on voit ainsi reparaître sous une forme plus détaillée et plus souple la vieille théorie des climats de Montesquieu. Mais à côté de Michelet, Guizot s'appliquait à dégager une philosophie de l'histoire en se plaçant au point de vue politique et au point de vue social, en négligeant toute note pittoresque. Dans sa *Démocratie aux États-Unis* (1836–1839), Tocqueville donnait une analyse pénétrante du système gouvernemental d'un grand pays et cherchait à expliquer comment la démocratie américaine sortait des conditions mêmes qui existaient dans la pays, tandis que dans *L'Ancien Régime* il montrait comment la France s'était acheminée vers la Révolution. Les historiens de cette période ne cherchent donc pas simplement à peindre, mais encore à expliquer l'enchaînement des faits, à rechercher les causes lointaines et profondes des événements.

Dans la philosophie, Victor Cousin avait voulu choisir dans les doctrines spiritualistes ce qu'elles avaient de meilleur ; mais en face de lui on doit placer Auguste Comte, le fondateur du positivisme, qui essaie d'organiser l'étude des faits et d'introduire les méthodes scientifiques dans le domaine de la sociologie. A regarder de plus près, on est frappé du développement que prend la science, au moment même où le lyrisme romantique atteint son apogée. Lamarck avait dès le début du siècle fondé le transformisme ; Geoffroy Saint-Hilaire et Cuvier ont sur l'histoire du monde, l'apparition et le développement des espèces des discussions qui passionnent l'opinion publique. Les découvertes d'Ampère et d'Arago sur l'électricité attirent l'attention générale. Peu à peu on voit se manifester un état d'esprit analogue à l'enthousiasme que l'on avait éprouvé pour la théorie du progrès au dix-huitième siècle. On cherchera dans la science une véritable religion et, dès 1848, Renan célèbre l'avènement d'un âge nouveau dans *L'Avenir de la science* (publié seulement en 1890).

En même temps se développe un désir d'étudier les faits, de les collectionner, de les classer, qui apparaît même dans la littérature pure. Stendhal est conduit à rejeter le lyrisme de ses contemporains dans la peinture de la passion, pour étudier l'amour de façon précise et méthodique, et analyser la volonté et l'ambition dans *Le Rouge et le noir*. Il fut peu compris de ses contemporains, mais il exercera aux environs de 1880 une influence considérable sur le développement du roman psychologique. Une tendance analogue apparaît dans l'œuvre de Sainte-Beuve, non seulement dans son roman *Volupté* (1835), mais surtout dans ses ouvrages de critique : *Causeries du lundi* (1851–1872) etc. Alors que des critiques comme Nisard et Villemain veulent encore juger les écrivains, déterminer leur mérite selon certaines règles et certaines lois, Sainte-Beuve se propose avant tout de comprendre, puis de décrire et de faire comme il dit « l'histoire naturelle des esprits ».

D'autre part, tout en maintenant que l'écrivain devait avoir pleine et entière liberté de peindre ses sentiments et ses passions, d'exprimer ses opinions sur le monde, la vie et la société, de prêcher un idéal social, philosophique ou religieux, les romantiques n'en avaient pas moins conservé un certain idéal artistique. Ils refusaient de reconnaître cet idéal dans la littérature du dix-septième siècle, mais certains d'entre eux allaient bientôt redécouvrir l'antiquité et, en particulier, l'antiquité grecque. Au début du siècle, la publication des *Martyrs* de Chateaubriand, de son *Itinéraire de Paris à Jérusalem* et des œuvres de Chénier avait déjà attiré l'attention sur la Grèce. L'enthousiasme que soulevèrent les efforts de la Grèce pour se libérer du joug turc (1821–1829), la participation de la France et de l'Angleterre à la guerre contre la Turquie, déterminèrent bientôt un mouvement philhellénique dont profita la Grèce antique. On trouva chez elle un idéal de beauté plastique, d'expression sobre, mesurée et harmonieuse qui faisait équilibre au « beau désordre » romantique. Paul Louis Courier (1772–1825) s'était déjà proposé comme modèles les prosateurs grecs. Maurice de Guérin (1810–1839) voulut dans *Le Centaure* (publié seulement en 1840) se transporter dans l'âge mythologique de la Grèce. Théophile Gautier, qui avait commencé par un romantisme échevelé et désordonné, proclame dès 1835 dans la préface de *Mademoiselle de Maupin* que l'art est supérieur à toutes les conventions et à toutes les lois ; il en fait une véritable religion et ce culte s'affirmera et atteindra son maximum dans les *Émaux et camées* (1852).

Mais si la littérature doit avant tout être artistique, il devient évident qu'elle ne saurait s'adresser qu'à une élite. Ici les précurseurs de l'école de « l'art pour l'art » se rencontraient avec les purs romantiques dans leur haine et leur condamnation du « bourgeois », être ignorant et stupide qui ne connaît ni la passion ni la beauté. Le pur artiste ne doit donc pas s'attendre à la grande gloire, il doit encore moins chercher à plaire à la foule. Il devra s'efforcer aussi par un long travail, de patients efforts, de sculpter la matière informe, d'atteindre la perfection de l'expression, et c'est ainsi que l'on voit les successeurs et les héritiers des romantiques se refuser toute licence poétique (voir Théodore de Banville, *Petit Traité de poésie française*, 1872).

Goût de l'observation, étude des faits précis et menus, efforts patients pour rendre la nature extérieure avec ses couleurs, ses nuances, ses formes, pour décrire l'homme dans son milieu, reconstituer sa vie avec autant d'exactitude que possible, qu'il appartienne à notre époque ou à une époque lointaine, avant tout produire une œuvre qui soit une œuvre d'art par la perfection de la forme,—tels sont les éléments qui constituent le nouvel idéal qui va se substituer à l'idéal romantique, et que Flaubert d'une part et les Parnassiens de l'autre vont s'efforcer de réaliser.

### QUESTIONNAIRE

1. Quelle est la plus belle période du romantisme?

2. De quelle façon Michelet a-t-il compris l'histoire? Où trouve-t-il ses documents? Quelle théorie fait-il revivre?

3. Guizot a-t-il la même conception de l'histoire que Michelet? Qui a écrit la *Démocratie aux États-Unis*?

4. Quel est le fondateur du positivisme?

5. Citez les plus grands noms dans le domaine de la science à cette époque.

6. Qu'étudie Stendhal dans *Le Rouge et le noir*? Eut-il de l'influence?˙ Sur qui?

7. A quel moment a-t-on recommencé à s'occuper de la Grèce? Pourquoi? Quel fut le résultat de cet intérêt?

8. Quel est l'auteur du *Centaure*? Quelle est la théorie de Théophile Gautier sur l'art? Citez un de ses livres de poésies.

9. Quel est d'après les partisans de l'art pour l'art le but que doit se proposer le vrai poète? Quel nouvel idéal commence à se former en littérature?

# CHAPITRE XXXII

## RÉALISTES ET NATURALISTES

Sɪ PAR écrivain réaliste on entend un écrivain qui se propose de donner une reproduction exacte, complète et surtout non embellie de la vie et de la réalité, on peut trouver des ancêtres aux écrivains réalistes modernes dans la littérature du moyen âge. Les auteurs des fabliaux, au dix-septième siècle Scarron, Sorel, Furetière, Molière dans plusieurs de ses pièces, au dix-huitième siècle Marivaux (dans *La Vie de Marianne*), Diderot (dans *Le Neveu de Rameau*) représentent ce courant réaliste qui traverse toute l'histoire de la littérature française. Pendant l'époque romantique même, Sainte-Beuve, probablement sous l'influence des poètes anglais, avait voulu traiter des sujets familiers dans ses *Poésies de Joseph Delorme*, et Victor Hugo l'avait suivi dans de nombreux poèmes de la période qui va de 1830 à 1845. On faisait donc du réalisme sans le savoir jusqu'aux environs de 1848, date à laquelle des écrivains et des peintres se proclamèrent hautement des *réalistes* pour protester contre les exagérations des romantiques. Ces premiers réalistes, Champfleury et Duranty, s'efforcèrent de donner des reproductions exactes de la vie courante moyenne de leurs contemporains ; ils n'ont guère réussi à donner que des tableaux assez ternes, sans style et sans intérêt. Ils seraient sans doute oubliés si quelques-unes de leurs idées n'avaient été reprises et exposées systématiquement par Taine et surtout si, à tort ou à raison, Flaubert n'avait été considéré comme un réaliste.

Doué d'une sensibilité maladive qu'il fait tous ses efforts pour dissimuler, d'une imagination désordonnée qu'il a voulu contenir, Flaubert est au fond un romantique qui, voulant se guérir du « mal du siècle », s'est soumis à une sorte de traitement intellectuel dont le réalisme classique forma la base. Il s'est contraint à peindre les bourgeois qu'il méprisait ; il s'est efforcé de ne mettre rien de lui-même dans son œuvre et, comme on dit, d'être objectif ; il a maintenu que l'écrivain avait le droit de tout décrire, même les pires laideurs. Mais en même temps, et c'est par là qu'il diffère essentiellement des réalistes proprement dits, il s'est proposé un idéal artistique des plus élevés auquel il a tout sacrifié. Presque enfant, il avait commencé à écrire, et ces ébauches, publiées après sa mort sous le titre d'*Œuvres de jeunesse*, témoignent à la fois d'un lyrisme débordant et de sens extrêmement raffinés qui lui font saisir les moindres bruits, les moindres nuances, les moindres détails des scènes qu'il décrit. Il était né à Rouen en 1821, et ne publia sa première œuvre, *Madame Bovary*, qu'en 1856. On y trouvait une peinture vraie, mais un peu caricaturale, de la vie d'une petite ville normande ; on y voyait passer le pharmacien Homais, dont Flaubert reproduit les discours pleins d'emphase et les sottises solennelles, le percepteur Binet, le curé du village l'abbé Bournisien, toute une humanité médiocre et terne. C'est pourtant dans ce milieu que Flaubert place son héroïne, Emma Bovary, fille d'un brave fermier, dont l'imagination a été exaltée par la lecture de romans historiques ou exotiques et qui d'après ses lectures s'est formé de la vie une image irréelle. C'est de cette disproportion entre ses rêves et la réalité que souffre et meurt Madame Bovary et, en plus d'un endroit, Flaubert s'est peint sans le vouloir sous les traits de son héroïne. Il appliqua les mêmes procédés dans son roman historique de *Salammbô* (1862), dans lequel il a voulu reconstituer la vie de Carthage aux temps des guerres puniques. Il a passé des années à se documenter de la façon la plus minutieuse. Il a voulu que les costumes, les armes, les bijoux, les cérémonies religieuses, les processions et les sacrifices, les combats et les supplices fussent d'une exactitude absolue. Ce souci de la vérité archéologique l'entraîne parfois à des descriptions qui semblent un peu longues ; mais même alors, le rythme de ces phrases qu'il avait polies et ciselées comme un artiste travaille un bijou reste aussi pur et aussi musical. Flaubert revint à l'étude de la vie contemporaine dans *L'Éducation sentimentale* (1869). Il publia la *Tentation de saint Antoine* en 1874 après de nombreux remaniements : c'est une sorte de vision prodigieuse dans laquelle on voit défiler toutes les civilisations et toutes les philosophies de l'antiquité. *Les Trois Contes* (1877) donnent une sorte de raccourci des différents aspects du génie de Flaubert. Dans *Un Cœur simple*, on pourra l'observer comme peintre de l'humble réalité ; dans *La Légende de saint Julien l'Hospitalier*, il laisse percer son imagination romantique qu'il n'est jamais arrivé à étouffer complètement, et dans *Hérodias* on pourra étudier son réalisme historique et sa vision d'une antiquité splendide et barbare.

Les tendances réalistes sont plus exactement représentées par les Goncourt (Edmond, 1822–1896, et Jules, 1830–1870). Leurs romans sont caractérisés par la recherche du document et par « l'écriture artiste ». Il ne s'agit plus en effet pour eux de retrouver la réalité dans une sorte de vision et d'après des souvenirs. Pour faire vrai, il faut ramasser des faits, prendre des notes, avoir l'œil sans cesse aux aguets, et étudier la vie avec la minutie et l'exactitude d'un érudit qui essaie de reconstituer un ancien texte. Mais, parmi les documents ainsi recueillis, beaucoup sont nécessairement d'une banalité extraordinaire ; il faudra donc que l'écrivain fasse un choix.

GUSTAVE FLAUBERT

Dans le cas des Goncourt ce choix s'est porté trop souvent sur les documents rares, qui présentaient quelque chose d'anormal et même de pathologique. Ils n'ont pas en effet dépeint les types humains moyens et normaux, mais ils ont recherché les « cas intéressants », et les ont décrits avec l'enthousiasme scientifique d'un médecin qui découvre une nouvelle maladie. D'autre part, malgré leur souci d'exactitude, ils sont aussi des artistes plus que des savants, et leurs descriptions ressemblent tantôt à des pointes sèches, tantôt à des eaux-fortes en couleur et tantôt enfin à des tableaux impressionnistes où l'on voit se jouer les couleurs, et où ressortent les taches de lumière.

Au total, le réalisme, malgré ses prétentions scientifiques, empruntait relativement peu à la science. L'écrivain s'efforçait de ne mêler aucune préoccupation philosophique ou religieuse à la reproduction de la réalité, il observait la vie extérieure comme un savant observe un phénomène biologique, en se défendant d'être ému, sans blâmer et sans admirer. En fait, Flaubert et les Goncourt étaient loin d'atteindre à cette impassibilité de l'homme de science, et leur sensibilité était trop vive et trop intense pour ne pas modifier leur observation. De plus, ils sont des artistes encore plus que des observateurs, et il y a autant de différence entre leurs descriptions et la réalité qu'entre un tableau et le paysage qu'il reproduit. Avec Zola les préoccupations scientifiques vont occuper une place prépondérante : le réalisme devient le naturalisme.

Il y a dans le cas de Zola (1840–1902) quelque chose d'assez déconcertant. Après avoir lu l'*Introduction à l'étude de la médecine expérimentale* de Claude Bernard et un ouvrage sur l'hérédité, il projeta le plan d'une série de romans dans lesquels il montrerait comment une tache héréditaire originelle se transmet pendant plusieurs générations dans une même

famille dont les membres ont des destinées variées, et finissent
par représenter toutes les couches sociales. Dans sa série des
*Rougon-Macquart, histoire naturelle et sociale d'une famille
sous le second Empire,* on trouve donc à la fois un tableau de
la société française pendant une certaine période et la démonstration, plus ou moins concluante, d'une théorie à la
mode sur l'hérédité. S'appuyant sur une hypothèse scientifique, très mal posée à cette date et encore fort obscure et
pleine d'incertitudes, Zola n'a pas hésité à lui attribuer une
valeur absolue et permanente. De plus, il a commis une erreur assez étrange en confondant observation et expérimenta-
tion, et en prétendant créer le *Roman expérimental* (titre de
son ouvrage publié en 1880). Car il est évident que le romancier ne peut avoir la prétention de faire des expériences
et, en tout cas, il ne pourrait guère faire des expériences sur
des hommes. Tout au plus peut-il les observer. Enfin, cet
homme qui s'est documenté avec tant de soin, qui est des-
cendu dans les puits de mine avant d'écrire *Germinal* (1883),
qui a fait des voyages sur des locomotives avant d'écrire
*La Bête humaine* (1890), avait une prodigieuse imagination, une imagination vraiment épique. De ces prétentions
à la science et de ce génie presque visionnaire est résultée
une œuvre inégale, détestable en certaines parties et splendide en d'autres, mais qui, en tout cas, ne peut être considérée comme une peinture exacte de la société du second
Empire. L'imagination l'emporta d'ailleurs sur la manie
scientifique dans la dernière partie de sa vie, comme on peut
le voir dans les ouvrages qu'il publia après 1893.

Alphonse Daudet (1840–1897), qui fut le contemporain
et l'ami de Zola, avait trop de spontanéité pour s'attacher
étroitement à aucune école. Il éprouve trop de sympathie
pour les personnages qu'il met en scène, comme son Tartarin (*Aventures prodigieuses de Tartarin de Tarascon,* 1872 ;

*Tartarin sur les Alpes*, 1885; *Port-Tarascon*, 1890) pour se piquer de froideur scientifique. Il a fait dans son œuvre une large place au sentiment (*Le Petit Chose*, 1868; *Fromont jeune et Risler aîné*, 1874; *Jack*, 1876) et, ne serait-ce que par là, il se distinguerait nettement de Flaubert, des Goncourt et de Zola. Comme les écrivains de sa génération, cependant, il a voulu donner une reproduction exacte et pittoresque de la réalité, et aux Goncourt il a emprunté de nombreux procédés de style et la notation minutieuse de sensations. A mesure qu'il avançait dans la vie, il a diminué la part de l'imagination et de la fantaisie, et dans ses dernières œuvres son observation devient plus amère et plus pessimiste (*Numa Roumestan*, 1880; *L'Évangéliste*, 1883; *Sapho*, 1884; *L'Immortel*, 1888).

A côté de lui, Guy de Maupassant (1840–1893) occupe une place bien à part dans le mouvement naturaliste. Élève et disciple de Flaubert qui le conseilla aux débuts de sa carrière, il ne publia ses premiers contes qu'à l'âge de quarante ans et en moins de dix ans donna tout son effort. Ce Normand solide et athlétique avait une sensibilité nerveuse qui dans les dernières années de sa vie devint nettement pathologique, et plus exaspérée même que celle des Goncourt. Aux notations de formes, de mouvements, de couleurs et de sons, il ajoute les parfums et les odeurs, et la combinaison de ces différents éléments arrive à donner à ses descriptions l'apparence de la réalité même. Dans ses contes il a ramassé en quelques pages le drame de bien des existences humaines. Les paysans de Normandie, les pêcheurs, la petite bourgeoisie de la province et de Paris, le monde des employés et des fonctionnaires et, dans ses romans, les artistes, les journalistes, les aristocrates et les mondains sont les acteurs d'une comédie humaine plus complète et plus vraie que celle de Balzac ou de Zola, bien que Maupassant se soit proposé une tâche moins

GUY DE MAUPASSANT

ambitieuse. Son pessimisme avait été aggravé par la maladie et les souffrances qu'il dissimulait presque stoïquement. Malgré la rapidité avec laquelle il écrivit certains de ses contes, il resta un artiste, grâce aux leçons de Flaubert ; mais la sincérité de son art et la simplicité des moyens qu'il emploie rapprochent cet écrivain naturaliste des grands classiques de la littérature.

A côté de ces grands noms, il faudrait pour être juste nommer plusieurs écrivains secondaires dont l'œuvre n'a pas la même étendue, et qui se rattachent plus ou moins directement au réalisme et au naturalisme. Jules Vallès (1833–1885), peintre rude, amer, mais d'une grande sincérité, de la vie des révoltés, et Léon Cladel (1835–1892) doivent au moins être mentionnés. Aux environs de 1888, cependant, le réalisme et le naturalisme n'ont déjà plus de programme bien déterminé. Plusieurs jeunes écrivains se séparent de Zola et protestent contre la grossièreté systématique de certains de ses ouvrages après la publication de *La Terre* (1888). Les auteurs n'essaient plus de se rattacher à une école ou à un groupe pour suivre leurs préférences individuelles, et l'on constate un retour marqué vers le roman psychologique avec Bourget et Barrès que nous étudierons plus loin.

### QUESTIONNAIRE

1. Montrez quels furent les prédécesseurs des écrivains réalistes modernes. Citez deux de ces écrivains.

2. Flaubert est-il un romantique ou un réaliste ? Quel est son idéal littéraire ? Quelles sont les caractéristiques de ses « œuvres de jeunesse » ?

3. En quelle année est-il né ? A quelle date a-t-il publié *Madame Bovary* ? Quels en sont les principaux personnages ?

4. Quel roman historique Flaubert a-t-il écrit ? Quelles qualités y reconnaît-on ?

5. Citez les autres œuvres de Flaubert.

6. Citez deux autres écrivains réalistes. De quelle façon ont-ils compris le roman ? Qu'est-ce que « l'écriture artiste » ?

7. Flaubert et les Goncourt ont-ils été des écrivains absolument réalistes ?

8. Quelle école succède à l'école réaliste ? Par quel auteur est-elle surtout représentée ?

9. Qu'a voulu faire Zola dans le roman expérimental ? Dans *Les Rougon-Macquart* ? A-t-il dépeint de façon exacte la société de son temps ?

10. Alphonse Daudet est-il purement réaliste ? Donnez le titre de ses romans les plus connus. En quoi se distingue-t-il des Goncourt ? Quel sentiment domine vers la fin de sa vie ?

11. Quelles sont les principales dates de Maupassant ? De qui fut-il le disciple ? Quels personnages met-il en scène ? Quel jugement peut-on porter sur son œuvre ?

12. Citez quelques autres écrivains de l'école naturaliste.

# CHAPITRE XXXIII

## PARNASSIENS ET SYMBOLISTES

C'EST seulement en 1866 que l'éditeur Lemerre groupa dans une sorte d'anthologie, qu'il appela *Le Parnasse contemporain*, un certain nombre de poètes qui, sans s'être tracé de programme déterminé, semblaient cependant avoir des aspirations et des tendances communes. Ils entendaient avant tout protester contre les exagérations du lyrisme romantique. Ils voulaient que la poésie fût objective et impersonnelle et, en même temps, ils insistaient sur une forme parfaite, sans aucune des négligences qui, à leurs yeux, déparaient l'œuvre de leurs prédécesseurs. On voit combien cette conception était proche de celle de Flaubert. En réalité les Parnassiens, comme Flaubert, étaient des représentants de la théorie de l'art pour l'art.

Celui qu'ils reconnurent pour un maître, Leconte de Lisle (1818–1894), avait, déjà à cette date, donné ses deux recueils les plus importants (*Poèmes antiques*, 1852; *Poèmes barbares*, 1862). L'influence de Victor Hugo sur lui était évidente; mais Leconte de Lisle, épris d'art grec et visant à une forme parfaite, avait résolument renoncé aux orgies verbales de son illustre maître. Avant Hugo même il a entrepris de faire revivre dans ses vers des civilisations lointaines ou des civilisations disparues. Il consacre des séries de poèmes à l'antiquité grecque, à l'antiquité latine, à l'Écosse des bardes, à la Scandinavie, au moyen âge européen. C'est peut-être à sa naissance dans une île de l'Océan Indien, la Réunion, qu'il

LECONTE DE LISLE

doit son amour pour l'Orient, la Perse, l'Arabie, et surtout l'Inde. Mais alors que V. Hugo, en disciple fidèle des philosophes du dix-huitième siècle, conservait sa foi dans le progrès et dans l'humanité, Leconte de Lisle maintient à travers toute son œuvre le même pessimisme à l'égard de la vie. Ce pessimisme devient plus amer et moins résigné, et l'accent de révolte contre l'injustice de la destinée se fait entendre encore plus fortement dans ses deux derniers recueils de vers (*Poèmes tragiques*, 1884, et *Derniers Poèmes*, 1894). On ne peut dire cependant qu'il soit resté impassible devant la douleur humaine, et cette épithète qui lui a été appliquée a été souvent prise à contre-sens. Il a fièrement et hautainement refusé de prendre le public pour confident de ses propres souffrances ; mais sa révolte même devant la cruauté qu'il voit dans la vie et dans la nature témoigne suffisamment d'une sensibilité aiguë. A la reconstitution des âges disparus il a apporté le souci d'exactitude d'un érudit, et par là encore il se rapproche de Flaubert (*Salammbô*) et s'écarte nettement des romantiques dont la couleur locale était souvent fantaisiste. Cette exactitude ne l'a point empêché d'être un grand poète descriptif. Ses paysages palpitent sous la lumière du soleil, et dans des cadres d'une magnificence et d'une grandeur prestigieuses se meuvent lentement des personnages aux attitudes sculpturales.

Son disciple le plus proche, José-Maria de Heredia (1842–1905), poussa presque jusqu'à l'excès cet idéal de perfection plastique et mit trente ans à rendre parfait son unique recueil de vers, *Les Trophées*. Dans le cadre limité de ses sonnets, il a voulu enfermer une série de tableaux qui constituent eux aussi une sorte d'histoire de l'humanité. Mais Heredia n'a point le pessimisme de son maître. Bien qu'il ait voulu être impersonnel, le choix même de ses sujets le montre épris des grandes aventures et des grandes actions, et l'on perçoit nettement son regret de n'avoir pas vécu aux temps où les héros emplissaient la terre du bruit de leurs exploits, et où il restait encore des mondes inconnus à découvrir.

Parmi les poètes mêmes dont *Le Parnasse contemporain* avait recueilli les œuvres, il s'en trouvait au moins deux qui annonçaient déjà une poésie nouvelle, fort différente de l'idéal parnassien. Le premier est Baudelaire, le second Sully-Prudhomme.

Les *Fleurs du mal*, dont plusieurs poèmes avaient été publiés séparément, parurent en volume en 1857. Baudelaire (1821–1867) dans sa jeunesse fréquenta Théophile Gautier et Théodore de Banville; et par là il se rattache à la fois au romantisme et à l'école de l'art pour l'art. C'est au romantisme en effet que l'on peut attribuer son goût du macabre, de l'étrange, de l'artificiel et du grotesque. D'autre part, il est épris de beauté formelle et de perfection plastique, ce qui le rapproche des Parnassiens. Mais plus encore que les formes ou les couleurs il aime les parfums et la musique. Aux descriptions trop précises et trop détaillées il préfère souvent les expressions qui suggèrent plutôt qu'elles ne peignent, et sa personnalité étrange et complexe est partout présente dans son œuvre. Placé comme il l'est au milieu du siècle, il résume en lui tout un aspect du romantisme, en même temps qu'il annonce et permet déjà de prévoir l'art bien différent des symbolistes.

D'autre part, Sully-Prudhomme (1839–1907), de façon détournée et discrète, introduisait à nouveau dans la poésie la pensée philosophique et l'expression de sentiments personnels. Doué d'une sensibilité délicate et très fine, il a vécu à l'écart des querelles littéraires, dans une demi-solitude volontaire. Il y a déjà dans quelques-uns de ses poèmes (*Les Épreuves*, 1866; *Les Solitudes*, 1869; *Les Vaines Tendresses*, 1875) le goût de la mélancolie discrète, des tristesses vagues, des nuances et des demi-teintes qui va reparaître chez Verlaine et quelques-uns de ses contemporains.

Bien que Verlaine ait été considéré pendant quelque temps comme le chef des symbolistes, il ne se rattache en réalité à aucune école définie. Il avait commencé par être un poète parnassien, très épris de beauté formelle, sculpturale et pittoresque (*Poèmes saturniens*, 1866; *Fêtes galantes*, 1869). Sa rencontre avec Arthur Rimbaud le lança dans une voie nouvelle. Rimbaud (1854–1891) était un étrange génie qui de seize à vingt ans composa des poèmes défiant les traditions les mieux établies de la poésie française. Libéré de toutes les règles de la prosodie, se préoccupant peu de la rime, inventant de nombreuses combinaisons rythmiques, faisant défiler dans ses vers des successions d'images peu cohérentes, Rimbaud est le véritable prédécesseur des symbolistes et son influence est encore marquée. Verlaine alla beaucoup moins loin que lui, et se borna à protester contre ce qu'il y avait de trop précis et de trop net dans l'art du Parnasse; il vante l'imprécision, la douceur et se défie des rythmes trop accentués et trop nettement marqués comme des images trop éclatantes. Dans la pratique il fut beaucoup moins hardi qu'en théorie et fut vite dépassé par ceux-là même qui en lui avaient d'abord vu un maître. A côté de lui Mallarmé, infiniment plus hardi, affirma que la fonction de la poésie était non de *décrire*, mais de *suggérer* par l'emploi de symboles, de combinaisons de sons et de rythmes. En même temps, à partir de 1886 surtout, les jeunes poètes se révoltent hardiment contre la théorie traditionnelle du vers français, et veulent lui substituer le vers libre, seul capable d'exprimer les tendances de ce nouvel art. C'était en réalité plus qu'un nouvel art, c'était une nouvelle façon de considérer la vie et une nouvelle philosophie qui s'introduisaient dans la littérature.

On peut dire en effet que jusqu'aux environs de 1880 la fameuse parole « ce qui n'est pas clair n'est pas français » s'applique à toute la littérature, et reste vraie de toutes les écoles et de toutes les époques. La poésie française elle-même a un tel idéal de clarté que certains critiques étrangers n'ont voulu voir en elle qu'une sorte de prose plus colorée, rimée et à peine rythmée. Il est certain que les romantiques eux-mêmes n'ont point le sens du mystère, bien que le mot se trouve souvent chez eux. C'est seulement dans la seconde moitié du dix-neuvième siècle qu'un élément nouveau s'introduisit dans la littérature française sous l'influence des littératures étrangères, traduction d'Edgar Poe par Baudelaire, plus tard traduction des romans russes et du théâtre d'Ibsen, grâce aussi au développement qu'avait pris l'étude de la philosophie de l'inconscient. A ces diverses influences vint s'ajouter celle de la musique de Wagner qui fut énorme. Il ne s'agira plus pour le lecteur de suivre la pensée du poète, de partager ses émotions, ses douleurs et ses enthousiasmes ; on ne trouvera plus suffisant de voir défiler dans ses vers des pays étranges et des paysages exotiques. La poésie se proposera, comme la musique, d'éveiller des images qui jusque-là dormaient en nous, de nous suggérer des thèmes qui nous feront rêver et que nous laisserons se développer dans notre esprit. Autrement dit, le symbolisme, ayant reconnu en nous l'existence d'éléments inconscients, comme on disait alors, ou plutôt subconscients, comme nous disons aujourd'hui, y voyait le vrai domaine de la poésie. C'est pour cette raison que, malgré ses excès et ses ridicules, le symbolisme fut autre chose qu'une mode passagère. On le retrouve sous d'autres noms et sous une forme modifiée chez la plupart des poètes modernes, et on le reconnaît sans peine chez des poètes libérés des entraves de la vieille prosodie comme Henri de Régnier et Paul Claudel.

## QUESTIONNAIRE

1. Qu'est-ce que le « Parnasse contemporain » ? En quoi l'idéal des Parnassiens se rapprochait-il de celui de Flaubert ?

2. Quand vécut Leconte de Lisle ? Quels sont les sujets de ses poèmes ? Citez les titres de ses recueils.

3. Quelle est son attitude à l'égard de la vie ? Ses poèmes sont-ils descriptifs ?

4. Quel fut son meilleur disciple ? Qu'a-t-il publié ? Quelle impression donnent ses poèmes ?

5. Donnez le nom de deux poètes dont l'œuvre est différente de celle des Parnassiens. Quel est le titre du volume de poèmes de Baudelaire ?

6. Comment Baudelaire se rattache-t-il au romantisme ? Qu'a-t-il de commun avec les Parnassiens ? Qu'ajoute-t-il à la poésie ?

7. Quelle tendance apparaît chez Sully-Prudhomme ? Donnez le titre de deux de ses recueils.

8. A quelle école se rattache Verlaine avant sa rencontre avec Rimbaud ? Quelle nouveauté Rimbaud apporte-t-il dans la poésie ?

9. Quelle conception Mallarmé a-t-il de la poésie ? Quelle est la nouvelle forme qui remplace le vers français traditionnel ?

10. Quelles sont les influences qui agissent sur la poésie à la fin du siècle ? Quel est le nom de la nouvelle école ? Montrez son importance.

# CHAPITRE XXXIV

## LE THÉATRE DEPUIS 1850

LES efforts d'écrivains isolés, comme Ponsard et Casimir Delavigne, ne purent réussir à faire revivre la tragédie pendant la période romantique. Le drame romantique lui-même était condamné après l'échec des *Burgraves* (1843). De nos jours il a connu un renouveau de jeunesse sous une forme à peine modifiée : le drame poétique dont Catulle Mendès (*La Reine Fiammette*, 1894), François Coppée (*Pour la couronne*, 1895), Jean Richepin (*Le Flibustier*, 1888; *Le Chémineau*, 1897; *Don Quichotte*, 1905) et surtout Edmond Rostand (*Cyrano de Bergerac*, 1897; *L'Aiglon*, 1900; *Chantecler*, 1910) sont les principaux représentants.

Dans la période qui s'étend de 1850 à 1880, le théâtre aura pour objet de peindre la société du temps, de la réformer ou de faire rire de ses travers. Émile Augier (1820–1889) avait commencé par des comédies en vers assez prosaïques. Bourgeois et fils de bourgeois, défenseur de la morale traditionnelle, des vertus familiales, de l'ordre et du bon sens, il s'oppose nettement aux tendances romantiques, et n'hésite pas à signaler le danger que, selon lui, elles présentent pour la société (*Gabrielle*, 1849; *Le Mariage d'Olympe*, 1855). Il ne faudrait cependant pas croire qu'il refuse de voir les défauts de la classe moyenne. Il déplore que cette bourgeoisie française, dans laquelle s'étaient conservées les habitudes de bon sens et de modération qui lui sont chères, soit en train de disparaître, se laisse entraîner par la fièvre de la spéculation

(*Les Effrontés*, 1861) ou éblouir par le faux éclat des titres nobiliaires (*Le Gendre de M. Poirier*, 1854). Il continue donc en plein dix-neuvième siècle la tradition de Molière. Comme lui, il affirme la nécessité de fonder le mariage sur l'amour; comme lui, il nous fait rire des « nouveaux riches » qui jouent au gentilhomme; et comme lui encore, il attaque violemment l'hypocrisie religieuse (*Le Fils de Giboyer*, 1863). Il est inutile de dire qu'il n'a point le génie de Molière. Augier n'a pas créé de types comme M. Jourdain, Tartufe ou Harpagon, mais les caractères qu'il met à la scène sont vivants, bien dessinés, et son théâtre constitue un précieux document pour l'histoire des mœurs pendant le second empire. En tout cas, il montre nettement que le romantisme était passé de mode, et que le public assagi demandait à la littérature de lui donner une peinture plus exacte de la vie moyenne.

Alexandre Dumas fils (1824–1895) ne s'est pas contenté de peindre les mœurs de ses contemporains : il a voulu les réformer et les corriger. Il s'est érigé en critique impitoyable de la société dont il a signalé les préjugés, les conventions tyranniques et les injustices. Il a voulu montrer comment la question d'argent corrompait le mariage (*La Question d'argent*, 1857). Il s'est élevé contre la morale bourgeoise qui excuse les fautes de l'homme et prononce une condamnation impitoyable contre la femme. Il a protesté contre les préjugés sociaux qui rendent les enfants naturels responsables de la faute de leur mère (*Le Fils naturel*, 1864). Il doit au milieu dans lequel il a été élevé et à l'influence de son père le sens de l'action dramatique, de l'enchaînement des situations; il avait lui-même un esprit mordant et un cœur généreux. Il a créé la *pièce à thèse* qui, de nos jours, devait reparaître au théâtre avec Brieux. On peut lui reprocher, quand il a choisi un personnage pour lui servir de porte-parole, de l'avoir souvent fait parler trop longtemps et avec trop de complaisance. Certaines scènes deviennent ainsi des sortes de conférences, parfois des sermons laïques, et sont à peine « du théâtre ».

Sans avoir d'autre prétention que de faire rire et d'amuser le public Eugène Labiche (1815–1888) a, par contre, écrit d'excellentes comédies. Beaucoup d'entre elles sont de simples farces, mais quelques-unes (*Le Voyage de M. Perrichon*, 1860; *Le Misanthrope et l'Auvergnat*, 1852; *La Poudre aux yeux*, 1862) sont à la fois des études de mœurs et des études de caractères qui font de lui autre chose qu'un simple amuseur.

Le réalisme et le naturalisme ne se firent sentir au théâtre que relativement tard. On essaya d'abord de découper en actes certains romans des Goncourt, puis de Zola, et ces tentatives furent assez froidement accueillies. Il faut attendre jusqu'en 1882 pour trouver avec *Les Corbeaux* de Becque une œuvre vraiment originale et forte. Bien que le succès de Becque soit resté limité à un public très restreint, il n'en a pas moins exercé sur les auteurs dramatiques de la fin du dix-neuvième siècle une influence considérable. Chez lui la tendance nettement moralisatrice d'Augier et de Dumas disparaît entièrement. Il n'a nulle intention de réformer les mœurs de ses contemporains. Il veut peindre la vie moyenne telle qu'elle est, et c'est dans la vie courante qu'il veut aller chercher les sujets qu'il met au théâtre. Il élimine donc les situations extraordinaires, romanesques ou conventionnelles, comme il s'en trouvait encore beaucoup chez Augier, et en même temps il refuse de prêcher une nouvelle loi morale comme Dumas. Par contre, comme tous les naturalistes, il est profondément et foncièrement pessimiste, et si chez lui les honnêtes gens ne sont pas absents, ils sont les victimes des coquins et des intrigants qui triomphent cyniquement.

La même tendance se retrouve chez les auteurs qui, pendant une dizaine d'années, donnèrent leurs pièces au Théâtre libre, fondé par Antoine, et qui dura de 1887 à 1896. Leur ambition était de mettre sur la scène des « tranches de vie », de protester contre ce qu'il y avait d'artificiel dans le dénouement de tant de comédies, et d'affirmer leur pessimisme dans des pièces systématiquement poussées au noir, « les comédies rosses ». Ils n'arrivèrent pas à s'imposer au grand public ; mais Antoine, le directeur du théâtre, n'en réussit pas moins à introduire, et à faire accepter ensuite de façon générale, une nouvelle conception de la mise en scène et du jeu des acteurs. Il interdit sévèrement à ses collaborateurs la déclamation dramatique. Il surveilla et régla leurs gestes, insista pour que les décors, les costumes et les accessoires fussent scrupuleusement exacts et, innovation d'une hardiesse paradoxale alors, il osa faire jouer ses acteurs le dos tourné au public. C'est aussi à Antoine que le public français dut de connaître plusieurs chefs-d'œuvre du théâtre étranger, en particulier les pièces d'Ibsen et de Gérard Hauptmann.

Au moment même où Antoine lançait le Théâtre libre, c'est-à-dire aux environs de 1890, on commençait cependant à voir se dessiner les tendances diverses qui allaient dominer le théâtre jusqu'à nos jours. Le caractère extérieur qui frappe le plus peut-être est que les auteurs renoncent d'ordinaire à classer leurs productions comme des drames ou des comédies, et préfèrent les appeler simplement des pièces. D'autre part l'influence plus ou moins directe de Dumas fils se continue dans des œuvres qui portent au théâtre soit des problèmes moraux, soit des problèmes sociaux de la vie contemporaine : ce sont les « pièces à thèse ».

Un des auteurs les plus originaux de cette période, mais non le plus populaire, est François de Curel (1854–    ) qui, après avoir débuté au Théâtre libre, s'est fait une place à part dans la littérature contemporaine, et s'est attaché à peindre dans un cadre moderne les passions les plus primitives et les instincts les plus violents de l'âme humaine (*Le Repas du lion*, 1897 ; *La Fille sauvage*, 1902 ; *L'Ame en folie*, 1920). Ne donnant ses pièces qu'à de rares intervalles, vivant loin de Paris, apparemment dédaigneux de la gloire littéraire, et ne recherchant pas le succès, il a été par là même conduit à accorder trop peu d'attention à la technique dramatique.

A côté de lui Brieux (1858–1933) représente plus nettement la tradition d'Alexandre Dumas fils. Il a été attiré par l'étude de problèmes sociaux, et son zèle réformateur est parfois venu retarder et étouffer l'intérêt dramatique et le progrès de l'action. Sa meilleure pièce, et celle qui évite le plus ces défauts, est *La Robe rouge*, peinture et critique sévère du monde des juges et des avocats, où l'on voit l'égoïsme, l'ambition, la déformation professionnelle oblitérer la conscience de l'avocat général, qui dirige l'accusation contre un paysan illettré et d'esprit lent.

Par contre, Paul Hervieu (1857–1915), tout en étant un écrivain très moderne et très au courant de la vie parisienne, a voulu traiter au théâtre des problèmes d'un intérêt plus permanent et plus général avec une simplicité de moyens qui rappelle parfois le théâtre classique. On a remarqué souvent que *L'Énigme* se conforme aux trois vieilles unités de temps, de lieu et d'action, et que dans plusieurs de ses autres pièces le conflit tragique des devoirs et des passions est l'élément essentiel de l'intérêt (*La Course du flambeau*).

En dehors de ces trois grands noms qui dominent vraiment la période contemporaine, il faudrait donner une longue liste d'auteurs, dont beaucoup sont du plus grand mérite, qui ont surtout voulu transporter à la scène les procédés de l'analyse psychologique. Ils l'ont fait parfois avec une force brutale comme Henry Bernstein (1876–      ), avec une sensibilité aiguë et tourmentée comme Henry Bataille (1872–1922),

d'autres fois avec esprit ou sentiment comme Maurice Don-
nay (1860–    ) et Alfred Capus (1858–1922).

Il importe cependant de remarquer que, malgré la pré-
dominance évidente de la prose, le théâtre poétique a joui
de nos jours d'un véritable renouvellement. Avec Richepin
et Rostand le lyrisme romantique a survécu. Le remarquable
succès que ce dernier a connu avec *Cyrano de Bergerac* est
dû en grande partie à son élan, à sa verve poétique, à son
don de l'image et à sa virtuosité verbale, mais, il faut le
reconnaître, presque également au désir du public de trouver
au théâtre une occasion d'oublier les problèmes de la vie
journalière et de « s'évader » de leur milieu. C'est à ce
désir d'aller au théâtre pour jouir du spectacle et du plaisir
des yeux, pour entendre des vers musicaux, sonores et élo-
quents, pour rêver même plutôt que pour réfléchir sur des
cas de conscience ou des problèmes sociaux, qu'il faut attribuer la vogue des représentations données dans les théâtres
de la Nature ou théâtres en plein air. D'autre part, depuis
une vingtaine d'années, quelques directeurs de théâtre ont
essayé parfois, non sans succès, de donner devant des audi-
toires limités des œuvres de jeunes auteurs, des traductions
de pièces étrangères, et de maintenir le niveau artistique des
productions dramatiques. Tel a été le rôle du théâtre des
Arts, du théâtre du Vieux-Colombier fondé par Jacques
Copeau, et plus récemment de l'Atelier dirigé par Charles
Dullin.

## QUESTIONNAIRE

1. Le drame romantique a-t-il joui d'un succès permanent?

2. De qui Émile Augier continue-t-il la tradition? Citez trois
pièces dans lesquelles il attaque certains travers de la société.

3. Qu'est-ce qu'une pièce à thèse?

4. Quel but s'est proposé Dumas fils? Qu'a-t-il attaqué et critiqué? Que peut-on lui reprocher?

5. Donnez le titre de quelques-unes des comédies de Labiche.

6. Quel est l'auteur des *Corbeaux* ?

7. Quelles tendances nouvelles apparaissent dans le théâtre de Becque ? Comparez-le à celui de Dumas et d'Augier.

8. Qui a fondé le Théâtre libre ? Quel était son but ? Quel en a été le succès ?

9. Quelles sont les tendances qui dominent dans le théâtre contemporain ?

10. Citez deux pièces de Paul Hervieu. Comment se rattache-t-il à la tradition classique ?

11. Quelle tradition continue Brieux ? Quelle est sa meilleure pièce ?

12. Par qui le théâtre poétique a-t-il été continué ? Quelles sont les raisons du succès de *Cyrano de Bergerac* ?

13. Qu'est-ce que le théâtre de la Nature ? Quel en est le but ? Citez deux théâtres fondés récemment en France.

# CHAPITRE XXXV

## EN DEHORS DU NATURALISME : BOURGET, ANATOLE FRANCE, BARRÈS, LOTI

DEUX écrivains, différents à bien des égards et qui cependant ont plus d'un trait commun, peuvent être considérés comme les maîtres des générations qui précédèrent et qui suivirent immédiatement la guerre de 1870–71. Le premier est Hippolyte Taine (1828–1893) ; le second, Ernest Renan (1823–1892).

Taine a souvent été considéré comme le philosophe des réalistes et des naturalistes : en réalité son influence dépasse de beaucoup ces deux mouvements. Il est vrai que dans ses œuvres philosophiques, dans ses livres de critique d'art et de critique littéraire, aussi bien que dans ses ouvrages historiques, il a attiré l'attention de ses contemporains sur la valeur des faits précis, sur l'importance de l'observation et de la documentation. Dans son *Histoire de la littérature anglaise*, il a voulu, encore plus que Sainte-Beuve, écrire l'histoire naturelle des esprits. Il a tenté d'expliquer les hommes par le milieu, le moment et la race, et il a introduit plus de précision dans les méthodes de la critique. Il a ainsi contribué à répandre l'idée qu'il existe une sorte de solidarité fondamentale entre les hommes d'une même époque et d'un même pays, ayant une même hérédité, vivant sous le même climat, se nourrissant de la même façon, et ses théories, modifiées et transformées mais encore reconnaissables, se retrouvent à la fois chez Paul Bourget et chez Maurice Barrès.

Sa puissante imagination, son style coloré et imagé, sa passion à peine contenue ont souvent faussé sa vision de l'histoire et de la réalité, mais il reste un très grand écrivain plus encore qu'un grand historien ou un grand philosophe.

Un Celte qui est épris à la fois de la beauté grecque, de la métaphysique allemande et de la science positive, telle est l'étrange combinaison que présente Renan. Son très grand charme provient peut-être de l'alliance inattendue de qualités contradictoires. Ce Breton rêveur, élevé pour être prêtre à l'ombre de la vieille cathédrale de Tréguier, abandonna la foi de sa jeunesse, aux environs de 1845, après une crise qu'il nous a racontée dans ses *Souvenirs d'enfance et de jeunesse*, pour se consacrer à la science. Il fut un archéologue précis, publia un recueil d'inscriptions sémitiques, puis s'attacha dans une série d'études à retracer l'histoire des premiers temps du christianisme. Doué d'une curiosité universelle, aimant à jouer avec les idées, il a pu sembler un sceptique et un dilettante. Il a cependant voué un véritable culte aux ancêtres, et plus particulièrement aux ancêtres bretons qu'il sent revivre en lui, et en ce sens il prépare et annonce Barrès. C'est chez lui, encore plus que chez Taine, que la génération qui arrive à la maturité aux environs de 1880 trouve exprimées ses aspirations variées, son dédain de l'action et ses inquiétudes. Pas plus que Taine, cependant, il ne pouvait entièrement suffire à ceux qui étaient à la recherche d'une discipline pour régler leur vie intérieure, et jamais le besoin d'une telle discipline ne s'était plus impérieusement manifesté, puisque l'action et les grandes entreprises semblaient interdites à ces jeunes vaincus.

Nul mieux que Bourget n'a exprimé cette inquiétude, et les *Essais de psychologie contemporaine* qu'il publia en 1883, bientôt suivis des *Nouveaux Essais* (1885), ne sont autre chose que le résultat des recherches qu'il avait poursuivies

pour arriver à se formuler un credo. Le titre même était une
sorte de défi lancé au naturalisme qui avait réduit la psychologie au jeu des instincts et des appétits. Pour retrouver
le véritable sens de la vie, il faut comprendre, et pour comprendre il faut analyser. C'est à cette analyse des passions
humaines, et plus particulièrement de l'amour, que sont consacrés les premiers romans de Paul Bourget. Comme la passion ne peut se développer intégralement que chez des oisifs,
chez qui les préoccupations de la vie matérielle n'existent
qu'à peine, il était naturel qu'il étudiât d'abord les milieux
du faubourg Saint-Germain. Il importe de remarquer aussi
que c'était encore une façon de protester contre le naturalisme à la Zola que de mettre en face de ses tableaux de fau-
bourgs ouvriers la peinture de la vie de salon et de la vie de
château. *Le Disciple* (1889) marque une nouvelle orientation
dans la carrière de Bourget. Cette fois il s'attaque directement à la philosophie moderne, dont les théories arrivent
à détruire chez Robert Greslou non seulement la foi qu'il a
reçue de ses ancêtres mais encore toute confiance dans la
valeur de la morale courante. Dans des romans plus récents,
*L'Étape* (1903), *L'Émigré* (1907), *Le Démon de midi* (1914),
il s'est fait le critique impitoyable de la démocratie et de la
morale laïque. Il a prêché le retour à la foi et à la morale de
la tradition, il a condamné la soif de jouissance et les appétits qu'il voit dans la société moderne. Par sa haute sincérité,
sa puissance d'analyse, la logique serrée de ses démonstrations, il s'est assuré une action considérable. Il est cependant
à regretter que chez lui, et en particulier dans ses dernières
œuvres, le moraliste l'emporte sur l'artiste et le romancier.

Alors que Bourget essayait de ramener sa génération dans
le chemin de la foi et de la tradition, Anatole France (1844–
1924) reprenait la tradition de Voltaire, et encore plus celle
de Renan. Il commença comme Bourget par écrire des vers

ANATOLE FRANCE

Gravure de Zorn

dans le goût du Parnasse (*Les Poèmes dorés*, 1873 ; *Les Noces corinthiennes*, 1876). Ce n'est qu'en 1881 qu'il débuta dans le roman avec *Le Crime de Sylvestre Bonnard* ; mais son attitude à l'égard de la vie ne se précise qu'un peu plus tard, avec *Thaïs* et surtout *La Rôtisserie de la reine Pédauque* et *Les Opinions de Jérôme Coignard* (1893). De 1896 à 1901 il publia, sous le titre général d'*Histoire contemporaine*, quatre volumes où les querelles politiques du temps occupent une place de premier rang. Ses œuvres les plus importantes depuis ont été *Sur la pierre blanche* (1905), *L'Ile des pingouins* (1908), *Les Dieux ont soif*, roman sur la Révolution française (1912), *La Révolte des anges* (1914) et deux exquis volumes de souvenirs *Le Petit Pierre* (1918) et *La Vie en fleurs* (1922). On reconnaît généralement deux périodes dans sa vie, une première période de dilettantisme et de scepticisme et une seconde, qui commencerait aux environs de 1895, durant laquelle, renonçant à sa tour d'ivoire, il aurait manifesté une foi humanitaire et sociale. En fait, il n'y a jamais eu chez lui ni revirement, ni conversion, ni renonciation à ses idées antérieures. Le spectacle de la misère humaine, de l'injustice de la guerre lui ont arraché, comme à Voltaire, des cris indignés de protestation ; mais il a été avant tout un grand artiste. Pour comprendre le service qu'il a rendu aux lettres françaises, et encore plus à la langue, il faut se reporter à la période pendant laquelle il publia ses premières œuvres en prose et comparer ses ouvrages à ceux des romanciers naturalistes. Il a rappelé ses contemporains au respect de la langue classique et de la pureté de la forme. Son style d'ailleurs n'est pas aussi archaïque que l'on serait tenté de le croire. Il n'écrit ni le français du dix-septième siècle, ni celui de Voltaire. Il a profité des enrichissements que le romantisme et l'école de l'art pour l'art avaient apportés. Il a employé avec discrétion les mots pittoresques, les notations

de sensations, que l'on chercherait en vain chez Voltaire.
Avec Renan, et de façon plus constante que lui peut-être, il
peut être considéré comme un des suprêmes maîtres de la
prose française.

A côté de lui, Maurice Barrès (1862–1923) paraît plus
tourmenté et plus tendu. D'abord apprécié d'un petit groupe,
il est devenu ensuite une grande figure nationale. Ce Lorrain,
qui connaît l'Allemagne, qui a lu Chateaubriand, Renan,
Taine et Pascal, est une des figures les plus puissantes et
les plus curieuses de la littérature contemporaine. Il s'est
appliqué d'abord à cultiver son moi ; mais bientôt il a entrepris de donner à sa génération confiance en elle-même, de la
délivrer des mauvais maîtres, et de lui rendre une énergie et
des motifs d'action qui lui manquaient (*Le Roman de l'énergie nationale*). En même temps, il a voulu canaliser cette
énergie et cette volonté dont il prêchait le culte. C'est à
continuer la tradition des ancêtres que l'individu doit se consacrer, sans sortir du pays où il est né et où ses pères sont
ensevelis. Encore plus que de ses contemporains, l'individu,
selon Barrès, est solidaire de ses morts. Il a donc fixé dans
une philosophie de l'action ce qui chez Chateaubriand et
Renan était surtout prétexte à rêveries poétiques. Il a donné
une base à la fois sentimentale et rationnelle au traditiona-
lisme. Pour beaucoup de jeunes Français de la génération qui
a immédiatement précédé la guerre de 1914 il a été un grand
professeur d'énergie. Il leur a donné une formule qui leur permettait de combiner la sévérité et la discipline du classicisme
avec les enthousiasmes romantiques. Son œuvre qui n'a jamais
été vraiment populaire n'en continue pas moins d'exercer une
action puissante sur un groupe important de jeunes écrivains.

Au moment même où Barrès rappelait l'attention des
Français vers leurs provinces natales et leur passé national,
Pierre Loti (1850–1923) les invitait à s'évader vers les pays

lointains et mystérieux qu'il avait parcourus au cours de sa carrière d'officier de marine. Ce rêveur qui a transporté sa mélancolie en Orient, en Afrique, en Océanie, au Japon, dans l'Inde et dans des provinces françaises comme le pays basque et la Bretagne, est un descendant direct de Chateaubriand. Plus que lui encore il a ressenti et exprimé le désenchantement, l'horreur de la mort, la douleur de deux êtres qui s'aiment et qui se séparent. Ses descriptions, sauf dans ses premières œuvres (*Rarahu*, 1880 ; *Pêcheur d'Islande*, 1886), sont moins pittoresques qu'on ne croirait tout d'abord. L'impression profonde que produisent certains de ses décors provient surtout de la répétition des mêmes notations et, comme on dit aujourd'hui, de l'atmosphère qu'il a su créer.

Il a renouvelé en France le genre du roman exotique et celui des impressions de voyages, qui est devenu si fertile et si abondant dans la littérature de nos jours.

### QUESTIONNAIRE

1. Quels sont les deux écrivains qui peuvent être considérés comme les guides et inspirateurs de la génération qui suivit la guerre ?

2. Indiquez ce que Taine a voulu faire dans l'*Histoire de la littérature anglaise*.

3. Dites ce que vous savez de la vie de Renan.

4. Pour quelle raison Bourget étudia-t-il d'abord les milieux mondains ? Quelle est l'œuvre dans laquelle il attaque la philosophie moderne ? Est-il partisan de la démocratie ?

5. Quelles sont les deux périodes que l'on reconnaît généralement dans la vie d'Anatole France ? Quel service a-t-il rendu à la langue française ?

6. Quels sont les écrivains auxquels se rattache Maurice Barrès ? Quelle est sa doctrine fondamentale ? son attitude à l'égard du passé et des morts ?

7. Indiquez quelques-uns des pays visités et décrits par Pierre Loti. Quelle a été son influence sur la littérature contemporaine ?

# CHAPITRE XXXVI

## LES DERNIÈRES TENDANCES

LA PÉRIODE d'histoire littéraire dans laquelle nous venons d'entrer, et qui est marquée par la fin de la Grande Guerre, est caractérisée par une extraordinaire fécondité. Jamais, semble-t-il, les œuvres n'ont été plus nombreuses ; jamais les groupements d'écrivains ne se sont succédé avec plus de rapidité ; jamais, peut-être, on n'a fait plus d'efforts pour atteindre à l'originalité. On n'a vu cependant se manifester jusqu'ici aucun génie qui ait des chances de s'imposer à l'admiration générale. Ce n'est point d'ailleurs là une constatation qui s'applique seulement à la France. Elle est également vraie de l'Allemagne, de l'Angleterre, de l'Italie, de l'Espagne, des pays scandinaves et des États-Unis. Les grands événements historiques exercent rarement, en effet, une action profonde et immédiate sur les productions littéraires. Nous voyons se reproduire, en somme, un phénomène analogue à celui que l'on a pu constater après les grands bouleversements, comme la Révolution ou la chute de l'Empire. Ce n'est que plus de dix ans après le début de la Révolution que Chateaubriand a publié le *Génie du christianisme*, et c'est la génération de 1830 qui a célébré Napoléon.

Au reste, il serait difficile d'établir une séparation nette entre la littérature d'avant-guerre et la littérature d'après-guerre. Toute une géneration littéraire a disparu dans les quinze dernières années. Anatole France, Loti, Barrès, Rostand ont été enlevés par la mort, Bourget n'a plus guère d'influence sur les jeunes ; mais de nombreux écrivains qui sont arrivés à la gloire ou à une vraie popularité depuis 1920, ont débuté et ont produit quelques-unes de leurs œuvres maîtresses il y a plus de vingt ans.

## I. La Poésie

Il importe tout d'abord de constater que la poésie française a été vraiment renouvelée dans le dernier demi-siècle. Les symbolistes n'ont point duré longtemps comme école et ont bientôt formé des groupements nombreux ayant chacun un programme différent, et cet éparpillement dure encore de nos jours. Mais à la suite des symbolistes, et en grande partie grâce à eux, les poètes français modernes ont découvert dans la langue des ressources insoupçonnées, des rythmes nouveaux, des combinaisons musicales plus variées. Avec les romantiques et encore plus avec les Parnassiens, la poésie avait dépeint les aspects de la nature extérieure. Avec les symbolistes, elle a conquis un domaine nouveau : celui de l'inconscient et du subconscient. Son rôle est aujourd'hui non seulement de peindre et d'analyser, d'exprimer des idées et des sensations, mais encore de suggérer plutôt que de décrire ; au tableau du monde extérieur est venu s'ajouter l'étude de la vie intérieure. De façon plus ou moins directe, il est peu de poètes français modernes qui aient échappé à l'influence de Baudelaire, de Rimbaud et de Stéphane Mallarmé. Les deux premiers surtout, à mesure que le temps permet de mieux juger de leur œuvre, apparaissent comme de véritables initiateurs et rénovateurs. Aussi peut-on dire que les cinquante dernières années constituent une des périodes les plus riches de l'histoire de la poésie française.

Cette floraison poétique est si abondante qu'on ne saurait même énumérer les noms des écrivains les plus marquants.

On pourrait citer des poètes d'origine étrangère comme Georges Rodenbach (1855–1898), le très délicat et subtil peintre des villes de Flandre endormies au bord des canaux, et dont la vie est rythmée par les carillons des béguinages. Émile Verhaeren (1855–1916) a chanté la vie tumultueuse de son pays, ses sites pittoresques, les intérieurs flamands calmes et reposés, les fêtes populaires, les villes enfumées, les forces obscures et mystérieuses qui entraînent l'humanité. Maurice Maeterlinck (1862–     ), au contraire, s'est d'abord réfugié dans le rêve et a composé des féeries poétiques comme *Pelléas et Mélisande* ou *L'Oiseau bleu* qui, sous une forme allégorique, montrent l'humanité à la recherche de la connaissance et du bonheur. Dans des ouvrages d'une haute inspiration et d'une langue poétique, il a voulu étudier le mystère de la destinée humaine et a abouti à une sorte de pragmatisme et de fierté résignée qui n'est pas sans analogie avec l'attitude d'Emerson (*Le trésor des humbles* (1896), *Sagesse et destinée* (1898)). Il s'est penché sur les merveilles de la nature, a étudié en poète plus qu'en philosophe la vie, les raisons que nous avons de croire à une survie, l'intelligence des abeilles, les miracles de l'instinct et les problèmes que nous révèle l'éclosion d'une simple fleur. Rodenbach, Verhaeren et Maeterlinck, bien que Belges de naissance, appartiennent au moins par leur langue à la littérature française.

C'est à la Grèce que la France doit un des plus purs poètes de la dernière génération, Jean Moréas (1865–1910), qui se sépara de bonne heure du symbolisme pour fonder en 1891 « l'École romane ». Épris également du seizième siècle français et de la Grèce antique, écrivant dans une langue volontairement un peu archaïque, il a traduit dans ses *Stances* les inquiétudes de l'âme moderne. Ses poèmes allient la grâce d'un Joachim du Bellay à la pureté d'un marbre antique et à une perfection classique. M. Henri de Régnier (1864–     )

est le plus illustre des symbolistes assagis dont l'œuvre témoigne d'un constant désir de renouvellement et qui ont un grand souci de la forme. Quand il fut reçu à l'Académie française en 1911, on ne manqua pas de saluer son élection comme le triomphe final du symbolisme. Mais rejetant les exagérations et les obscurités de ses premières années, il n'avait gardé du symbolisme que le goût des idées plus suggérées que décrites et le culte de la vie intérieure, réunies à un souci de la forme et une admiration de l'antiquité où peut se retrouver l'influence de Moréas.

Quel que soit le nombre des poètes contemporains, et quelle que soit la hauteur de l'inspiration de quelques-uns, en particulier des Unanimistes, trois grands noms dominent la poésie française à l'heure actuelle : Paul Valéry, Paul Claudel et Paul Fort, qui ont pu être appelés des néo-symbolistes.

La carrière littéraire de Paul Valéry est une des plus curieuses aventures de la littérature contemporaine. Né en 1871 à Sète, venu à Paris en 1894, petit fonctionnaire épris de mathématiques et de musique, il collabora pendant vingt-cinq ans de façon obscure à des revues d'avant-garde sans publier un seul vers. C'est seulement à partir de 1917, avec *La Jeune Parque*, les *Odes*, le *Cimetière marin* qu'il attira l'attention du public. Bientôt, reconnu comme un maître, il fut accueilli par l'Académie française. De tous les poètes contemporains il est le moins aisément accessible. Avec une très grande pureté de langue, un rythme impeccable et une extraordinaire richesse d'images, ses vers chargés d'idées et de pensée philosophique sont souvent difficiles à interpréter.

Chez Paul Claudel (1868–      ), l'éveil de la vocation poétique a coïncidé avec sa conversion ou plutôt avec son retour à la foi de son enfance, le catholicisme. La carrière diplomatique a fait un grand voyageur de ce Champenois. Après avoir été appelé en Allemagne, au Danemark, au Brésil,

PAUL VALÉRY

en Chine, au Japon et aux États-Unis, il représente la France
en Belgique; mais dans ses courses errantes il a conservé
l'amour du sol natal et comme un accent de terroir. Il aime
employer, comme il le dit, « les mots de tous les jours » qui,
cependant, sous sa plume, prennent un sens nouveau. Aussi
trouve-t-on chez lui une alliance de la vie quotidienne et d'é-
lans mystiques qui donne un caractère unique à toute son
œuvre. Dédaignant les formes traditionnelles de la poésie, il
emploie un rythme à lui fondé sur le rythme de la respiration
humaine. Plus encore que ses poèmes ses grands drames
lyriques devraient être étudiés. Le plus connu de tous,
l'*Annonce faite à Marie*, présente les mêmes anachronismes
voulus, la même foi naïve et profonde que les « mystères » du
moyen âge.

Paul Fort (1872–    ) est un Champenois comme La Fontaine et, comme son maître, il est un indépendant bien qu'il
se rattache aux symbolistes par l'amour des images et un
certain dédain des formes régulières. C'est en partie à ce
dédain qu'il faut attribuer le peu de popularité d'un poète
qui, à plus d'un égard, peut être considéré comme un grand
poète national. Il aime en effet son pays dans toutes ses
manifestations et dans toutes ses apparences; il a chanté
comme personne ne l'avait fait avant lui les paysages modérés
de l'Ile-de-France; mais il est aussi épris des gloires d'autrefois. Son effort pour faire revivre les figures du passé dans
des drames nationaux, son étonnant *Roman de Louis XI*, les
trente volumes des *Ballades françaises* lui méritent une place
de premier ordre parmi les poètes modernes, bien que son
influence ait été assez mince, car il ne pouvait guère former
de disciples.

Les années qui ont immédiatement précédé la guerre ont vu
une extraordinaire floraison de poésie féminine, telle que l'on
n'en avait point connue depuis le Romantisme. Chose assez

LA COMTESSE DE NOAILLES

curieuse, cette poésie est en général marquée non pas tant par un matérialisme que par un sensualisme raffiné. Aucune des poétesses modernes n'atteint à la hauteur de pensée de Madame Ackerman (1813–1890) dont le pessimisme noble, parfois stoïque et parfois révolté, peut se comparer à celui d'Alfred de Vigny. A Lucie Delarue-Mardrus (1880–     ), Normande éprise de l'Orient, à Hélène Picard (1878–     ) qui a chanté le charme de la nature avec une exaltation presque païenne et une grande beauté de forme, on pourrait cependant opposer Cécile Périn (1877–     ) qui a trouvé les sources de son inspiration en elle-même, dans les simples événements de la famille et dont les poèmes sur l'amour maternel sont des chefs-d'œuvre dignes de l'anthologie. Entre toutes, Madame de Noailles (1876–1933) mérite une place à part. Née à Paris d'une mère grecque et d'un père roumain, la comtesse Mathieu de Noailles (Anna-Élisabeth de Brancovan) doit peut-être à ses ancêtres, qui furent de grands humanistes, un sens de la forme et une philosophie de la vie qui pourraient la rapprocher d'André Chénier. Mais, plus qu'André Chénier, elle a le goût et l'amour d'une nature riche et féconde; avec des sens raffinés elle a voulu jouir des parfums encore plus que des sons. Elle a communié avec la vie universelle et a célébré l'amour avec fougue. La pensée de la mort cependant n'est jamais absente de son œuvre et ses derniers poèmes écrits au seuil de la vieillesse, alors qu'elle sentait lui échapper la vie qu'elle avait tant aimée dans toutes ses manifestations, sont empreints d'une tristesse désolée, mais pleine d'une grande dignité, qui les rend particulièrement poignants.

Ces poètes que l'on peut vraiment appeler de grands poètes appartiennent tous, par la date de leur naissance au moins, aux générations d'avant-guerre. Malgré leur désir éperdu d'arriver à l'originalité, leur refus d'accepter les formes du passé, les jeunes n'ont jusqu'ici pu arriver à donner aucune œuvre qui compte. Seuls parmi eux, peut-être, Guillaume Apollinaire (Wilhelm Apollinaris Kostrowitzky, 1880–1918) donnait de sérieuses promesses et aurait pu faire école s'il n'était mort à la veille de l'Armistice des suites de blessures de guerre. Le dadaïsme, véritable poésie du jazz, n'a eu qu'une existence éphémère, et l'un de ses fondateurs, André Breton, l'abandonna bientôt pour le surréalisme qui, refusant toute discipline, est non-conformiste et préconise « l'écriture automatique », qui veut réduire au rêve et au subconscient toute la littérature. L'Unanimisme, qui donnait plus de promesses et dont le fondateur fut Jules Romains, est plus une philosophie de la vie et de l'art qu'une simple théorie poétique.

## II. Le Roman

Plus riche est la floraison du roman contemporain. Il semble bien que la popularité du roman soit due, en grande partie, au fait que c'est le genre qui permet le mieux à l'auteur d'exprimer son tempérament. Romans d'analyse psychologique, études de mœurs dépouillées de la brutalité du naturalisme et pourtant vraies et pittoresques, évocations de pays lointains dans des ouvrages exotiques qui se comptent par centaines, peintures des différentes provinces françaises, ou, comme on l'a dit souvent, des régions, tableaux de la vie des champs, des ouvriers et des humbles, romans qui glorifient l'énergie physique et le sport, tous les genres apparaissent. Leur multiplicité, et le fait que les auteurs passent d'un sujet à l'autre, sans se croire tenus de creuser longtemps le même sillon, rendent fort difficile tout essai de classification.

Presque inconnu avant la guerre, Marcel Proust (1871–1922) a pu avant sa mort donner la plus grande partie de la série intitulée *A la recherche du temps perdu* qui forme presque toute son œuvre et dont heureusement il avait laissé les derniers volumes en manuscrit. Il a été un des écrivains de sa génération qui a soulevé le plus de discussions ; son influence reste encore considérable et a de sérieuses chances de grandir. Chez lui l'intrigue ne joue qu'un rôle secondaire et les épisodes ne sont reliés que par un fil très ténu ; son style, parfois précieux et obscur à force de vouloir être précis et de vouloir définir et analyser, peut d'abord paraître dé-concertant. C'est à lui cependant que revient le mérite, en France, d'avoir fait pénétrer la philosophie de l'inconscient dans la littérature. S'il n'est pas à proprement parler un chef d'école, il reste à tout le moins un initiateur.

Presque aussi profonde, mais bien différente a été l'in-fluence d'André Gide (1870–    ) qui d'abord céda à la magie du symbolisme et dont les premières productions passèrent presque inaperçues. Il ne fut vraiment découvert qu'aux en-virons de 1920. La hardiesse de ses analyses morales, sa pas-sion pour la vérité, son goût pour les cas de conscience, son attitude de moraliste cynique qui se met au-dessus des con-ventions lui ont valu autant d'admirateurs que de critiques acharnés.

En plus de Paul Bourget dont la production ne s'est pas ralentie, il faut mentionner plusieurs romanciers qui ap-partiennent à une génération antérieure. Henry Bordeaux (1870–    ) avait de très grands dons d'observateur ; on peut lui reprocher ses tendances moralisatrices trop marquées. Il a voulu être le peintre de la famille française et en a tracé un tableau aimable et un peu pâle ; il lui reste du moins d'avoir un réel talent de description et d'avoir senti la beauté des Alpes qu'il connaît et qu'il aime, et par là il mérite sa place parmi les romanciers régionalistes.

C'est aussi à décrire une province française que s'est attaché René Boylesve (R. Tardiveau, 1867–1926). Personne mieux que lui n'a su rendre l'atmosphère paisible et un peu endormie des petites villes de Touraine, la vie tranquille des bons bourgeois, l'amour des grands propriétaires pour leurs domaines, et ces blocs solides comme le granit que forment les vieilles familles provinciales françaises. On l'a parfois comparé à Balzac; ce serait un Balzac moins puissant, moins varié, moins épris des caractères au-dessus de la moyenne, et dont le pessimisme se cache sous un sourire.

Plus amer et plus sombre est le talent d'Édouard Estaunié (1862–      ), dont l'œuvre est dominée par une idée centrale. Sous les apparences de respectabilité et d'uniformité que revêt la vie provinciale, existe une autre vie, la vie secrète, la seule véritable, avec ses drames cachés, ses passions mal endormies, sa grandeur résignée et son abnégation aussi. Les héros et les héroïnes de M. Estaunié se meuvent dans un décor familier et moyen, mais sous leurs vêtements désuets de petits bourgeois, ils ont des âmes tragiques et sont les victimes d'un destin implacable. Le thème est développé avec un grand sens pathétique dans *La Vie secrète* et *L'Ascension de M. Balesvre*, mais le procédé est peut-être un peu trop apparent dans *Les Choses voient* et *L'Aveugle aux mains de lumière*.

La guerre a porté un coup fatal à la réputation d'un très grand écrivain qui dès ses premiers ouvrages avait prêché la réconciliation entre les peuples. Romain Rolland (1868–      ), esprit plus européen que purement français, avec son *Jean-Christophe* avait composé un véritable cycle dans lequel on trouvait la peinture de la vie intellectuelle de toute une génération. Volontairement, en se plaçant « au-dessus de la mêlée » pendant la guerre mondiale, il s'est détaché de ses compatriotes et de ses contemporains. On reconnaît la générosité de sa pensée; mais l'enthousiasme qui avait salué l'apparition des premiers volumes de *Jean-Christophe* n'a pu renaître et déjà Romain Rolland appartient au passé.

Par contre la génération qui est arrivée à la maturité et à la plénitude du talent après la Guerre a fourni toute une pléiade de brillants romanciers. Parmi ceux qui déjà étaient connus avant 1914, il convient de citer Georges Duhamel (1884–    ), que sa profession de médecin aux armées a mis en présence de la souffrance humaine et dont la pitié s'est accrue au contact des horreurs de la guerre (*La Vie des martyrs*, 1917, *Civilisation*, 1918, *La Possession du monde*, 1918). L'accent contenu et volontairement modéré de ces simples récits est profondément prenant : c'est le problème même de la civilisation que pose Duhamel avec moins de rhétorique mais plus de puissance véritable que ne l'avait fait Barbusse dans cette épopée souvent repoussante qu'est *Le Feu*.

C'est également à la guerre que Roland Dorgelès a dû la révélation de son talent. Dans *Les Croix de bois*, il a donné un ouvrage qui pourrait bien être un chef-d'œuvre et qui reste en tout cas le tableau le plus impressionnant et probablement le plus vrai de l'héroïsme des humbles.

André Maurois serait peut-être resté ignoré si un succès inattendu ne lui était venu à la suite de petits récits pleins d'humour dans lesquels il racontait ses expériences comme interprète avec l'armée britannique (*Les Silences du colonel Bramble, Les Discours du Dr. O'Grady*). La guerre terminée, cependant, il s'est replongé avec bonheur dans un passé qu'il se plaît à reconstituer avec une imagination très souple et très riche. C'est à lui que l'on doit en grande partie le succès de ce genre discutable que constituent les biographies romancées et dont il a donné le modèle dans sa vie de Shelley (*Ariel*).

La guerre enfin a permis à l'écrivain le plus curieux de la jeune génération de donner pour la première fois la mesure de son talent. Ni les *Provinciales*, ni *Simon le pathétique* n'avaient réussi à le faire connaître. Il fut plus heureux avec les *Lectures pour une ombre* et surtout dans *Siegfried et le*

*Limousin*, qui est en partie une confession et dont il a tiré une pièce jouée avec un grand succès. C'est dans *Suzanne et le Pacifique* peut-être que peut s'étudier le mieux l'esprit de Giraudoux qui est d'une extraordinaire richesse et d'une variété inépuisable. Sous une ironie continue mais fine se dissimule en lui une sensibilité très vive, une rare perception des rapports cachés qui existent entre les choses et les mots. Ce fantaisiste, qui par son esprit, son ironie douce, et sa vision poétique de la vie rappelle Jules Laforgue, est en réalité un tendre qui dissimule sa tendresse et sa pitié pour les pauvres êtres que sont les hommes sous un masque qu'il veut rendre impassible.

A quelques égards Paul Morand (1888–     ) pourrait être considéré comme un disciple lointain de Giraudoux. Comme lui, il aime à peindre par images souvent déconcertantes, mais frappantes, et, comme lui, il a débuté dans la diplomatie. Mais Paul Morand est plus direct que Giraudoux; il étudie plus les paysages et l'aspect extérieur des choses que les hommes. Il est plus intéressé par leurs actions violentes ou grotesques que par leurs pensées. Il a rénové un genre qui semblait fixé: le récit de voyages. Loin de promener par le monde une âme désenchantée comme celle de Loti, il est attiré par ce qu'il y a d'étrange, de nouveau et de fort. Il est par excellence un voyageur moderne qui parcourt le monde en aéroplane et en bateaux rapides et dédaigne la lenteur des caravanes, fixant ses impressions au vol dans des instantanés aux lignes précises et frappantes.

Avec Pierre Benoit, le roman d'aventures a connu un renouveau inattendu. *Koenigsmark* et *Mademoiselle de la Ferté* témoignent qu'il aurait pu être un romancier de tout premier rang. Avec *L'Atlantide*, il a préféré reprendre le genre du roman d'aventures et de mystère qui avait connu un grand succès en Angleterre avec des écrivains comme Rider Hag-

gard. Il a donné ensuite une série d'ouvrages fort habiles
et fort intéressants qui, comme les vieux romans d'Alexandre
Dumas, prennent le lecteur, et dont le style aisé et vif a
suffisamment de qualités pour obtenir le suffrage des lettrés.
L'élection récente de Pierre Benoit à l'Académie française
a consacré son succès.

D'un ordre bien différent est un autre jeune écrivain, François Mauriac (1885–    ), qui lui aussi vient d'être reçu à
l'Académie. Il se rapproche à la fois d'André Gide et d'Estaunié, mais dépasse en âpreté ses prédécesseurs. Il était né,
semble-t-il, plus pour être un moraliste que pour être un
romancier, et dans son analyse des sentiments humains et
des motifs cachés qui font agir les hommes, il montre à la
fois la sévérité d'un père de l'Église et la pénétration d'un disciple de Freud. Mais il a également lu Balzac et Baudelaire,
et il a peint les paysages et les scènes de mœurs de sa
province natale, la Guyenne, avec une vérité et un pittoresque qui font de ce moraliste un grand réaliste.

Jules Romains (Louis Farigoule, 1885–    ), comme tant
de prosateurs français, a débuté par la poésie et dès 1903 il
entrevit et formula la théorie de l'Unanimisme qui, à l'analyse
de l'individu, substitue la peinture de la communauté, du
groupe, de la nation et du monde. Débutant dans les lettres
en 1904, Jules Romains aborda le théâtre après la guerre et
a donné en 1932 les deux premiers volumes des *Hommes de
bonne volonté*, dans lesquels il peint avec une grande force
la société contemporaine.

Enfin, plus encore que la poésie, le roman a tenté les femmes
écrivains. Les romancières contemporaines sont presque innombrables et un très grand nombre d'entre elles ont un talent
de premier ordre. Elles ont abordé tous les genres, mais
souvent leurs œuvres ont l'apparence d'une confession, souvent hardie et d'une franchise déconcertante. C'est probable-

ment Madame Colette (1873–     ) qu'il faudrait mettre au tout premier rang pour l'originalité du style, l'acuité des sensations, la vision directe de la nature. Avec une sensibilité plus retenue, Gérard d'Houville (M^{me} Henri de Régnier, 1875–     ) a donné des romans plus nombreux où l'émotion discrète, le pittoresque, l'exotisme fantaisiste, la fraîcheur des notations et l'esprit le plus vif sont dosés de façon exquise. Lucie Delarue-Mardrus (1880–     ) a décrit l'enfance (*Le Roman de six petites filles*) et a peint avec bonheur les paysages de Normandie avec leurs grandes prairies, leurs pommiers en fleurs et leur fertilité débordante. Marcelle Tinayre (1872–     ), au contraire, s'éloigne de l'impressionisme, et ses romans qui restent féminins montrent plus de goût pour la psychologie et l'étude des cas de conscience.

### III. Conclusion

D'autre part, il faut constater une décadence évidente du théâtre. Faut-il en accuser le public, la concurrence du cinéma et surtout du cinéma-parlant, les directeurs de théâtre ou les conditions économiques? Les avis sont partagés. On a vu cependant dans les dix dernières années nombre de pièces fort habiles dont plusieurs ont connu de vrais succès. Giraudoux s'est fait connaître du grand public en mettant *Siegfried* à la scène. D'autres comme Maurice Pagnol ont produit de divertissantes comédies. Paul Raynal, dans le *Tombeau sous l'Arc de Triomphe*, a tenté de montrer la tragédie de la guerre et de peindre l'âme des combattants. Les théâtres de jeunes, comme la Comédie des Champs-Élysées, l'Atelier, le Studio, continuent à montrer une certaine audace et ont mis à la scène des œuvres dont certaines sont pleines d'originalité mais que leur caractère même rend peu abordables à la foule.

Si au lieu d'étudier les genres et les écrivains qui les représentent nous essayons maintenant de déterminer les courants qui se manifestent dans la littérature d'aujourd'hui, on constate tout d'abord qu'il n'existe aucune école prédominante. Le naturalisme brutal et outrancier a encore quelques représentants attardés ; le symbolisme qui a laissé des traces profondes sur la génération précédente est entré dans l'histoire ; l'unanimisme n'a eu qu'une existence éphémère et ne peut rallier qu'un petit nombre d'écrivains. De toutes les écoles, de toutes les influences étrangères, dont quelques-unes comme celle des romanciers russes ont été profondes, il est cependant resté quelque chose.

Tout d'abord, le champ de la littérature s'est prodigieusement élargi et enrichi. On garde encore en France le goût de l'exotisme, des descriptions pittoresques de pays lointains et des relations de voyages. Si les Français aiment peu à émigrer, ils ont toujours aimé à voyager, au moins en esprit, et leur littérature est pleine de récits aventureux. Certains, comme les frères Tharaud, sont attirés par l'Europe Centrale, Louis Bertrand a consacré la plus grande partie de son œuvre à l'Afrique du Nord, Marius et Ary Leblond ont décrit avec amour les « Iles », et surtout la Réunion. Des officiers, des fonctionnaires coloniaux ont étudié les indigènes ; Pierre Mille a créé un type de soldat colonial comparable aux héros de Kipling. Paul Morand a voulu peindre « toute la terre ».

En même temps, les Français ont appris à voyager chez eux. Les trente dernières années ont vu une floraison extraordinaire du roman provincial et du roman régionaliste. La Bretagne, la Normandie, le Centre, la Gascogne, les Alpes, la Lorraine ont fourni des thèmes inépuisables.

Alors que l'enfant avait été assez négligé par la littérature classique et même pendant le dix-neuvième siècle, les œuvres consacrées à l'enfance et à l'adolescence abondent depuis une trentaine d'années : enfants du peuple comme chez Alfred

Machard et chez Léon Frapié dont *La Maternelle* marque une époque, petits bourgeois comme dans l'*Enfant à la balustrade* de René Boylesve, gamins de village comme chez Louis Pergaud, enfants malheureux comme le *Poil de carotte* de Jules Renard, délicieux bambins comme ceux que Duhamel a peint dans *Les Plaisirs et les jeux* ou Pierre Mille dans *Caillou et Tili*, tout ce petit peuple jusqu'ici négligé fourmille dans la littérature contemporaine. Beaucoup de ces œuvres sont plus ou moins autobiographiques, celles surtout qui ont trait à l'adolescence, car il est peu d'écrivains qui n'aient cédé à la tentation de rappeler leurs premières années, leur adolescence rêveuse, inquiète ou tourmentée et de se pencher sur leur passé.

Les animaux enfin n'ont point été négligés. La littérature animalière a toujours existé en France et il suffirait de rappeler le *Roman de Renard* et les *Fables* de La Fontaine pour le prouver. L'attitude des contemporains est cependant différente. Ils ont pour les animaux plus de véritable sympathie : des livres pleins de charme ont été consacrés aux animaux, tant aux bêtes familières qu'à nos « frères farouches », et aux humbles insectes et d'autres même aux arbres de la forêt, aux rivières, aux étangs.

Au moment même où la littérature gagne en profondeur, où certains écrivains vont plus loin dans l'analyse de l'âme humaine que n'étaient allés leurs devanciers et ajoutent au domaine du conscient celui de l'inconscient ou du pseudo-conscient, on voit donc aussi qu'elle gagne en étendue. Les écrivains d'aujourd'hui ne se contentent plus de déclarer que rien de ce qui est humain ne leur est étranger, allant plus loin, ils diraient volontiers que rien de ce qui participe à la vie universelle ne doit les laisser indifférents.

Cette diversité et cette variété rendent presque impossible toute conclusion arrêtée sur la littérature contemporaine.

Comme à toutes les époques la littérature française subit en ce moment des influences étrangères, mais on ne peut dire qu'aucune de ces influences soit dominante. En fait, comme au moyen âge, comme au moment de la Renaissance, comme pendant le dix-huitième siècle et comme à l'époque romantique, on s'aperçoit qu'il est impossible d'isoler intellectuellement la France des autres grandes nations civilisées. Certains des mouvements que nous avons signalés se font sentir en réalité dans toute cette civilisation occidentale à laquelle les États-Unis se rattachent. La philosophie de l'inconscient, de la relativité, la lutte entre la raison et l'instinct règnent aujourd'hui dans le domaine des lettres, et certains critiques disent même la plus grande anarchie. C'est qu'en fait les auteurs cherchent avant tout à exprimer leur tempérament plutôt qu'une philosophie déterminée. Certains ont pu manifester la crainte que la littérature française ne perde son originalité sous ces apports étrangers. Il ne semble pas que cette crainte soit justifiée. Aujourd'hui, comme autrefois, la France donne autant qu'elle reçoit et son rayonnement s'étend au delà de ses frontières. Sous la diversité des œuvres on reconnaît quelque chose qui reste particulièrement français et qui est très réel mais presque impossible à définir. C'est peut-être le culte de la clarté du style, bien qu'aujourd'hui l'idéal des écrivains ne soit pas uniquement un culte de la clarté. Peut-être est-ce simplement la conscience plus ou moins obscure que ces nouveaux venus, pour originaux et indépendants qu'ils soient, ne sont pas des isolés. Qu'ils le veuillent ou non, ils sont les héritiers et les représentants d'une grande tradition littéraire. Si leur horizon s'est élargi ils n'en continuent pas moins leurs devanciers.

# LEXIQUE

**abandon** *m.* easy grace

**abandonner** abandon, give up, leave aside; **faire abandonner** cause to neglect

**abbé** *m.* abbé (title given to secular priest); head of a monastery, abbot

**abeille** *f.* bee

**abjurer** renounce, recant

**abnégation** *f.* self-denial

**abondant -e** copious; **peu abondants** rather few

**abord: tout d'abord** first of all, at first; **dès l'abord** from the first; **du premier abord** at first sight, at first

**abordable** understandable

**aborder** come to, begin writing for, try

**aboutir (à)** end (in), arrive (at)

**absent -e** excluded; far away

**absolu -e** complete, absolute

**abstrait -e** abstract

**abus** *m.* abuse, exaggerated use

**abuser de** make too much use of

**acariâtre** shrewish, peevish

**accabler (de)** load (with), overwhelm (with)

**accentué -e** accented

**accessible** understandable

**accessoires** *m. pl.* properties (theatrical)

**s'accommoder (de)** be satisfied with, conform to

**accompagner** attend

**accompli -e** made

**accord: d'accord avec** together with

**accorder** recognize, grant; **s'accorder** agree

**accoutumé -e** used (to)

**s'accroître** grow

**accueillir** receive; greet

**acharné -e** relentless

**acharnement** *m.* fierce tenacity

**s'acharner** fight fiercely

**s'acheminer** progress

**achevé -e** perfect, polished

**acquis** *p. p. of* **acquérir** acquire

**acquitter** set free, dismiss

**action** *f.* influence

**actuel -le** present

**actuellement** now

**acuité** *f.* sharpness

**admettre** acknowledge the existence of

**admirateur** *m.* admirer

**adopter** select, choose

**s'adresser à** address oneself to; be intended for, be directed against, go to

**affaiblir** weaken

**affaire** *f.* affair, trial, case; **avoir affaire à** have to deal with

**affectation** *f.* affectation, conceit
**afficher** flaunt; **il a pu afficher** he may have flaunted
**affirmer** affirm, assert, state
**s'affliger** grieve, mourn
**s'affranchir** free oneself
**agacé -e** annoyed
**âge** *m.* age, time; **âge d'or** golden age; **âge qui avance** approaching old age
**âgé -e** old
**aggravé -e** made worse
**agile** nimble
**agir** act; **il s'agit d'une histoire vraie** the subject is a true story
**agité -e** perturbed
**aguets: aux aguets** on the watch
**aider** help
**aïeux** *m. pl.* forefathers
**aigri -e** embittered
**aigu, aiguë,** acute
**ailleurs** elsewhere; **d'ailleurs** after all, moreover
**aîné -e** elder
**ainsi** thus; **c'est ainsi** so it happens
**air** *m.* look; *pl.* manners; **singer les airs** ape the manners
**aise** *f.* ease; *pl.* ease, comfort; **à l'aise** well off
**aisé -e** easy; well-to-do
**ajouter** add
**Allemagne** *f.* Germany
**allemand -e** German
**aller** go, come; **se laisser aller à** allow oneself to be led by
**alliance** *f.* blending
**allier à** combine with

**allure** *f.* manner, behavior
**alors** then; **d'alors** of that time; **alors que** when, while
**amant -e** lover
**amas** *m.* mass
**ambulant -e** itinerant
**âme** *f.* soul
**amende honorable** *f.* public confession
**amène** urbane
**amener** lead
**amer, amère,** bitter
**amitié** *f.* friendship
**amour** *m.* love
**amoureux** *m.* lover; **tomber amoureux de** fall in love with
**amour-propre** *m.* vanity
**amuseur** *m.* entertainer
**an** *m.* year; **guerre de Cent ans** Hundred Years' War
**analogue** similar
**analyser** analyze
**ancêtre** *m.* ancestor, predecessor
**ancien -nne** former; old, ancient
**ancienneté** *f.* date, age
**ange** *m.* angel
**angoisse** *f.* anguish, qualm
**animalier -ère** dealing with animals
**animé -e** glowing
**annoncer** herald, foretell
**annonciateur** *m.* forerunner, harbinger
**antan** yester-year
**antérieur -e** former
**antérieurement** previously
**anticiper** anticipate, give a foretaste of
**Antilles** *f. pl.* West Indies

**anti-naturel -lle** against nature

**antique** ancient

**apogée** *m.* highest pitch, acme

**apologue** *m.* apologue, moral, fable

**apôtre** *m.* apostle

**apparaître** appear

**apparemment** apparently

**apparent -e** perceptible, visible

**apparition** *f.* advent; appearance; publication

**appel** *m.* call

**appeler** call, wish for

**applaudir** praise, applaud

**appliqué -e** bestowed, applied

**s'appliquer (à)** try, endeavor, strive (for)

**apport** *m.* contribution

**apporter** bring, contribute

**apprendre** teach; hear, learn; **apprendre par cœur** memorize

**s'apprêter** prepare

**approcher** come up to, compare with; **s'approcher de** come up to

**approfondi -e** thorough

**appui** *m.* support

**âpre** biting, caustic

**après: d'après** from, according to

**âpreté** *f.* bitterness

**Aquitaine** *f.* Aquitania

**archéologue** *m.* archæologist

**archevêque** *m.* archbishop

**ardent -e** eager

**ardeur** *f.* fervor

**argent** *m.* silver

**argot** *m.* slang

**armateur** *m.* ship-owner

**arme** *f.* arm, weapon

**armement** *m.* accoutrement

**s'arracher les cheveux** tear one's hair

**arrangeur de syllabes** duster of syllables

**arrêter** check, arrest, hold up; **arrêter un plan** draw up a plan; **lignes arrêtées** definite lines

**arrière: revenir en arrière** look backward

**arrière-garde** *f.* rear guard

**arrière-plan** *m.* background

**arrivée** *f.* arrival; **point d'arrivée** *m.* meeting-place

**arriver** arrive; **arriver à** reach, attain, succeed in, come to

**arrogant -e** overbearing

**arsenal** *m.* arsenal, store

**art pour l'art** art for art's sake

**artisan** *m.* artisan, handicraftsman

**arturien: romans arturiens** Arthurian romances

**aspirer** yearn

**s'assagir** grow wiser

**assaillir** assail, fall upon

**assassinat** *m.* murder

**assemblage** *m.* mixture

**assez** rather; enough

**assidûment** constantly

**assister (à)** witness, be present (at)

**s'associer à** associate with

**assommer** fell, knock down

**assouplir** make more flexible

**assurer** make certain, warrant; **s'assurer** secure

**atelier** *m.* shop, workshop; **atelier d'imprimeur** *m.* printing shop

**attacher** attach, bind; **s'attacher à** endeavor to, strive to; **s'attacher à une école** join a school

**attardé -e** belated

**s'attarder à** waste time in

**atteindre** reach; affect

**attendre** wait; expect; **s'attendre à** expect

**attendrir** move deeply; **s'attendrir** be touched; **s'attendrir sur** shed tears over

**attendrissement** *m.* emotion

**attention** *f.* care

**attirer** attract; **attirer l'attention** call attention; **s'attirer** obtain

**attrait** *m.* allurement, charm, attraction

**aube** *f.* dawn

**aucun -e** none, not one

**au-dessus** above

**auditeur** *m.* hearer, listener

**auditoire** *m.* public, audience

**augmenter** increase, develop

**aujourd'hui** today

**aumônier** *m.* chaplain

**auparavant** before

**austère** rigid, stern

**autant plus: d'autant plus** so much the more

**auteur** *m.* author

**automne** *m. and f.* fall

**autorisation** *f.* permission

**autoritaire** authoritative

**autrement** otherwise; **il en fut autrement de** it was otherwise with; **autrement dit** in other words

**avance: en avance sur** ahead of; **par avance** ahead of time; **à l'avance** in advance

**avancé -e** developed

**avancer** advance, progress

**avant** before; **avant tout** first of all, above all; **plus avant** farther on

**avant-coureur** *m.* precursor

**avare** *m.* miser

**avarice** *f.* avarice, miserliness

**avènement** *m.* coming, advent

**avenir** *m.* future

**aversion** *f.* dislike

**avertir** warn

**aveugle** blind

**s'avilir** degrade oneself

**avis** *m.* opinion; **à leur avis** according to them

**avocat** *m.* lawyer; **avocat général** prosecuting attorney

**avoir pour soi** have in one's favor

**avouer** confess

**balance** *f.* scale; **faire pencher la balance** turn the scale

**balbutiant -e** stammering

**bambin** *m.* child, little chap

**banal -e** trite, commonplace

**banalité** *f.* commonplace

**bande** *f.* band, gang

**bannière** *f.* standard

**bannir** banish

**banquier** *m.* banker

**barbare** barbarous, barbarian

**barbe** *f.* beard

**barbier** *m.* barber

**barde** *m.* bard

**barreau** *m.* bar; bench

**bas, basse,** low

**bas-breton** the speech of lower Brittany

**base** *f.* basis

**bas-fonds de la société** *m. pl.* slums

**Basoche** *f.* association of lawyers' clerks

**basque: pays ∾** Basque country

**bassesse** *f.* baseness

**batailleur -se** pugnacious; *n.* fighter

**bâtonner** beat with a stick; **l'avait fait bâtonner** had had him beaten

**se battre** fight

**bavard -e** garrulous, talkative

**beaucoup** much; **c'est beaucoup parce que** it is chiefly because; **de beaucoup** by far

**beau-fils** *m.* son-in-law; stepson

**beaux esprits** *m. pl.* wits

**béguinage** *m.* a convent of a lay sisterhood in the Netherlands

**Belge** *m. and f.* Belgian

**Belgique** *f.* Belgium

**bénédictin** *m.* Benedictine monk

**bénir** bless

**berger** *m.*, **-ère** *f.*, shepherd, shepherdess

**bergerie** *f.* pastoral play, poem, *or* novel

**besogne** *f.* work, task

**besoin** *m.* need; **il n'est point besoin** it is not necessary; **au besoin** when needed

**bestiaire** *m.* bestiary

**bibliothèque** *f.* library

**bien** very; **bien français** undeniably French; **bien de** much; **bien des** many; **bien que** although; **ou bien ... ou bien** either ... or

**bien** *m.* property

**bijou** *m.* jewel

**bizarre** strange, peculiar, odd, fantastical

**blâmer** blame; **sans blâmer** without disapproval

**blesser** wound; **se blesser** take offense

**blessure** *f.* wound

**bloc** *m.*: **traiter d'un seul bloc** consider as a whole

**bocager -ère** *arch.* of the grove

**bohême** *m. and f.* gypsy, Bohemian; *f.* gypsydom, Bohemia; **les bohêmes de la société** Bohemian circles

**boire** drink

**bois** *m.* wood

**bon, bonne,** good, kind; **bon sens** common sense

**bonheur** *m.* happiness

**bonhomie** *f.* simplicity, good nature

**bonté** *f.* goodness

**bord** *m.* shore

**se borner** confine oneself, content oneself

**botte (de paille)** *f.* bundle (of straw)

**boue** *f.* mud; **ce globe de boue** this ball of mud

**bouffon -nne** clownlike, buffoonlike

**bouillonnant -e** fermenting

**bouleversement** *m.* upheaval
**bouleverser** upset
**bourgeoisie** *f.* middle class; petite **bourgeoisie** lower middle class
**Bourgogne** *f.* Burgundy
**bourse** *f.* purse
**bout** *m.* end; **jusqu'au bout** to the limit
**boutique** *f.* shop
**bramer** (*of a stag*) bell
**brave** honest
**bref, brève,** short
**Brésil** *m.* Brazil
**Bretagne** *f.* Brittany
**Breton** *m.*, **-nne** *f.*, Breton (an inhabitant of, or person from, the French province of Brittany)
**brièvement** briefly
**brochure** *f.* pamphlet
**broder** embroider
**broderie** *f.* embroidery
**se brouiller** quarrel
**brouillon** *m.* first draft
**bruit** *m.* sound; **le bruit que firent** the uproar caused by
**brusquement** suddenly
**bûcher** *m.* stake, pyre; **brûler sur le bûcher** burn at the stake
**bûcheron** *m.* woodcutter
**but** *m.* aim, purpose, object
**buveur** *m.* drinker, toper

**cabinet** *m.* study; office
**cacher** hide
**cachet** *m.* seal
**cadence** *f.* rhythm
**cadre** *m.* setting, plan, frame
**calembour** *m.* pun

**calquer (sur)** imitate closely, copy
**campagne** *f.* country; *pl.* campaigns
**canaliser** guide, direct, regulate
**canne de jonc** *f.* Malacca cane
**caractère** *m.* characteristic, character
**caricatural -e** caricatural
**carillon** *m.* chime
**carrière** *f.* career; **libre carrière** free play
**cartésien** *m.* Cartesian (disciple of Descartes)
**cas** *m.* case; **en tout cas** at any rate; **dans tous les cas** in every case
**Catacombes** *f. pl.* catacombs
**cause** *f.* cause; **à cause de** on account of
**causer** be the cause of
**causeur** *m.* talker
**céder** yield
**cent** hundred
**centaine** *f.* hundred
**centenaire** centenary
**cerf** *m.* stag
**certain -e** certain, sure; **un certain côté** a particular aspect; **certains** some
**cerveau** *m.* brain
**cesse: sans cesse** constantly
**cesser** stop; **ne cessant pas de publier** always publishing
**chacun -e** everyone, each
**chagrin -e** sad, sorrowful
**chaire** *f.* professor's chair
**châle** *m.* shawl
**chambre** *f.* room

**chameau** *m.* camel

**champ** *m.* field; **vie des champs** country life

**Champenois -e** native of the province of Champagne

**champêtre** pastoral

**chandelle** *f.* candle; **à la chandelle** by candlelight

**chanoine** *m.* canon

**chanson** *f.* song; **finir par des chansons** have a happy ending

**chant** *m.* canto

**charge** *f.* office

**se charger de** undertake, take charge of

**charlatan** *m.* mountebank

**Charles-Quint** Charles the Fifth

**charme** *m.* spell

**charretier** *m.* wagoner, carter

**châsse** *f.* shrine

**chasser** drive away; (*of an animal*) hunt

**château** *m.* castle; **vie de château** chateau life

**châtiment** *m.* castigation, punishment

**chef** *m.* leader, chief

**chef-d'œuvre** *m.* masterpiece

**cheminer** tramp

**cher, chère,** dear

**cherché -e** far-fetched, affected

**chercher** look for, seek; try, endeavor

**chétif -ve** paltry; **d'apparence chétive** puny-looking

**chevaleresque** of chivalry

**chevalerie** *f.* chivalry

**chevalier** *m.* knight

**chevet** *m.* bedside; **livre de chevet** book of one's choice, favorite book

**cheville** *f.* ankle

**chevreuil** *m.* roebuck

**chez** in; **chez Augier** in Augier's plays

**chirurgie** *f.* surgery

**chirurgien** *m.* surgeon

**choix** *m.* choice; **de choix** choice

**Chouans** *m. pl.* Royalist peasant troops in the insurrection of Vendée during the Revolution

**chrétien -ne** Christian

**chrétienté** *f.* Christianity

**christianisme** *m.* Christianity

**chroniqueur** *m.* chronicler

**chute** *f.* fall; downfall

**cimetière** *m.* churchyard

**cinéma** *m.* moving picture; **cinéma-parlant** *m.* talking picture

**cinglant -e** cutting

**circuler** circulate

**ciseler** carve, chisel; **des phrases ciselées** well-wrought sentences

**citer** quote, mention, name

**clandestin -e** hidden; illicit

**clarifier** clarify, clear up

**clarté** *f.* clearness

**classe** *f.* class, rank; **faire une classe à part** classify separately

**classement** *m.* classification

**classer** classify

**clavicule** *f.* collar bone

**clerc** *m.* clerk; cleric; scholar; **clercs de procureurs au Parlement de Paris** lawyers' clerks in the Paris court

**clergé** *m.* clergy, churchmen; **haut et bas clergé** higher and lower clergy

**cloche** *f.* bell

**clos** *m.* garden; inclosure

**cohérent -e** *m.* consistent

**coin** *m.* corner

**collaborateur** *m.* co-worker

**collaborer** contribute

**collectionner** collect

**collectionneur** *m.* collector

**colon** *m.* colonist

**coloré -e** picturesque, colorful

**combat** *m.* struggle; **combat singulier** single combat

**combattant** *m.* fighting man

**combinaison** *f.* combination

**comique** burlesque, farcical; **le comique** the comic element, the comic vein; **sens du comique** perception of the comic element

**comme** like, as; as well as; as much as; **qui sont comme semés** which are, we might say, sown

**commencement** *m.* beginning

**commenter** comment (upon), criticize

**commettre** (*of a crime*) be guilty of; **faire commettre** lead to

**commode** convenient

**commun -e** ordinary; **vie commune** everyday life

**communauté** *f.* community

**compagnie** *f.* company; **de bonne compagnie** of good breeding

**compagnon** *m.* companion; **compagnon d'armes** fellow soldier, companion in arms

**complaisance** *f.* complacency

**compliqué -e** complex

**comporter** comprehend, include

**composé -e** complex; made up (of)

**comprendre** understand; include; **y compris** including

**compte** *m.* account; **se rendre compte de** realize; **en fin de compte** finally, on the whole

**compter** count, include; expect to; **compter sur** expect; **se compter par** run into

**concevoir** conceive

**concilier** reconcile

**concluant -e** conclusive

**concourir** compete

**concurrence** *f.* competition

**condamné -e** done for

**condamner** condemn

**conduire** conduct, guide, lead

**conduite** *f.* conduct

**conférence** *f.* lecture

**confiance** *f.* confidence, trust

**confier** intrust

**confisqué -e** confiscated

**conflit** *m.* conflict; **conflit psychologique** psychological struggle

**confondre** confuse

**conformer** conform; **se conformer aux faits** follow the facts

**conformité** *f.* adaptation

**confrères** *m. pl.* fellow members, brothers

**confrérie** *f.* brotherhood

**confus -e** unexpressed, vague; disordered

**connaissable** knowable

**connaissance** *f.* knowledge

connaître know; faire connaître introduce, make known

connu -e known; mal connu little known

conquérir conquer, vanquish; conquérir le diplome win the diploma

consacrer: consacrer à write ... about; se consacrer devote oneself

consciemment consciously

conseil m. advice

conseiller m. councilor

consentir be willing

conséquent: par conséquent consequently

conserver preserve, keep

considérer consider; à ne le considérer que comme considered only as

consoler comfort, console

conspirateur m. conspirator

conspiration f. plot, conspiracy

constant -e unshaken; de façon plus constante with greater constancy

constatation f. proof, realization; observation (of a fact)

constater note, notice, ascertain, prove, verify, realize

constituer constitute, form, organize, establish; se constituer take form

construire build

conte m. story, tale

contenir contain; hold in check

contenter satisfy

contenu -e restrained

conter relate

conteur m. story-teller

contraindre restrain; force

contrainte f. constraint; sans contrainte freely, of one's own accord

contraste m. contrast; par contraste compared (with)

contrat social m. social compact

contre against; par contre on the other hand

contrebalancer offset

contre-sens m. misinterpretation; pris à contre-sens being given a wrong meaning

contrôle m. control, authority

convaincant -e convincing

convaincre convince

convaincu -e steadfast, religious

convenir (à) suit; il convient it is quite appropriate

convention f. agreement; convention; de convention conventional

coquillard m. (arch.) highwayman

coquin m. rogue

cor m. horn; sonner du cor blow a horn

corbeau m. raven; crow

corde f. (of lyre etc.) string

cordelier m. Franciscan friar

cordière f. ropemaker's wife

cornélien -nne of Corneille

corps m. body, company

corrigé -e cured

corrompre corrupt, ruin

corsaire m. privateer, pirate

Corse f. Corsica

**cortège** *m.* procession

**cosmographie** *f.* cosmography, description of the world

**costume** *m.* dress

**côte à côte** side by side

**côté** *m.* side; **à côté de** beside, opposite; **du côté de** toward

**coteau** *m.* hill

**coterie** *f.* coterie, set

**couche** *f.* bed, stratum; **couches sociales** strata of society

**couler** flow; **couler à flots** flow abundantly; **style coulant** fluent style

**couleur** *f.* color, picturesqueness

**coup** *m.* blow, stroke, thrust; **coup d'épée** sword thrust; **coup de théâtre** (*on the stage*) sudden change in a situation; **à coup sûr** certainly; **d'un seul coup** at one stroke; **du premier coup** at the very beginning; **coup d'œil** glance

**coupable** guilty

**couplet** *m.* stanza

**cour** *f.* court

**courageux -se** brave

**courant -e** current, commonly used; **la vie courante** everyday life

**courant** *m.* current; **le courant de la Réforme** the tide of the Reformation; **au courant (de)** acquainted (with), informed (of)

**courbé -e** bowed down

**couronné -e** crowned

**couronnement** *m.* coronation

**cours** *m.* course; **au cours de** in the course of

**course** *f.*: **course errante** peregrination

**court -e** short

**courtisan** *m.* courtier

**courtois -e**: **roman courtois** romance of chivalry

**courtoisie** *f.* courtesy

**couvent** *m.* convent

**crainte** *f.* fear

**créancier** *m.* creditor

**créateur -trice** creative

**credo** *m.* creed

**créer** create

**crépuscule** *m.* twilight

**creuser** dig; **creuser un sillon** plow a furrow

**cri** *m.* scream, cry, outburst

**crinière** *f.* mane

**crise** *f.* crisis

**critique** *m.* critic

**critique** *f.* criticism

**critiquer** criticize

**croire** believe; **croire sur parole** take (somebody's) word; **il se croit tenu de** he considers himself bound to

**Croisade** *f.* Crusade

**croisé** *m.* crusader

**croissant -e** increasing

**croître** grow

**crotté -e** covered with mire; **poète crotté** Grub Street poet

**croyance** *f.* belief

**croyant** *m.* believer

**cruauté** *f.* cruelty

**culte** *m.* worship

**cure** *f.* parish house; parish

curé *m.* parish priest

curieux -se eager for information; des plus curieux most remarkable

cynique cynical, shameless

cynisme *m.* brazenness

dame *f.* lady

dater date, reckon

davantage more

débarrasser rid

se débattre struggle

débordement *m.* outbreak

déborder overflow

débris *m. pl.* remains, ruins

début *m.* beginning

débuter start, begin; il débuta dans le roman he started out by writing novels

décadence *f.* decline

décerner bestow

déchirement *m.* anguish, heartbreak

déchirer tear

déchoir fall, decline

déchu -e *p. p. of* déchoir fall

décider resolve

déclamer declaim

déclaré -e open

déconcertant -e disconcerting

déconcerté -e amazed

décor *m.* setting; scenery, background

découler de proceed from

découpé -e cut (into slices)

découper cut out

découverte *f.* discovery

décrire describe, represent

déçu -e deceived

dédaigné -e despised

dédaigner overlook

dédaigneux -se scornful

dédain *m.* scorn, disdain

dédier dedicate

déduit -e deduced

défaillance *f.* failing

défaite *f.* defeat

défaut *m.* defect, fault

défectueux -se faulty

défendre guard, defend; forbid; pour se défendre in self-defense; se défendre de deny oneself, guard against

défenseur *m.* defender

défi *m.* challenge

défiance *f.* mistrust

défier challenge; se défier de distrust

défilé *m.* pass (in a mountain range); parade

défiler file off; march, pass, proceed; faire défiler marshal

défini -e defined, fixed

définitivement once for all

déformer distort

dégager point out; evolve, derive, bring out; spring forth; se dégager appear

dégénérescence *f.* degeneracy

degré *m.* degree; par degrés gradually

déguisement *m.* travesty, disguise

dehors: en dehors outside; en dehors de besides

déjà already

delà: par delà, au delà de, beyond

**se délasser** find recreation

**délicat** refined; **les délicats** cultured people

**délices** *f. pl.*: **faire les délices de** delight

**délicieux -se** delightful

**délié -e** shrewd

**demander** ask; **se demander** wonder

**démesuré -e** inordinate, huge

**demeure** *f.* dwelling

**demeurer** remain

**demi-dieu** *m.* demigod

**demi-frère** *m.* half-brother

**demi-servage** *m.* semi-bondage

**démissionner** resign

**demi-teinte** *f.* half-tint

**démontrer** prove, demonstrate

**démoralisant -e** demoralizing

**dénombrement** *m.* enumeration

**dénouement** *m.* ending of a play or novel

**dénouer** solve

**dentelle** *f.* lace

**déparer** mar

**dépasser** go beyond, be ahead of; **il fut vite dépassé** he was soon outdone

**dépeindre** describe

**dépendre de** depend upon

**dépens** *m. pl.*: **aux dépens de** at the expense of

**dépit** *m.*: **en dépit de** in spite of

**déplorer** bewail

**déployer** exert

**dépouillé -e** shorn, stripped

**dépouiller** despoil, strip

**dépourvu: être dépourvu de** be without

**depuis** from, since; **depuis une vingtaine d'années** for the last twenty years

**député** *m.* representative

**dériver** draw

**dernier -ère** last, latest; **ce dernier** the latter

**se dérouler** unfold

**dérouter** baffle

**dès** as early as, from

**désabusé -e** blasé

**désapprouver** disapprove

**désavouer** disclaim

**désenchanté -e** disillusioned, disenchanted, free from delusion

**déséquilibre** *m.* lack of balance

**désespérer de** despair of

**désespoir** *m.* despair

**désigné -e** chosen

**désintéressé -e** disinterested

**désirer** desire

**désireux -se** eager, anxious; **peu désireux** caring little

**désoler** lay waste

**désordonné -e** confused, wild

**désormais** henceforth

**dessein** *m.* design

**dessin** *m.* drawing

**dessiner** draw, outline; **se dessiner** take form, appear

**destin** *m.* fate

**destiné -e** meant (for); **destiné à être joué** intended for the stage

**destructeur -trice** destructive

**désuet -ète** old-fashioned

**se détacher** stand out

**détaillé -e** minute, detailed

**déterminé -e** definite; **mal déterminé** undetermined

**déterminer** bring about, determine; **se déterminer** make up one's mind, make a resolution
**détestable** hateful, very bad
**détourné -e** indirect
**se détourner de** turn away from
**détruire** destroy
**devancer** be ahead of
**devancier** *m.* predecessor
**devant** before (of place)
**devenir** become
**dévider** unwind (a skein)
**deviner** guess, perceive
**devise** *f.* motto
**devoir** owe; must, have to; **on doit** one must; **il devait (passer)** he was (to spend); **a dû être** must have been; **est dû à** is the work of; **est dû en grande partie à** comes largely from
**devoir** *m.* duty
**dévouement** *m.* self-sacrifice
**diable** *m.* devil; **Le Diable boiteux** The Devil upon Two Sticks
**Dieu** *m.* God; **les dieux** the gods; **demi-dieu** demigod
**se différencier** be different, differ
**différer** be different, differ
**difficile** difficult
**difficilement** with difficulty
**digne** worthy
**dîme** *f.* tithe
**diminuer** lessen, diminish
**dire** say, tell; **faire dire** lead to say; **vouloir dire** mean
**directeur -trice** leading
**diriger** direct, conduct; **diriger contre** aim against

**discerner** discern, perceive
**discours** *m.* discourse, speech
**discret -ète** controlled, restrained
**discuter** discuss
**discutable** questionable
**disgrâce** *f.* disfavor
**disparaître** disappear; **faire disparaître** displace
**disparu -e** gone by
**dispenser de** excuse from
**disposer de** dispose of, have at one's disposal
**disposition** *f.* inclination
**se disputer** vie for
**dissimulé -e** concealed, hidden
**dissimuler** hide
**dissipé -e** dissipated
**dissiper** dispel
**distinguer** recognize
**dit -e** called, so called
**dit** *m.* tale; medieval tale in verse
**divers -e** diversified, various
**divertissant -e** entertaining
**divertissement** *m.* interlude; entertainment
**divin -e** holy, divine
**dizaine** *f.* about ten
**doctrinal -e** didactic
**se documenter** gather data, collect facts
**domaine** *m.* estate; **domaine de la poésie** field of poetry; **nouveau domaine** new field
**dominant -e** main, predominating
**dominer** prevail, predominate, stand out

**don** *m.* gift
**donjon** *m.* keep, dungeon
**dos** *m.* back
**dosé -e** measured, proportioned
**doter de** give . . . to, endow with
**doublet** *m.* double; doublet
**doué -e** gifted
**douer** endow
**douleur** *f.* grief, sorrow
**douloureux -se** unhappy, sorrowful
**doute** *m.* doubt; **mettre en doute** question
**douteux -se** doubtful
**doux -ce** sweet
**douzième** twelfth
**dramaturge** *m.* dramatist
**dresser** draw up, set up; **se dresser** set up
**droit** *m.* right; law; **droit de cité** citizenship, naturalization
**dû, due,** due
**dur -e** hard, harsh, hard-hearted
**durer** last

**eau** *f.* water; **eau-forte** etching; **eau-forte en couleur** colored etching
**ébauche** *f.* sketch
**éblouir** dazzle
**écart** *m.*: **à l'écart** away (from); **écart de l'imagination** flight of imagination
**écartelé -e** drawn and quartered
**écarter** set aside; **s'écarter** diverge, deviate
**échafaud** *m.* scaffold
**échange** *m.* exchange
**échantillon** *m.* example, sample

**échapper** escape
**échec** *m.* failure
**échelle** *f.* ladder
**échevelé -e** disheveled
**échoppe** *f.* shop
**échouer** fail, miscarry
**éclair** *m.* flash
**éclairé -e** enlightened, educated
**éclairer** brighten
**éclat** *m.* splendor, luster, brilliance
**éclatant -e** bright, glaring
**éclater** break out
**éclore** blossom, burst forth; be born, arise
**éclosion** *f.* bloom; birth
**école** *f.* school; **ne fit pas école** had no imitators
**écoliers** *m.* students, scholars
**économe** thrifty
**Écosse** *f.* Scotland
**écrire** write
**écrit** *m.* writing
**écriture** *f.* writing; **écriture artiste** impressionistic writing; **Écritures** Scriptures
**écrivain** *m.* writer
**s'écrouler** crumble
**écuyer** *m.* equerry
**s'effacer** remain in the background
**s'efforcer** strive
**effort** *m.* energy
**également** equally
**égaler** equal
**égalité** *f.* equality
**égard** *m.* aspect; *pl.* respects; **à leur égard** toward them, with regard to them

**égarement** *m.* aberration, error
**église** *f.* church
**égoïsme** *m.* selfishness
**égoïste** selfish
**élan** *m.* outburst, enthusiasm
**élargir** extend, broaden
**élevé -e** high, exalted
**élève** *m.* pupil, disciple
**élever** bring up; **élever des protestations** raise a protest; **s'élever** rise, stand up
**éliminer** eliminate, leave out
**éloge** *f.* eulogy, praise
**éloigné -e** remote; **rester éloigné** keep away
**éloignement** *m.* remoteness
**eloquence** *f.* oratory
**émail** *m., pl.* **émaux,** enamel; **Émaux et Camées** Enamels and Cameos
**émailleur** *m.* enameler
**embelli -e** embellished
**embourbé -e** stuck fast (in the mud)
**embrouillé -e** tangled
**émerger** emerge, stand out
**s'émerveiller** marvel
**émeute** *f.* riot
**émigré** *m.* refugee
**émigrer** emigrate
**émouvant -e** stirring, impressive
**s'emparer** take hold
**empêcher** prevent; **s'empêcher de** keep from
**emphase** *f.* bombast
**emphatique** pompous
**empli -e de** filled with
**emploi** *m.* use
**employé** *m.* clerk, employee

**employer** use; **s'employer par tous les moyens** make every effort
**emporter** carry away; **l'emporter** prevail, get the upper hand
**empreint -e (de)** stamped, impregnated, pervaded (with)
**empreinte** *f.* impression
**emprunt** *m.* borrowing; **nom d'emprunt** assumed name
**emprunter** borrow
**enceinte** *f.* inclosure
**enchaînement** *m.* linking
**enchâsser** set
**encore** still, yet; again, other
**endroit** *m.* place; **par endroits** at times
**endurer** bear, undergo
**Énéide** *f.* Æneid
**enfance** *f.* childhood
**enfantin -e** childish
**enfer** *m.* hell
**enfermer** include
**enfiévrer** inflame
**enfin** finally, lastly
**enflammé -e de** burning with
**enfoui -e** buried
**enfumé -e** smoky
**engager** advise; engage; **s'engager** begin; **s'engager dans** involve oneself in
**englober** pervade
**engouement** *m.* fancy, infatuation
**enlever** carry off; **enlever quelque chose à quelqu'un** deprive *or* rob one of something
**ennuyeux -se** tiresome, dull
**énorme** vast

**enquête** *f.* inquiry
**s'enraciner** take root
**enrichi -e** newly rich
**s'enrichir** enrich oneself
**enrichissement** *m.* enriching; embellishment; contribution
**enseignement** *m.* teaching
**ensemble** *m.* whole; **vues d'ensemble** perspective; **dans l'ensemble** in the main; **l'ensemble du public** the general public
**enseveli -e** buried
**ensoleillé -e** glorious, sunny
**ensuite** afterwards
**s'ensuivre** follow
**entasser** accumulate, pile up
**entendre** hear; understand; mean; **faire entendre** utter; **il a fait entendre des accents profondément humains** he has touched chords which are profoundly human
**entêtement** *m.* stubbornness, obstinacy
**s'enthousiasmer** grow enthusiastic
**entier -ère** whole, complete; **tout entier** wholly, entirely
**entièrement** exactly, completely
**entourer** surround, be around
**entraîner** draw, carry along; **se laisser entraîner** be swept away
**entraves** *f. pl.* shackles
**s'entrechoquer** clash
**s'entrecroiser** mingle, crisscross
**entrée** *f.* entrance
**s'entremêler** intermix, mingle
**entremise** *f.* intervention

**entreprendre** undertake
**entretenir** keep up, maintain
**entretien** *m.* talk, conversation
**entrevoir** foresee; see dimly
**entr'ouvert -e** ajar, half open
**entr'ouvrir** half-open
**énumérer** enumerate
**envahi -e** invaded
**envahisseur** *m.* invader
**envier** envy; **n'avoir rien à envier** be in no wise inferior (to)
**environnant -e** surrounding
**environs** *m. pl.* neighborhood; **aux environs de** about
**s'épanouir** blossom
**épanouissement** *m.* development
**épargner** spare
**éparpillement** *m.* dispersion
**épée** *f.* sword; **coup d'épée** sword thrust
**éperdu -e** passionate
**éphémère** transient
**épistolaire: genre épistolaire** letter-writing
**épître** *f.* epistle
**épopée** *f.* epic
**époque** *f.* period, time
**épouser** marry
**épouvanter** appall, frighten
**s'éprendre de** fall in love with
**épreuve** *f.* trial; **à l'épreuve du temps** tried by time; **mettre à l'épreuve** try, test
**épris -e de** a lover of, fond of, in love with
**éprouver** test; experience, feel
**épuiser** drain off, wear out, exhaust

épurer uplift, purify

équilibre *m.* balance, equipoise; faire équilibre counterbalance

équilibré -e balanced

ériger: il s'est érigé en he set himself up as

errant -e wandering, roving

érudit -e scholar, learned

érudition: d'érudition erudite

esclavage *m.* slavery; slavish imitation

espace *m.* space

Espagne *f.* Spain

espagnol -e Spanish

espèce *f.* species; espèce humaine mankind

esprit *m.* spirit; mind; wit; avec bien de l'esprit very wittily; les beaux esprits the wits; choses de l'esprit intellectual subjects; d'esprit witty

esquisse *f.* sketch

essai *m.* attempt, endeavor, experiment; essay

essayer endeavor, try; s'essayer try one's hand

essentiel -lle main

estimable of value

estimer consider

estomac *m.* stomach

estrade *f.* platform, stage

établir establish, found; s'établir settle, take place

étalage *m.* display; faire étalage de show off

étaler display

étang *m.* pond

étape *f.* stage

état *m.* condition; state; homme d'état statesman

États-Unis *m. pl.* United States

s'étendre extend, spread (out), stretch

étendu -e large, far-reaching

étendue *f.* scope; de peu d'étendue rather short

étonner astonish

étouffer suppress

étrange strange

étranger -ère foreign; à l'étranger abroad

être be; belong; on n'en est pas encore à we have not yet reached the point where; il en est de la reconnaissance comme de ... it is with gratitude as with ...; il n'en est rien it is not so

être *m.* being

étroit -e narrow; à l'étroit confined, in narrow straits

étroitement narrowly

étude *f.* study

étudiant *m.* student

s'évader escape, get away, break loose

évangile *m.* gospel

éveil *m.* awakening

éveillé -e wide awake

s'éveiller awaken

événement *m.* event

éventualité *f.* contingency

évêque *m.* bishop

éviter avoid

évoquer evoke, call up, conjure up

exactitude *f.* accuracy

exalté -e excited
s'exalter become enthusiastic, be
enthusiastic
examen *m.* examination
excellence *f.* excellence; par excellence preëminently
excentrique eccentric
excessif -ve extreme
exclu -e excluded
exemplaire *m.* copy
exercer exert, exercise, practice;
s'exercer (à) practice
exhaler breathe forth, pour
out
exigence *f.* need
exister be, exist; il existe des
there are some
expérience *f.* experiment
expérimenté -e put to the test
expliquer explain
exploit *m.* deed
exploiter exploit
exposé *m.* statement
exprimer express
exquis -e exquisite
extérieur -e external; la nature
extérieure the outer world
exterminer destroy

fabliau *m.* fabliau, medieval tale
(in verse)
face *f.* face; faire face à con-
front; en face de opposite
façon *f.* manner, fashion, way
faculté *f.* faculty; department
(in a college)
fade insipid
faible weak
faiblesse *f.* weakness

faillite *f.* failure
fainéant -e lazy; loafer
faire do, make, cause, have, be;
faire beaucoup pour be largely
responsible for; se faire become
fait *m.* fact, deed; en fait, au fait,
in fact
falaise *f.* cliff
falloir must; be necessary, re-
quire; s'en falloir de beaucoup
be far from; il faut se souvenir
it must be remembered; il faudrait it would be necessary;
il ne faudrait pas croire we
must not believe; il faudrait
faire there ought to be
familier -ère familiar
fantaisie *f.* fantasy, fancy; de
fantaisie fanciful
fantaisiste fanciful
farouche fierce, untamed, wild
faubourg *m.* suburb; faubourg
ouvrier tenement district; Faubourg Saint-Germain aristo-
cratic quarter in Paris
faussé -e twisted
faussement falsely
faute *f.* fault, defect, error: il
ne s'est pas fait faute he has
not failed (to)
faux -sse false
Faux-Semblant *m.* Pretense
fécond -e rich, abundant
féerie *f.* fairy play; pays de
féerie fairyland
fendre split, break
féodal -e feudal
féodalité *f.* feudalism

fer *m.* iron; *pl.* fetters; **dans les fers** enslaved

ferme strong, steadfast, well constructed

fermé -e closed; limited

fermement firmly

fermier *m.*, -ère *f.*, farmer

férocité *f.* fierceness

fertile rich

ferveur *f.* earnestness

festin *m.* banquet, feast

fête *f.* feast, holiday; **Fête-Dieu** Corpus-Christi Day

feu *m.* fire, heat

feuille *f.* leaf

feuillée *f.* bower, foliage

fi: faire fi de scorn

fiacre *m.* cab

fidèle faithful

fidèlement faithfully

se fier à trust

fier, fière, proud

fierté *f.* pride

fièvre *f.* fever, passion

figure *f.* character, type; **faire figure de** appear as

figurer: faire figurer dans include in; **on voit figurer** one sees pictured

fil *m.* thread

filer spin

fille *f.* daughter; girl; **jeune fille** young lady, girl

fils *m.* son; **beau-fils** stepson; **petit-fils** grandson

fin -e fine, delicate; witty, keen; **la fine fleur** the essence

fin *f.* end, ending

finesse *f.* delicacy

fini *m.* finish, polish

fixer determine, fix; **se fixer** become stable, settle

Flamand *m.*, -e *f.*, Fleming, Flemish

flamme *f.* flame; **de flamme** glowing

Flandre *f.* Flanders

flatter fawn upon

fleur *f.* flower, bloom; **Fleurs du mal** Flowers of Evil

floraison *f.* efflorescence, blossoming

flot *m.* wave; **à flots** in floods, abundantly

foi *f.* faith; **bonne foi** honesty; **de bonne foi** honest

fois *f.* time; **à la fois** at the same time, both; **à petites fois** little by little; **une fois de plus** once more

folie *f.* madness, mania

foncier -ère innate

foncièrement thoroughly, essentially

fond *m.* substance, matter; **au fond** at bottom, in the main; **à fond** thoroughly

fondateur *m.* founder

fondation *f.* foundation, establishing

fonder found; **si fondés que soient** however well founded ... may be

fondre melt, blend

force *f.* strength; **en pleine force** in the prime of life; **par force** through compulsion

forcément necessarily

**former** constitute; contain

**formuler** express, formulate; **se formuler** express oneself

**fort -e** *adj.* strong; **fort de sa raison** confident in his reason

**fort** *adv.* quite, very

**fortement** loudly, strongly

**fortune** *f.* fortune; **chercher fortune** seek one's fortune

**fou, fol, folle,** *adj.* foolish; wild, rash; *n.* fool

**foudre** *f.* lightning

**fougue** *f.* passion

**fougueux -se** fiery

**fouiller** dig into

**foule** *f.* crowd

**fourmi** *f.* ant

**fourmiller** swarm, abound

**fournir** supply, provide

**fourniture** *f.* supplies

**franchement** frankly

**franchir** cross

**franchise** *f.* frankness

**frappé -e** struck, stamped

**frapper** strike, beat; **frapper monnaie** coin money

**fraternité** *f.* brotherhood

**fréquentations** *f. pl.* personal connections

**fréquenter** associate with, visit

**frère** *m.* brother; **demi-frère** half-brother

**frivole** frivolous, light

**froid -e** cold

**froidure** (*arch.*) *f.* cold

**fuir** avoid, shun, run away from

**fumer** smoke

**funèbre** funereal, dismal

**fusion** *f.* blending

**gâcher** spoil, make a bad job of

**gages** *m. pl.* salary; **auteur aux gages de** hack writer for

**gagner** gain, earn, win; **gagner jusqu'au** spread even to

**galanterie** *f.* gallantry

**garantie** *f.* assurance

**garantir** protect (against); **se garantir de** avoid

**garder** keep; **se garder de** keep from, beware of, avoid

**Gascogne** *f.* Gascony

**gascon -nne** Gascon, from Gascony

**gaspillage** *m.* waste

**gâter** spoil

**gaucherie** *f.* awkwardness

**gaz** *m.* gas

**géant** *m.* giant

**gendre** *m.* son-in-law

**Genève** Geneva

**genevois -se** Genevan, Genevese, of Geneva

**genre** *m.* type, class, kind, style, genre

**gens** *m. and f.* men; people; **gens d'église** churchmen; **gens du monde** society people; **gens du peuple** common people; **petites gens** poor people

**gentilhomme** *m.* nobleman; **gentilhomme campagnard** country gentleman

**gentillesse** *f.* charm, grace

**germe** *m.* germ; **en germe** germinating, beginning

**geste** *f.* gesture; **chansons de geste** epic poems

**gigantesque** gigantic

glacé -e frozen
gloire *f.* fame
goinfre *m.* glutton
gouffre *m.* abyss
goût *m.* taste, appreciation, liking
grâce *f.* grace, gracefulness; grâce
à thanks to
grand great; les grands the no-
bility
grandeur *f.* greatness
grandiloquent -e bombastic,
pompous
gras -sse fat, rich
grave serious, grievous
gré *m.* will
grec -cque Greek
grenier *m.* garret, attic
gros -sse big, coarse
grossi -e enlarged
grossier -ère coarse, crude
grossièreté *f.* vulgarity
grouiller swarm
groupement *m.* group, grouping
guère hardly, not much; on ne
peut guère it is hardly possible
guérir cure; se guérir de be
cured of
Guernesey *m.* Guernsey, one of
the Channel Islands, between
France and England
guerre *f.* war; se faire la guerre
entre eux war upon one another
gueux *m.*, -se *f.*, beggar
Guillaume *m.* William
Guyenne *f.* a province in the
southwest of France

habile clever, skillful
habileté *f.* ability, skill

habiller dress
habiter dwell, inhabit
habitude *f.* habit
habitué *m.* intimate friend, reg-
ular visitor, usual associate
haine *f.* hatred
hanté -e haunted
hardi -e bold
hardiesse *f.* boldness
hasard *m.* chance; au hasard at
random; au hasard des lectures as (his) reading went; au
hasard de la vie as it chanced
to happen
hâter hasten
haut -e high; great; plus haut
above, before
haut *m.* height, top
hautain -e haughty
hautement greatly; openly
hauteur *f.* elevation, loftiness
hébreu *m.* Hebrew
héritier *m.*, -ère *f.*, successor
héros *m.* hero, character (in a
story)
hésitant -e wavering
hésiter hesitate
hétéroclite anomalous
heure *f.* hour; de bonne heure
early
heureux -se happy, fortunate
histoire *f.* history, story
homme de théâtre *m.* play-
wright
homogène homogeneous, uniform
honnêteté *f.* honesty
honneur *m.* honor; faire honneur à be a credit to
honte *f.* shame

**horloger** *m.* clockmaker
**hors** outside; être hors de soi be beside oneself
**hôtel** *m.* hotel; mansion
**humanitaire** humanitarian
**humble** humble; les humbles the lowly

**Ibère** *m. and f.* Iberian
**icelle** *old form of the demonstrative pronoun* this one
**ignoré -e** left aside, unknown
**ignorer** not know
**île** *f.* island; l'Ile-de-France formerly a province of France, comprising several of the present departments around Paris; les Iles the colonial islands
**illettré -e** illiterate
**illimité -e** boundless
**illustration** *f.* illustration; les illustrations de la France the great men of France
**illustrer** shed luster over, make famous
**imagé -e** full of images
**imagier** *m.* painter and sculptor (*not used in this sense in modern French*)
**imitateur** *m.,* **-trice** *f.,* imitator
**impassible** unmoved
**impiété** *f.* impiety
**impitoyable** pitiless, ruthless
**importer** matter, be necessary, be important
**imposant -e** impressive
**imposer** impose, compel; s'imposer à compel the esteem of, command

**impôt** *m.* tax
**imprécision** *f.* vagueness
**impressionnant -e** affecting
**imprimerie** *f.* printing-shop
**imprimeur** *m.* printer; ouvrier imprimeur journeyman printer
**impuissant -e** powerless
**inachevé -e** unfinished
**inaperçu -e** unnoticed
**inattendu -e** unexpected
**incertitude** *f.* uncertainty
**incliner** lean toward; s'incliner devant bow before
**incohérent -e** unintelligible
**incomparable** matchless
**incongru -e** incongruous
**inconnu -e** unknown
**inconscient -e** unconscious
**incontestable** indisputable
**incorrigible** incurable
**incrédule** unbelieving, agnostic
**incroyant** *m.* unbeliever
**Inde** *f.* India
**indépendant -e** not attached to any school
**Indien** *m.,* **-nne** *f.,* Hindu
**indigène** *m.* native
**s'indigner** become indignant
**indiquer** indicate, outline
**indiscipliné -e** undisciplined
**indiscutable** incontestable
**individu** *m.* man; *pl.* individuals
**indulgence** *f.* leniency, indulgence
**industrie** *f.* ingenuity
**inébranlable** steadfast
**inégal -e** uneven, unequal
**inépuisable** inexhaustible
**inexact -e** inaccurate

**inexploré -e** unexplored
**infaillible** unerring
**infidèle** *m. and f.* unbeliever, heathen
**infini** *m.* infinity, infinite
**infliger** inflict
**influer sur** influence
**informe** shapeless
**infranchissable** impassable, insurmountable
**ingénument** ingenuously
**injouable** unfit to be played
**injure** *f.* abuse, insult
**injuste** unjust, unfair
**innombrable** numberless
**innover** innovate
**inoubliable** unforgettable
**inquiet -ète** restless, anxious
**inquiéter** cause anxiety
**inquiétude** *f.* anxiousness, restlessness
**insensé -e** insane
**insérer** include
**insister sur** dwell upon
**insolemment** insolently
**insoupçonné -e** unsuspected
**inspirateur** *m.* inspirer
**s'inspirer de** draw inspiration from
**s'installer** settle, take up one's lodgings
**instance** *f.* entreaty
**instantané** *m.* snapshot
**instruire** teach
**insuffisant -e** inadequate, insufficient
**intégral -e** perfect, entire
**intégralement** in its entirety
**intense** intense, deep, extreme

**intensément** intensely
**intercéder** intercede
**interdiction** *f.* prohibition
**interdire** forbid, suspend; **s'interdire** refrain from
**intéressé -e** interested; **des buts intéressés** selfish aims
**intérieur -e** inner; **la vie intérieure** inner life
**intermédiaire** *m.* medium
**interprète** *m.* interpreter
**s'interrompre** break off, stop
**intervenir** intervene, step in, interfere
**intestin -e** internal, domestic
**intitulé -e** entitled
**intransigeant -e** uncompromising
**intrigant** *m.* adventurer
**intrigue** *f.* intrigue; plot (of a drama or story)
**invective** *f.* abuse
**inventaire** *m.* inventory
**invraisemblable** improbable
**irréel -lle** unreal
**irrégulier -ère** irregular
**irrémédiable** irretrievable
**irrespectueux -se** disrespectful
**isolé -e** solitary, unique; independent, not attached to any school
**isolement** *m.* seclusion
**ivoire** *m.* ivory
**ivresse** *f.* frenzy

**jadis** formerly, of old; **du temps jadis, au temps jadis,** in days of yore
**jamais** never

**Jersey** one of the Channel Islands (between France and England)

**jeter** throw, cast; **jeter un vif éclat** display great brilliance

**jeu** *m.* acting; play; **jeu des acteurs** acting; **en jeu** at stake

**jeune: les jeunes** the younger generation of writers

**jeunesse** *f.* youth

**joie** *f.* joy; **faire la joie de** be the delight of

**joint -e** added

**joliment** prettily

**jongleur** *m.* minstrel; juggler

**jouer** play, act, perform; **jouer à** ape

**joueur** *m.* gambler

**joug** *m.* yoke

**jouir de** enjoy

**jouissance** *f.* enjoyment, pleasure

**jour** *m.* day; **tous les jours** every day; **au jour le jour** day by day; **du jour au lendemain** in the space of a day, overnight; **de nos jours** contemporary; **se faire jour** come to light, appear; **sur ses derniers jours** in the last part of his life

**journalier -ère** daily

**joyeux -se** gay

**judiciaire** judicial; **erreur judiciaire** mistake of justice

**jugement** *m.* opinion

**juger** judge, give one's opinion of

**Juif** *m.* Jew

**jument** *f.* mare

**jusqu'à** as far as; up to; **jusqu'ici** up to this point; **jusqu'à (devenir)** to the point of (becoming)

**juste** just, true

**justement** justly, truly

**justiciable de** accountable to

**justifier** indicate

**là** there; **de là** hence, from that time; **ce ne sont pas là** those are not; **jusque là** up to that time; **par là (même)** for this (very) reason

**labeur** *m.* toil, work

**laboureur** *m.* plowman

**lai** *m.* short narrative (*or* lyric) poem

**laid -e** ugly

**laideur** *f.* ugliness

**laïque** lay, laic

**laisser** allow; leave; **laisser à désirer** leave much to be desired

**lait** *m.* milk

**laitière** *f.* dairymaid

**lancer** hurl, launch; put (in circulation); aim (as criticisms); **se lancer** venture

**langue** *f.* tongue, language

**lapidaire** terse

**lapidaire** *m.* lapidary; treatise on stones

**lapin** *m.* rabbit

**laquais** *m.* lackey, footman

**larcin** *m.* theft

**largement** largely, to a great extent; **rire largement** laugh heartily larme *f.* tear ; **faire couler des larmes** bring tears to the eyes

**larmoyant -e** tearful ; **comédie larmoyante** pathetic comedy

**las, lasse,** tired

**lasser** tire ; **finir par lasser** finally become tiresome

**latent -e** hidden, latent

**lecteur** *m.,* **-trice** *f.,* reader

**lecture** *f.* reading

**légataire** *m.* legatee ; **légataire universel** residuary legatee

**léger -ère** light, graceful

**légèrement** somewhat

**lendemain** *m.* day after ; **du jour au lendemain** overnight

**lent -e** slow

**lenteur** *f.* slowness

**lettres** *f. pl.* letters, learning ; **lettres de marque** letters of marque

**lettré** literate ; learned ; **les lettrés** cultured men, literati

**Levant** *m.* East

**lever** lift, raise ; **lever des troupes** levy troops ; **se lever** rise

**libérateur** *m.* deliverer

**libérer** deliver, release ; **se libérer** free oneself

**libertin -e** irreligious ; *n.* (*17th-century meaning*) free-thinker

**libertinage** *m.* licentiousness ; (*17th-century meaning*) free-thought

**libraire** *m.* bookseller, publisher

**libre** free ; **libre cours** free play ; **libre-esprit** unorthodox mind

**lier** bind, relate ; **se lier** become acquainted

**lieu** *m.* place ; **lieu commun** commonplace ; **avoir lieu** take place ; **au lieu** instead

**ligne** *f.* line ; **grandes lignes** broad lines

**ligue** *f.* league

**Ligure** *m. and f.* Ligurian

**limpidité** *f.* clearness

**lingère** *f.* seamstress

**livre** *m.* book ; **livres saints** Scriptures

**livrer** deliver ; **se livrer à** indulge in

**loi** *f.* law

**loin** far ; **de loin en loin** from time to time ; **plus loin** farther

**lointain -e** remote

**longuement** at length

**longueur** *f.* long-drawn-out passage

**lorrain -e** from (the old province of) Lorraine

**lors** then ; **depuis lors** since then

**loup** *m.* wolf

**lumière** *f.* light ; **les lumières** knowledge

**lumineux -se** clear

**lutte** *f.* struggle, strife

**lutter** struggle

**luxe** *m.* luxury

**macabre** gruesome

**machine à calculer** *f.* calculating machine

**machinerie** *f.* machinery

**magasin** *m.* stock ; shop

**magie** *f.* magic

**magistrat** *m.* magistrate

**magistrature** *f.* the bench

**maigre** thin

**maint -e** many a; **à maintes reprises** many a time

**maintenir** maintain; **tout en maintenant** while maintaining

**maintenu -e** maintained

**maire** *m.* mayor

**maison de campagne** *f.* country house

**maître** *m.* master; **maître de chant** singing master; **maître d'hôtel** steward, major-domo; **maître-ès-arts** master of arts; **maître des eaux et forêts** commissioner of waters and forests

**maîtresse: œuvre maîtresse** masterpiece

**mal** *adv.* badly, poorly

**mal** *m., pl.* **maux**, evil, harm, misfortune

**maladie** *f.* disease, illness

**maladif -ve** sickly

**maladresse** *f.* clumsiness

**maladroit -e** awkward

**Malebouche** *f.* Evil-Tongue

**malgré** in spite of

**malheur** *m.* misery, woe, unhappiness; **par malheur** unluckily

**malheureusement** unfortunately, unluckily

**malheureux -se** unhappy, unfortunate

**malhonnêteté** *f.* dishonesty

**malice** *f.* humor, roguishness

**malicieux -se** sarcastic

**Manche: la Manche** the English Channel

**mandat** *m.* mandate

**manie** *f.* mania

**manière** *f.* manner, way

**maniéré -e** affected

**manifeste** *m.* manifesto

**manifester** express; **se manifester** show oneself, be revealed

**manoir** *m.* manor

**manque** *m.* lack; **manque de respect** disrespect

**manquer (de)** miss, lack, be lacking in, fail

**manteau** *m.* cloak, mantle

**marbre** *m.* marble

**marchand** *m.* merchant; **marchand de bois** lumber dealer

**marche** *f.*: **la marche de son siècle** the trend of his time; **Marche** march, military province

**marché** *m.* market

**mare** *f.* pond

**mari** *m.* husband

**mariage** *m.* wedding

**marin** *m.* sailor

**marquant -e** remarkable, leading, notable

**marque** *f.* note; **lettres de marque** letters of marque

**marqué -e: progrès marqué** decided progress

**marquer** show

**masque** *m.* mask

**massacrer** slaughter

**matériaux** *m. pl.* subject matter

**matière** *f.*: **en matière de religion** in religious matters

**maudire** curse

**méchanceté** *f.* wickedness

**méchant -e** malicious

**médaille** *f.* medal

**méditer** meditate

**mélancolie** *f.* sadness

**mélange** *m.* blending, mixture, intermixture

**mélanger** mix

**mêlée** *f.* fray

**mêler** mix, intermingle ; **se mêler à** participate in

**même** same ; even ; **de même** likewise, in the same way ; **de même que** as well as ; **il en est de même** the same is true of

**mémoire** *m.* essay ; *pl.* memoirs

**mémoire** *f.* memory

**menacer** threaten

**ménagement** *m.* consideration

**ménager** spare ; **ménager l'intérêt** keep up the interest

**mendiant** *m.* beggar, mendicant

**ménestrel** *m.* minstrel

**menu -e** minute, thin

**mépris** *m.* scorn, contempt

**mer** *f.* sea ; **mer océane** (*arch.*) ocean

**merci** *f.* mercy ; **sans merci** merciless, mercilessly

**mesure** *f.* poise, extent ; **à mesure que** as

**mesuré -e** discreet

**métal** *m.* metal

**métier** *m.* trade, calling, craft, work ; **métier des armes** military profession ; **il fit tous les métiers** he was a Jack-of-all-trades

**mettre** put ; **mettre à profit** take advantage of ; **mettre à part** set apart ; **mettre en doute** question ; **mettre en garde** warn ; **mettre en scène** portray, bring into play, introduce, put on the stage ; **mettre au jour** reveal ; **mettre aux prises** set against each other ; **se mettre à** set about, begin

**meunier** *m.* miller

**meurtrier** *m.* murderer

**mi-** half

**midi** *m.* noon ; south

**milieu** *m.* middle ; surroundings ; **le juste milieu** the golden mean ; **au milieu de** in the midst of, among ; **les milieux du temps** the society of the time

**millier** *m.* thousand

**mince** meager, thin

**minutie** *f.* minuteness

**minutieux -se** exact, meticulous ; **de la façon la plus minutieuse** very minutely

**mise en scène** *f.* staging, stage setting

**misérable** *m. and f.* wretch

**misère** *f.* misery, wretchedness, woe ; poverty

**miséricordieux -se** merciful

**mixte** intermediate

**mobile** variable, changeable

**mobile** *m.* motive

**mode** *m.* mood, mode

**mode** *f.* manner, fashion ; **à la mode** fashionable, in fashion

**modéré -e** moderate ; tranquil

**modifier** alter, change

**mœurs** *f. pl.* manners ; morals

**moi** *m.* ego

**moindre** lesser ; **le moindre** the smallest, the least

**moine** *m.* monk

moins less; non moins no less;
au moins at least; il n'en reste
pas moins it is nevertheless
true
moitié *f.* half
moment *m.* time
momentané -e momentary
momentanément momentarily
mondain -e worldly; courtly
monde *m.* world
monnaie *f.* money; frapper monnaie coin money
montagnard *m.* mountaineer
monter go up, lead up
montrer show
se moquer de laugh at, ridicule,
make fun of
moqueur -se ironical
morale *f.* morals; morale courante common morality; morale laïque lay morals
moralisateur -trice moralizing
mordant -e biting
mort -e dead
mort *f.* death; belle mort glorious
death
mot *m.* word, saying
motif *m.* reason, motive; motif (d'un roman) theme (of a
novel)
mou, mol, molle, soft
mouche *f.* fly
moule *m.* mold, cast
mourant -e dying
mourir die
mouvant -e changing
mouvement *m.* action
mouvementé -e agitated
se mouvoir move, act

moyen -nne middle; average; le
moyen âge the Middle Ages; vie
moyenne ordinary life, middle-
class life
moyen *m.* means
moyenne *f.* average
multiplier increase
munitions *f. pl.* ammunition
mûr -e mature

naissance *f.* birth, rise
naître be born
naïveté *f.* simplicity
narquois -e mocking
natal -e native
naturel -lle natural; *n. m.* nat-
uralness; au naturel as (he) is
naufrage *m.* shipwreck
ne ... que only
né -e born
néanmoins nevertheless
néant *m.* nothingness, nothing,
worthlessness
nébuleux -se obscure
négateur *m.* one who denies
négliger leave aside
negociant *m.* merchant
neige *f.* snow
nerveux -se vigorous
net, nette, sharply defined, clear,
distinct
nettement absolutely, entirely;
plainly, clearly, flatly
netteté *f.* clearness
neuf -ve new
neveu *m.* nephew
ni ... ni neither ... nor
nier deny
niveau *m.* level

**nobiliaire** pertaining to the no-
bility
**noble** noble ; **mots nobles** refined
vocabulary
**noces** *f. pl.* wedding
**Noël** *f.* Christmas
**noir -e** black
**nom** *m.* name ; **au nom de** in the
name of ; **nom de famille** family
name
**nombre** *m.* number ; **au nombre
desquels** among whom
**nombreux -se** numerous
**nommer** name, call ; appoint
**nonchalance** *f.* nonchalance, in-
dolence
**nonne** *f.* nun
**notable** remarkable
**notamment** particularly
**note** *f.* notation
**noter** note, notice ; point out ; **il
est à noter** it must be noticed
**nourrir** feed, fill ; bring up ; **se
nourrir** eat ; **nourri de la Bible**
well read in the Bible
**nouveau -elle** new ; **de nouveau**
anew
**nuance** *f.* shade
**nuancé -e** variegated
**nuire à** harm
**nuisible** harmful
**nuit** *f.* night
**nul, nulle,** no one ; **nulle part** no-
where

**obéissance** *f.* obedience
**objet** *m.* object, aim
**obscur -e** little known
**obscurci -e** dimmed

**observateur** *m.* observer
**observer** observe ; **faire observer**
enforce
**obtenir** obtain
**occupé -e** busy
**occuper** occupy, hold (a place) ;
**s'occuper de** attend to, busy
oneself with
**Océanie** *f.* Oceania, South Sea
Islands
**odeur** *f.* odor
**odieux -se** hateful
**œil** *m.* eye ; **coup d'œil** glance
**œuvre** *f.* work
**offert -e** represented, set forth
**office** *f.* office, service
**officier** *m.* officer ; **officier de marine** navy officer
**Oiseuse** *f.* Sloth
**oisif -ve** idle ; **les oisifs** the idlers
**ombrage** *m.* umbrage, suspi-
cion ; **prendre ombrage** become
uneasy ; **porter ombrage** offend,
make . . . uneasy
**ombre** *f.* shade, shadow ; **à
l'ombre de** in the shadow of
**omettre** omit, leave out
**opérer** bring about, effect ; **s'opérer** take place
**or** *m.* gold
**orageux -se** stormy
**oraison** *f.* oration
**oratoire** rhetorical
**ordonner** put some order in
**ordre** *m.* order ; **de tout premier
ordre** of the very first order
**orgie** *f.* orgy
**orgueil** *m.* pride
**orgueilleux -se** proud

**orientation** *f.* direction

**original,** *pl.* **-aux,** original, odd;
les excentriques et les originaux
eccentric and odd people

**origine** *f.* origin, beginning

**orphelin** *m.,* **-e** *f.,* orphan

**oser** dare

**ostentation** *f.* pomp, display

**où** where, when, whence, which,
in which

**oublier** forget; **faire oublier** cause
to forget, cause to neglect

**ouï-dire** *m.* hearsay

**ours** *m.* bear

**outil** *m.* tool

**outrancier -ère** extreme

**ouvertement** openly

**ouvrier** *m.,* **-ère** *f.,* workman,
workwoman

**ouvrir** open

**païen -nne** pagan

**pair** *m.* peer

**paître** graze

**paix** *f.* peace

**palpiter** throb, quiver

**pamphlet** *m.* short polemic writing

**pamphlétaire** *m.* pamphleteer

**pape** *m.* Pope

**Pâques** *f.* Easter

**paraître** appear; **faire paraître**
publish

**parcelle** *f.* part, portion, item

**parcourir** run through, wander
through, travel through

**parent -e** parent; relative, kins-
man

**paresse** *f.* laziness, idleness

**paresseux -se** lazy, idle

**parfait -e** perfect

**parfois** sometimes

**parfum** *m.* perfume, smell

**parfumeur** *m.* perfumer

**parlementaire** parliamentary;
*n. m.* member of Parliament

**parler** speak; **façon de parler**
way of speaking; **pour ne parler que de** to mention only

**parler** *m.* language (peculiar to
a class, people, or region)

**parmi** among

**parole** *f.* word, saying; **porte-
parole** *m.* spokesman

**paroxysme** *m.* paroxysm, highest point

**part** *f.* part, share; **prendre part**
participate; **faire part de** com-
municate; **faire la part de** allow for; **de la part de** from;
**place à part** distinctive place;
**d'autre part** on the other hand;
**d'une part . . . de l'autre** on one
side . . . on the other

**partager** divide, share; **il se
partage entre** he divides his life
between; **amour partagé** re-
quited love; **le bon sens est la
chose du monde la mieux partagée** common sense is the most
common thing in the world

**parti** *m.* party; **prendre son parti
de** make up one's mind to,
accept, submit to, resign oneself to; **il n'y a qu'un parti à
prendre** there is only one course
to follow

**participer** participate, take part

**particulier -ère** peculiar, proper, belonging to; **en particulier** for instance

**partie** *f.* share; **en partie** in part; **faire partie de** belong to

**partir** set out, start; **à partir de** from, from . . . on

**partout** everywhere

**paru -e** published

**parvenu** *m.,* **-e** *f.,* newly rich

**parvis** *m.* parvis (open place before a church)

**passager -ère** transient, short-lived, passing

**passer** pass; **passer pour** be taken for; **passer de mode** go out of style; **près de passer** nearly spent; **se passer** take place; **se passer de** fail to, do without; **passer à quelqu'un** go to (see) somebody

**passionnant -e** exciting

**passionner** stir up; **se passionner** be enthusiastic

**pastourelle** *f.* rustic idyl

**pathétique** *m.* pathos

**patrie** *f.* country, native land

**patrimoine** *m.* inheritance

**paysage** *m.* landscape

**paysan -nne** peasant

**pêcheur** *m.,* **-eresse** *f.,* sinner

**pêcheur** *m.* fisherman

**pecque** *f.* malapert woman, conceited woman

**pédant -e** pedantic; *n.* pedant

**peindre** paint, describe, depict

**peine** *f.* trouble, effort; **à peine** hardly; **valoir la peine** be worth, be worth while

**peintre** *m.* painter

**peinture** *f.* picture, description

**pèlerinage** *m.* pilgrimage

**pencher** lean; **pencher les yeux** lower one's eyes

**pendre** hang

**pénétrant -e** keen, deep

**pénombre** *f.* dim consciousness

**pensée** *f.* thought

**penser (à)** think (of)

**penseur** *m.* thinker

**pension de famille** *f.* boarding-house

**pensionnaire** *m. and f.* student in a boarding-school

**pensionnat** *m.* boarding-school

**percepteur** *m.* tax-collector

**perception** *f.* understanding

**percer** penetrate, discover; **il laisse percer son imagination** his imagination breaks out

**percevoir** perceive; understand; collect (taxes)

**perdre** lose; waste, ruin

**père** *m.* father; senior; *pl.* ancestors; **les Pères de l'Église** the Church Fathers

**perfectionner** perfect

**perfide** perfidious, false

**période** *f.* period; periodic sentence

**péripétie** *f.* incident

**périphrase** *f.* circumlocution

**périr** die; **faire périr** cause the death of

**permettre** let, allow

**Persan** *m.* Persian

**personnage** *m.* personage, character

**personne** no one

**persuader** convince; **il veut se persuader** he wants to believe

**perte** *f.* loss; ruin

**pesant -e** heavy

**pesanteur** *f.* weight; **pesanteur de l'air** atmospheric pressure

**peste** *f.* plague

**petitesse** *f.* smallness

**petit-fils** *m.* grandson

**pétrarquiser** imitate Petrarch

**peu** little; **peu à peu** little by little; **un peu** somewhat; **il est peu de** there are few; **à peu que le cœur ne me fend** my heart almost breaks

**peuplade** *f.* tribe

**peuple** *m.* people

**pharmacien** *m.* druggist

**phase** *f.* phase, turn, aspect

**philhéllénique** in favor of the Greeks

**physique** *f.* physics

**pièce** *f.* piece, play; **tout d'une pièce** unbending, stiff

**pied** *m.* foot

**pierre** *f.* stone

**pillage** *m.* plunder

**pingouin** *m.* penguin

**piquer** spur; **se piquer de** make a point of, pride oneself on

**pire** worse

**piste** *f.* trail

**pitié** *f.* pity

**pittoresque** picturesque; *n. m.* picturesqueness

**place** *f.* place, position, way; square; time; **faire place** give way

**se placer** stand

**plaideur** *m.* litigant

**plaie** *f.* wound

**plaire** please; **se plaire à** delight in, enjoy

**plaisance** *f.* pleasure; **habitation de plaisance** country house

**plaisant -e** pleasing, humorous

**plan** *m.* plan, project, scheme; **arrière-plan** background; **premier plan** foreground; **de premier plan** leading, outstanding

**plausible** plausible, apparently right

**plébéien -nne** belonging to the common people

**plein -e** full; **en plein quartier latin** in the heart of the Latin Quarter; **en plein air** in the open; **en pleine gloire** at the height of his success

**pleurer** weep

**plier** bend, yield; **se plier à** submit to

**pluie** *f.* rain

**plume** *f.* pen

**plupart: la plupart** most

**plus** more; **plus près** nearer; **plus connu** better known; **en plus de** besides, in addition to; **en plus, de plus,** moreover; **non plus** either, neither; **tout au plus** at the most; **ce n'est que plus de dix ans après** it was more than ten years later; **plus . . . plus** the more . . . the more

**plusieurs** several

**plutôt** rather

**poche** *f.* pocket

**poétique** poetic; *n. f.* poetics

**poids** *m.* weight

**point** not; **il n'a point de** he has none of; **point du tout** not at all

**point** *m.* point; **en bien des points** in many respects; **jusqu'à quel point** how much

**pointe sèche** *f.* dry-point, steel engraving

**poitevin -e** from the province of Poitou

**poitrine** *f.* chest, breast

**polémique** *f.* controversy

**polémiste** *m.* controversialist

**poli -e** polite, refined, polished

**pommier** *m.* apple tree

**portée** *f.* import; **à portée** within reach

**porte-parole** *m.* mouthpiece, spokesman

**porter** carry; **porter en soi** bear in one's mind; **porté à** prone to; **les jugements qu'il a portés** the judgments he has passed

**portugais -e** Portuguese

**pose** *f.* pose, attitude

**poser** put, place; establish, lay down; **se poser** be involved, be asked (of a question), place oneself

**pouce** *m.* inch

**poudre** *f.* dust, powder

**poule** *f.* hen

**pour** for; **qui ont pour elles** which have in their favor; **le pour et le contre** the pros and cons; **pour original que** however original

**poursuivre** pursue; prosecute

**pourtant** although, however

**poussé -e** deep, emphasized

**pousser** push, press, stimulate, impel, urge; **pousser au noir** paint (the picture) too dark; **pousser à l'excès** carry to excess

**pouvoir** *m.* power

**prairie** *f.* meadow; pasture

**pratique** *f.*: **dans la pratique** in practice

**précédent -e** preceding

**précéder** precede

**précepteur** *m.* tutor

**prêcher** preach

**précieux -se** precious; *applied to writers or society* **précieux** *corresponds to* euphuistic; **Les Précieuses ridicules** *f. pl.* The Affected Maidens

**préciosité** *f.* preciosity, euphuism

**précis -e** precise, accurate, definite

**préciser** determine, make more definite; **se préciser** take definite form

**préconiser** advocate

**prédicateur** *m.* preacher

**préférence: de préférence** preferably

**préjugé** *m.* prejudice

**premier -ère** first; **tout premier** very first, early

**prenant -e** gripping

**prendre** take, catch; **à tout prendre** on the whole

**se préoccuper de** care for

**prépondérant -e** preponderant, dominating, main

**près** near; **à peu près** nearly; **de trop près** too closely; **près de** nearly

**présenter** introduce; **les carac-tères que présente** the characteristics to be found in

**pression** *f.* pressure

**prestigieux -se** magic

**prêt -e** ready

**prétendre** pretend; claim; **prétendre à** aspire to; **il prétendait avoir fait** he claimed to have accomplished

**prétendu -e** so-called

**prétention** *f.* claim

**prêter** attribute

**prêtre** *m.* priest

**preuve** *f.* proof; **faire preuve de** show

**prévaloir** be prevalent

**prévoir** foresee; **faire prévoir** permit (one) to foretell

**prière** *f.* prayer; request; **sur la prière** at the request

**principe** *m.* source

**printemps** *m.* spring

**prise** *f.* capture; **mettre aux prises** set against each other

**privé -e** private, deprived

**prix** *m.* prize

**procédé** *m.* method, process

**procéder** proceed

**procès** *m.* trial; **faire le procès** bring to trial

**prochain -e** next, near

**proche** near, close; *n.* kin; **proche parent** close relation

**procuration** *f.* proxy

**procureur** *m.* lawyer, attorney

**produire** produce; **se produire** take place, happen, occur

**profane** secular; unworthy

**profit** *m.* benefit; **mettre à profit** make use of

**profiter** make use (of), avail oneself (of); **il voulut les faire profiter de** he wanted them to profit by

**profond -e** deep

**profondément** profoundly, thoroughly, deeply

**profusion** *f.*: **à profusion** profusely

**proie** *f.* prey; **en proie à** a prey to

**projeter** contemplate

**prolongé -e** continued, lengthy

**prolongement** *m.* prolongation, extension

**se prolonger** extend

**promenade** *f.* walk, excursion

**promener** take along, parade

**promeneur** *m.* wanderer, pedestrian

**promesse** *f.* promise

**promettre** promise

**prononcé -e** marked

**prononcer** pronounce, decide; deliver; **se prononcer** declare oneself, declare one's opinion

**propos** *m.* talk, expression; purpose; **à propos de** concerning

**se proposer** have in view; set oneself to

**propre** proper, own

**proprement** properly; **à proprement parler** strictly speaking; **proprement dit** proper, real

**proprieté** *f.* property

**prosateur** *m.* prose-writer
**protagoniste** *m.* main character
**protéger** protect, patronize
**protestation** *f.* protest
**protester** protest
**provenir de** come from, spring from
**province** *f.* province, country; **de province** provincial
**provisoire** provisional
**provoquer** cause, call for
**psaume** *m.* psalm
**pseudonyme** *m.* pen-name, pseudonym
**public** *m.*: **public de choix** selected audience; **gros public** general public
**puiser** borrow, draw
**puissance** *f.* power
**puits de mine** *m.* pit, shaft
**punique** Carthaginian
**punition** *f.* punishment
**pupille** *m. and f.* ward
**pur -e** genuine, true

**qualité** quality; **homme de qualité** nobleman; **en sa qualité de** as a
**quand** when; **quand même** even if, though
**quant à** as for
**quart** *m.* quarter
**quel** which, what; **quels que soient** whatever may be
**quelconque** any, whatsoever
**quelque** some, any, whatever
**quelquefois** sometimes
**querelleur -se** quarrelsome
**question** *f.* question

**queue** *f.* tail
**Quichotte, Don** Don Quixote
**quiconque** whosoever, whomsoever, any
**quiétisme** *m.* quietism (a form of mysticism prevalent in the seventeenth century)
**quintessencié -e** over-refined
**quitter** leave
**quotidien -nne** daily

**rabaisser** lower; humble; undervalue
**raccourci -e** condensed, shortened
**raconter** tell, relate
**raconteur** *m.* story-teller
**raffiné -e** refined, delicate, polished
**rage: faire rage** rage
**railler** ridicule, mock, deride
**raillerie** *f.* satire
**raison** *f.* reason
**raisonné -e** logical, rational
**raisonnement** *m.* reasoning
**se ralentir** slow up
**rallier** rally; **se rallier à** join
**ramassé -e** condensed, compact
**ramasser** gather
**ramener** bring back; **ramener tout à l'intérêt** derive everything from self-interest
**rancune** *f.* rancor, resentment
**rang** *m.* rank, row, class, rate
**ranger** place, class
**rapide** quick
**rappeler** recall, call back, remind

**rapport** *m.* relation

**rapporter** tell; **on rapporte** it is told

**rapprochement** *m.* rapprochement, close relation

**se rapprocher (de)** come close (to); be connected with; **se rapprocher trop du latin** be too closely akin to Latin

**rasé -e** razed

**rattacher** bind, connect; **se rattacher** be related, belong

**ravir à** rob . . . of, snatch from

**rayon** *m.* ray; shelf

**rayonnant -e** shining, gleaming

**rayonnement** *m.* influence

**réagir** react

**réaliser** bring about

**rebuté -e** disgusted, discouraged

**se rebuter** become discouraged

**récemment** recently

**recette** *f.* recipe

**recevoir** receive; **se faire recevoir avocat** be admitted to the bar

**recherche** *f.* search, research, quest, pursuit; affectation, studied elegance

**recherché -e** affected, studied

**rechercher** seek after

**réciproque** mutual

**récit** *m.* tale, story, relation

**réclamer** claim; **se réclamer de** claim acquaintance with

**recommander** advise

**se réconcilier (avec)** be reconciled (with), make one's peace (with)

**reconnaissable** recognizable

**reconnaissance** *f.* gratitude

**reconnaître** recognize; **il faut bien reconnaître** we must admit; **qui leur est reconnu** which it is admitted is theirs

**reconstituer** reproduce

**reconstitution** *f.* reconstruction

**reconstruire** put together

**recours** *m.* recourse

**recruter** recruit

**recueil** *m.* collection

**recueillement** *m.* meditation

**recueilli -e** collected, taken in

**recueillir** collect

**reculé -e** remote

**rédaction** *f.* composition

**redécouvrir** rediscover

**rédiger** write out, draw up

**réduire** bring down; **réduire à néant** bring to naught

**réel -lle** real, true

**réfléchi -e** deliberate

**réfléchir** think

**refléter** reflect

**réflexion** *f.* thought, consideration

**réformateur -trice** reforming; *n.* reformer

**Réforme** *f.* Reformation

**refouler** drive back

**refrain** *m.* chorus, burden (of a song)

**réfugié -e** exiled; *n.* refugee

**se réfugier** take refuge

**refus** *m.* refusal

**refuser** deny; **se refuser de** forbid oneself

**réfutation** *f.* refutation, rebuttal

**regard** *m.* look, glance; **attirer les regards** attract attention

**regarder** look, look at; concern; **en ce qui regardait** concerning; **à regarder de plus près** on closer inspection

**régime** *m.* form of government

**règle** *f.* rule

**régler** regulate, settle; discipline

**règne** *m.* reign, rule

**régner** reign, rule, prevail

**regratteur de mots** *m.* scraper of words

**regretter** regret; **il est à regretter** it is much to be regretted

**régulateur -trice** directing

**reine** *f.* queen

**rejeter** cast off, throw off, reject; **se rejeter sur** fall back on

**rejoindre** join again; overtake

**relever** pick out

**relief** *m.* relief; **mettre en relief** call attention to, emphasize

**relier** connect

**reliquaire** *m.* reliquary, shrine

**remaniement** *m.* alteration

**remanier** alter, rehandle

**remarquer** notice

**remettre** postpone

**remonter (à)** go back (to), date back (to)

**remords** *m.* remorse, qualms

**remplacer** take the place of

**renaître** revive

**renard** *m.* fox

**rencontrer** meet; **se rencontrer avec** agree with

**rendre** render, make, express, represent; **rendre hommage** pay acknowledgments; **se rendre** make oneself; **se rendre à** go to, betake oneself to

**renfermer** contain

**renforcer** strengthen

**renoncer** give up

**renouer** renew

**renouveau** *m.* renewal, revival

**renouveler** renew, renovate

**renouvellement** *m.* revival

**rénovateur** *m.* restorer

**rénover** renovate, regenerate

**renseignement** *m.* information

**rentrer** return, go back; **peut rentrer dans** can be included in

**répandre** spread, diffuse; **fort répandu** widely spread

**reparaître** reappear

**réparer** repair, atone for

**répartir (sur)** distribute (over), extend (over)

**repentant -e** penitent

**repentir** *m.* repentance

**répercussion** *f.* repercussion, reverberation

**répit** *m.* respite

**se reporter (vers)** go back (to), look back (upon)

**repos** *m.* rest

**reposé -e** restful

**se reposer** rest; **reposer sur** rest on, be founded upon

**repoussant -e** repulsive

**repousser** repulse, drive back

**reprendre** take up again, resume

**représailles** *f.* reprisals

**représentation** *f.* performance

**reprise** *f.* resumption; **à plusieurs reprises, à maintes reprises** several times, many a time

se reproduire occur again

requête *f.* request

requis -e requisite, necessary

réservé -e cautious; sujet réservé tabooed subject

résigné -e resigned

se résigner (à) submit (to)

résolu -e (à) bent (on)

résoudre resolve, solve

ressemblance *f.* likeness; air de ressemblance likeness

ressentiment *m.* resentment

ressentir feel

ressortir stand out

rester remain; il n'en reste pas moins it remains nevertheless true

restreint -e limited, restricted

résumer sum up

rétablissement *m.* restoration

retarder delay

retenir retain; on doit retenir one must keep in mind

retentissement *m.* echo, re-echoing

retenue *f.* reserve

se retirer retire, withdraw

retomber fall back

retour *m.* return; faire un retour sur soi-même look back upon one's life

retracer trace back

retrouver find anew, recognize, meet again

réunion *f.* meeting; Réunion a volcanic island, belonging to France, several hundred miles east of Madagascar

réunir gather, collect; embrace

réussir succeed, be successful

rêve *m.* dream

révéler reveal

revendication *f.* claim, protestation

revenir come back, return; recur; ils ne reviennent pas sur eux-mêmes they do not analyze themselves

rêverie *f.* musing, dreaming

revêtir put on; revêtir d'un déguisement disguise

rêveur -se dreaming; *n.* dreamer

revirement *m.* sudden change

revivre live again; faire revivre bring back to life, portray vividly

revoir see again; review

révolte *f.* revolt, rebellion

révolté *m.* rebel

revue *f.* review, summary

richesse *f.* richness, wealth

ridicule ridiculous

ridiculiser ridicule

rien nothing; il n'en est rien it means no such thing; il n'a rien d'un révolutionnaire he is not at all revolutionary

rigoureux -se strict

rimé -e put into rimes

ripailles *f. pl.* revels

rire laugh

risquer risk; il risque de dérouter it may well baffle; on risquerait de donner one might give

rivage *m.* shore

rivaliser rival; compete; rivaliser d'esprit pit one's wits against another's

**rixe** *f.* brawl
**rôle** *m.* part
**roman -e: art roman** Roman (*or* Romanesque) order of architecture
**roman** *m.* romance, novel; **roman à clef** novel picturing contemporary characters under fictitious names
**romancé -e** put in the form of a romance
**romancier** *m.* novel-writer
**romanesque** imaginative, fictitious, romantic
**rompre** break
**rosse: comédies rosses** bitterly ironical plays
**rôtisserie** *f.* cookshop
**roturier** *m.* yeoman, plebeian
**roumain -e** Roumanian
**royaume** *m.* kingdom
**rude** vigorous, harsh, fierce
**rudement** violently
**rudesse** *f.* harshness
**rudimentaire** rudimentary
**rue** *f.* street
**ruineux -se** ruinous
**ruisseau** *m.* brook
**rupture** *f.* break, breaking away
**rythmé -e** rhythmical

**sacré -e** sacred
**sacrer** anoint, crown
**sage** wise
**sagesse** *f.* wisdom
**saillant -e** striking
**sain -e** healthy
**saint -e** holy; *n.* saint
**Saint-Esprit** Holy Ghost

**saisir** catch, take hold of, grasp; **faire saisir** make (one) perceive
**saisissant -e** striking, gripping
**saison** *f.* season
**salle** *f.* hall
**saluer** greet, hail
**sans** without
**santé** *f.* health
**sarrasin -e** Saracen
**satisfaisant -e** satisfactory
**sauf** except
**sauter aux yeux** be evident, be striking
**sauvage** wild
**sauver** save
**savant -e** erudite, learned; *n.* scientist, learned man
**savetier** *m.* cobbler
**savoir** know; *often used in the sense of* **pouvoir** (**ils ne sauraient mieux faire** they could not do better; **on ne saurait trop (répéter)** one cannot (repeat) too often)
**savoir** *m.* learning, knowledge
**savoyard -e** from the province of Savoy
**scabreux -se** shocking
**scandale** *m.*: **faire scandale** create a scandal
**scène** *f.* stage; **scène mimée** pantomime; **mettre en scène** portray, introduce, bring into play
**scolastique** *f.* scholasticism
**sculpter** carve
**séance** *f.* meeting
**secours** *m.* help
**séduire** win
**seigneur** *m.* lord

**seigneurial -e** lordly
**seigneurie** *f.* fief
**séjour** *m.* sojourn, visit
**séjourner** stay, dwell
**sel** *m.* salt
**selon** according to
**semaine** *f.* week
**semblable** similar; **ses semblables** his fellow men
**sembler** seem; **il semble bien** it appears; **si bon leur semble** if they care to
**semer** sow, spread, scatter
**sens** *m.* sense, understanding; direction; **bon sens** common sense
**sensibilité** *f.* sensitiveness
**sentiment** *m.* feeling; sentiment
**sentir** feel; **se faire sentir** be felt
**séparer** keep apart; **se séparer** break away
**série** *f.* series
**serment** *m.* oath
**sermon** *m.*sermon; **sermon laïque** lay sermon
**serré -e** condensed, closely knit
**servage** *m.* bondage
**servante** *f.* housemaid
**servir** serve; **il servit de porte-parole** he served as a spokesman; **se servir de** use, make use of
**servitude** *f.* slavery, subjection
**seuil** *m.* threshold
**seul -e** alone, in itself
**si** if; however; **si complexe que soit la question** however complex the question may be

**siècle** *m.* century, age
**signaler** point out
**signe** *m.* sign
**significatif -ve** significant
**silence** *m.* silence; **imposer silence à** silence
**sillon** *m.* furrow
**simple** simple
**simplesse** *f.* (*O.F.*) simplicity
**singer** ape
**singulier -ère** peculiar, strange; **en combat singulier** in single combat
**sinistre** evil
**sinon** if not
**sobre** sober
**sobrement** soberly
**société** *f.* society; **se mettre hors la société** be outlawed
**soi** oneself, itself
**soif** *f.* thirst
**soin** *m.* care
**soit … soit** either … or
**sol** *m.* soil; land, country
**soldat** *m.* soldier
**soleil** *m.* sun
**solennel -lle** solemn
**solidaire** akin, jointly responsible
**solide** firm; sturdy, real
**sombre** dark, gloomy
**somme** *f.* sum; **en somme** after all, in short
**son** *m.* sound
**songe** *m.* dream
**songer** think, dream
**sonner** ring; sound; blow (a brass or wood-wind instrument)
**sonneur** *m.* ringer; piper
**sonore** musical

**sonorité** *f.* musical value

**sorbonnique** belonging to the Sorbonne, formerly the school of theology, now the University of Paris

**sort** *m.* fate

**sorte** *f.* kind

**sortie** *f.* exit; **à sa sortie** when he came out

**sortir** spring from; **sortir de la foi** renounce the faith

**sot, sotte,** foolish; *n.* simpleton

**sotie** *or* **sottie** *f.* (*O.F.*) farce

**sottise** *f.* folly, stupidity

**sou** *m.* old name for the French coin worth about a cent; **sans le sou** penniless

**soubrette** *f.* lady's maid

**souci** *m.* preoccupation, care; **sans souci** carefree

**se soucier (de)** care

**soucieux -se** preoccupied, anxious, solicitous

**souffle** *m.* breath; inspiration

**souffrance** *f.* suffering

**souffrir** suffer

**souhaiter** wish (for)

**soulever** raise; stir, rouse

**se soumettre (à)** undergo, yield (to)

**soupçonner** suspect, guess at

**souple** supple

**sourd -e** deaf

**sous** behind, under

**sous-lieutenant** *m.* second lieutenant

**sous-titre** *m.* subtitle

**se soustraire** keep out

**soutenir** assert, maintain; **soute-**nir (une lutte) wage; **soutenir (une thèse)** defend

**se souvenir (de)** remember

**souvenir** *m.* memory, recollection

**souverain** *m.* sovereign, ruler

**spadassin** *m.* professional assassin, murderer, bravo

**spectacle** *m.* spectacle, play, performance, show; **spectacle en plein air** open-air performance

**spirituel -lle** witty

**spontanéité** *f.* spontaneity

**stoïquement** stoically

**strophe** *f.* stanza

**sub-conscient** *m.* subconsciousness

**subir** undergo; **faire subir** inflict; **il ne tarda pas à subir le sort** he soon met the fate

**subitement** suddenly

**subsister** remain, survive

**se substituer (à)** take the place (of)

**subtil -e** subtle

**succéder** succeed

**succès** *m.* success; **non sans succès** with no little success

**Suède** *f.* Sweden

**suffire** be sufficient; **il ne pouvait suffire à** he could not satisfy

**suffisamment** sufficiently

**suggérer** suggest

**se suicider** commit suicide

**Suisse** *f.* Switzerland

**suite** *f.* continuation, consequence; **à la suite de** following, as a consequence of; **par suite de** because of

**suivant** according to

**suivi -e** consistent
**suivre** follow, imitate; understand
**supérieur -e** superior; **la mère Supérieure** the Mother Superior (in a convent)
**suppléer** make up for
**supplice** *m.* torment
**supporter** bear
**supprimer** suppress
**surabondance** *f.* excess, superabundance
**surintendant** *m.* superintendent
**surprendre** startle
**surtout** specially, chiefly
**surveiller** watch
**survenir** arise
**survie** *f.* survival; future life
**survivance** *f.* survival
**survivant** *m.* survivor
**survivre** survive
**susciter** create, stir up
**suzerain** *m.* overlord

**tableau** *m.* picture, description; **tableau d'intérieur** home scene
**tache** *f.* spot, blot, stain, blemish
**tâche** *f.* task; **il se donna pour tâche de** he set himself to
**tâcher** try
**taille** *f.* stature, size
**tailler** carve; **se tailler une place** win a position
**taire** say nothing of; **faire taire** silence
**tant (de)** so many, so much; **tant par . . . que par** by . . . as well as by
**tantôt** sometimes; **tantôt . . . tantôt** now . . . now

**tarder (à)** be slow, be long in; **il ne tarda pas à** he was quick to, it was not long before he
**teint** *m.* complexion
**teinte** *f.* color; **demi-teinte** half-tone
**tel, telle,** such
**témoigner (de)** show, evidence
**témoin** *m.* witness
**tempête** *f.* storm
**temps** *m.* time; **premiers temps** early days; **en même temps (que)** at the same time, while; **temps jadis** bygone days; **entre temps** meanwhile
**tendre** tend; strain; **se tendre** become strained
**tendre** gentle, tender
**tenir** hold; bind; **tenir à** care to, care for; **s'en tenir à** keep to, limit oneself to; **tenir au courant** keep in touch; **se tenir** stand, remain
**tentative** *f.* attempt
**tenter** tempt, lead (to); try
**ténu -e** slender
**tenue** *f.* poise; behavior
**se terminer** end
**terne** dull
**terrain** *m.* ground
**terre** *f.* earth; **ses terres** his estate; **terre à terre** vulgar, commonplace
**terrestre** earthly; **Paradis terrestre** Garden of Eden
**terrible: enfant terrible** irrepressible child
**terroir** *m.* soil; **accent de terroir** speech that smacks of the soil

têtu -e stubborn

théâtral -e theatrical

théâtre *m*. theater ; le théâtre du dix-neuvième siècle the drama of the nineteenth century ; théâtre de la nature open-air theater ; il met au théâtre he puts on the stage

thèse *f*. thesis ; pièce à thèse problem play

tic *m*. mania ; bad habit

tiers *m*. third

tirer pull ; draw, derive ; se tirer de get out of, extricate oneself from

tisser weave

titre *m*. title ; à juste titre rightly ; à ce titre for this reason, in that capacity

toile *f*. linen

tombeau *m*. tomb

tomber fall

ton *m*. tone, style

torride burning

tort *m*. wrong ; à tort wrongly ; à tort ou à raison right or wrong ; avoir tort be wrong ; faire tort à harm

tôt early ; assez tôt rather early

total *m*. total ; au total on the whole

toucher touch ; toucher à border on ; toucher à sa fin draw to its close

tour *m*. trick ; tour à tour in turn ; faire le tour de go around

tour *f*. tower

tourangeau -elle from the province of Touraine

tourbillon *m*. whirlpool

tourment *m*. torture

tourmente *f*. storm

tourmenté -e agitated ; d'une sensibilité tourmentée passionate

tourner turn ; express ; tourner au tragique become tragic ; se tourner du côté des lettres turn to writing

tournoi *m*. tournament

tout -e all, every ; *n. m.* whole ; tous (les) deux both ; de tout everything ; tout en while

tracas *m*. worry ; tracas d'argent financial worry

tracer draw

traduction *f*. translation

traduire translate, express ; transform, change ; traduire en jugement bring to court

tragique *m*.: le tragique the tragic element ; un tragique a tragic writer

train: être en train de be in the process of

trait *m*. trait ; traits d'observation touches ; à grands traits with large strokes ; trait commun resemblance ; avoir trait à deal with

traité *m*. treatise

traitement *m*. treatment, way of handling

traiter treat, consider

tranche *f*. slice

tranché -e different ; sharply defined, well marked

transmettre hand over

**transporté -e** enraptured, carried away, beside oneself
**transporter** carry
**travail** *m.* work
**travaillé -e** labored; elaborate; wrought; **trop travaillé** overwrought
**travailler** work; **travailler à** endeavor to, strive to
**travailleur** *m.*, **-se** *f.*, worker
**travers** *m.* aberration, eccentricity; ridicule; **à travers** through
**traverser** run through; **tout entier traversé** pervaded all through
**travesti -e** travestied
**trentaine** *f.* about thirty
**trêve** *f.* truce
**triomphateur -trice** *n. and adj.* conqueror
**triste** sad
**tristement** sadly
**tristesse** *f.* sadness
**tromper** deceive
**trompeur -se** deceitful
**trouble** *adj.* vague
**trouble** *m.* disturbance
**troublé -e** disturbed, distressed
**trouver** find; **se trouver** happen, be; **il s'est trouvé** there has been; **faire trouver** inspire with
**tuer** kill
**tumultueux -se** agitated
**turbulence** *f.* restlessness
**turc, turque,** Turkish
**Turquie** *f.* Turkey
**tutelle** *f.* tutelage
**tuteur** *m.* guardian
**type** *m.* character, type

**unique** only, one; unique, matchless
**uniquement** only
**unir** unite
**usage** *m.* usage, custom
**utilement** usefully
**utilitaire** utilitarian

**vaincre** conquer, overcome, defeat
**vaisseau** *m.* ship, vessel
**val** *m.* valley
**valet** *m.* servant
**valeur** *f.* value
**valoir** be worth; **faire valoir** point out, assert; **cela lui vaudrait** that would bring him; **valoir la peine d'être vécu** be worth living; **s'il ne valait pas mieux** were it not better; **lui ont valu d'être appelé** have caused him to be called
**vanter** praise, laud
**variante** *f.* different reading, variation
**varié -e** varied, changed
**veille** *f.* eve; **à la veille de** on the eve of
**veiller à** pay attention to, take care of
**vendômois -e** from Vendôme
**vendre** sell
**venger** avenge
**venir de: venir de parler de** have just been discussing
**venu** *m.*: **nouveaux venus** newcomers
**véritable** real, true
**vérité** *f.* truth

vernis *m.* veneer

vers about, toward

vers *m.* verse, poetry; vers libre free verse

vertu *f.* virtue; en vertu de by virtue of

verve *f.* animation, spirit; plein de verve full of life

vêtements *m. pl.* clothes

se vêtir dress, array oneself

veuve *f.* widow

vibrer vibrate; faire vibrer strike, move

vider empty

vie *f.* life; vie de salon society life; vie courante everyday life

vieillard *m.* old man

vieille *f. of* vieux

vieillesse *f.* old age

vieilli -e aged, worn out

Vierge *f.* Virgin

vieux, vieil, vieille, old

vif, vive, keen, strong, vivid, lively, sharp, acute

vigueur *f.* vigor, strength; avec vigueur sharply

ville *f.* city, town

vingtaine *f.* score

virtuosité verbale *f.* mastery of words

viser à aim at

visionnaire visionary

vivant -e living, live, alive; de son vivant during his life

vivre live; il devait vivre he was to live

vivres *m. pl.* foodstuffs, provisions

voie *f.* way, direction, path

voile *m.* veil

voilé -e veiled, softened

voir see; faire voir show

voisin -e neighboring; *n.* neighbor

voiture *f.* carriage, cart

vol *m.* flight; au vol on the wing

vol *m.* theft

voleur *m.* thief

volonté *f.* will; de bonne volonté volunteer

volumineux -se bulky; peu volumineux far from large

vouer vow; consecrate

vouloir wish, will; sans le vouloir without meaning to do it; n'en vouloir qu'à bear ill will only to; ils veulent être they mean to be; vouloir dire mean

voulu -e voluntary

voyage *m.* trip, travel

voyageur *m.* traveler

vrai -e true; true to nature; faire vrai reproduce reality; à vrai dire more exactly, to speak the truth

vraisemblable lifelike, probable

vraisemblance *f.* probability

vue *f.* view; sight

vulgarisateur *m.* popularizer

zèle *m.* zeal

# INDEX